# 卡图卢斯《歌集》

## 拉中对照译注本

*C. Valerii Catulli*
*Veronensis Carmina*

[古罗马] 卡图卢斯 著

李永毅 译注

中国青年出版社

（京）新登字083号

**图书在版编目（CIP）数据**

卡图卢斯《歌集》拉中对照译注本/（古罗马）卡图卢斯著；李永毅译注.
—北京：中国青年出版社，2008
ISBN 978-7-5006-8468-8

Ⅰ.卡…　Ⅱ.①卡…②李…　Ⅲ.①诗歌–作品集–古罗马–拉丁语、汉语
②歌集–注释　Ⅳ.I546.22

中国版本图书馆CIP数据核字（2008）第155812号


责任编辑：王钦仁

\*

中国青年出版社 出版 发行

社址：北京东四12条21号　邮政编码：100708

网址：www.cyp.com.cn

编辑部电话：（010）64010053　营销中心电话：（010）84039659

聚鑫印刷有限责任公司印刷　新华书店经销

\*

700×1000　1/16　26印张　2插页　341千字

2008年11月北京第1版　2008年11月河北第1次印刷

定价：26.00 元

本图书如有印装质量问题,请凭购书发票与质检部联系调换

联系电话：(010)84047104

感　　谢

教育部人文社科基金提供研究经费

美国 Loeb Classical Library Foundation 提供出版资助

# 目　录

# 译序：卡图卢斯及其《歌集》

## 一

在古罗马诗人中，卡图卢斯（Valerius Catullus）的命运最为奇特。他在奥古斯都时代就已获得盛名，但从公元 3 世纪开始却湮没无闻，其作品几乎从世界上彻底消失了。然而，14 世纪时在他的家乡维罗纳神秘地出现了一部卡图卢斯诗歌的抄本（学者们称为 V），稍后以它为基础又出现了另一部抄本（称为 X），但很快两部抄本都消失了，只剩下三部转抄的本子，分别称为 O（保存于牛津）、G（保存于巴黎）和 R（保存于梵蒂冈），这三大抄本是后来所有抄本和印本的源头。自文艺复兴以来，卡图卢斯这些死而复生的作品成为欧洲众多诗人模仿的对象。进入 20 世纪，他的地位更扶摇直上，在拉丁文学课堂和古典学者著作中堪与维吉尔、奥维德、贺拉斯分庭抗礼。

古罗马文学的黄金时代（公元前 80 年-公元 14 年）常被划为两个时期：西塞罗时期（公元前 80 年-前 44 年）和奥古斯都时期（公元前 43 年-公元 14 年），前一个时期散文成就最为辉煌，后一个时期则是诗歌的巅峰，涌现了维吉尔、贺拉斯、普洛佩提乌斯、提布卢斯、奥维德等一大批重量级诗人。从时间上看，卡图卢斯属于西塞罗时期，是这些诗人的前辈，他在诗歌领域的革新为奥古斯都时期的诗人提供了关键的资源。卡图卢斯的贡献可以概括为五个方面：视野、体裁、技法、主题和美学。他在广泛学习古希腊和泛希腊诗人的基础上，形成了一种敏锐的世界眼光；他奠定了古罗马爱情哀歌体、铭体诗和微型史诗这三种体裁的基础；他对神话典故的创造性运用和戏剧化的抒情方式对后辈启发极大；他创立了古罗马乃至欧洲爱情诗歌的主题模式；他将诗歌作为一种私人化、专门化的事业来经营，突出诗歌的抒情性和审美快感，尤其有助于突破古罗马民族重实用轻想象、重国家轻个人的传统。

二

卡图卢斯只活了三十岁，关于他的生平，我们所知甚少，而且基本上也都是从他的诗歌推测出来的。他大约于公元前 84 年出生于意大利北部的维罗纳，卒于公元前 54 年左右。卡图卢斯很早就到了罗马，罗马也是他活动的中心。公元前 57 年前后，他还曾在小亚细亚的比提尼亚行省任职。

对他的诗歌影响最大的有两件事：一是他哥哥的死，一是与莱斯比娅的恋情。卡图卢斯的哥哥死得很早，葬在远离家乡的特洛伊，直到从比提尼亚卸职回罗马途中，卡图卢斯才有机会亲自到哥哥坟前祭奠。他的丧兄之痛在第 65 首、68 首和第 101 首诗中都有动人的表达。莱斯比娅（Lesbia）是卡图卢斯在《歌集》中给情人起的名字，这个名字显然来自他所崇拜的古希腊女诗人萨福（其出生地是 Lesbos）。根据古罗马作家阿普列乌斯的说法，莱斯比娅的真名是 Clodia，学者们通常认为她是一位比卡图卢斯大十岁的贵妇，其兄是 P. Clodius Pulcher，其夫是 Q. Metellus Celer。《歌集》中有二十多首诗都与莱斯比娅有关，这是欧洲文学史上第一个集中描绘一段恋情的诗歌系列，西方爱情诗歌的许多主题、程式都可在此找到源头。卡图卢斯与情人莱斯比娅的关系包含了一个悖论，这段关系的通奸性质即使在古罗马社会里也是不合道德的，卡图卢斯也认识到了这一点，但恰恰是在这段感情中，他努力超越古罗马男权社会的伦理，试图在平等的基础上建立一种几乎"神圣的盟约"（见第 109 首）。但莱斯比娅显然不理解他的用意，只把他看作自己众多情人中的一位而已。卡图卢斯在爱的理想与欲的本能之间苦苦挣扎，最终选择了放弃。然而，这段感情却在文学史上留下了永久的印迹。奥古斯都时期的普洛佩提乌斯和提布卢斯仿效卡图卢斯，在自己的作品中分别创造了辛西娅和黛丽娅的形象，到了文艺复兴时期，此类诗歌更蔚为大观。

三

卡图卢斯的《歌集》共辑录了 113 首诗（最初有 116 首，学术界已认定第 18 首、19 首、20 首不是卡图卢斯的作品，但仍沿袭原来的编号）。这些诗按编排顺序可划分为三部分。

第 1-60 首是一些短诗，采用了多种格律（所以被称为 polymetric poems）。这些诗抒情性很强，语言高度口语化，鲜活生动，许多都是欧洲文学史上的名作。

第 61-68 首是七首较长的诗。第 61 首和第 62 首是两首风格迥异的婚歌。第 63 首和第 64 首代表了卡图卢斯的最高成就，继承了古希腊的史诗风格和素材，却以自己独特的领悟颠覆了神话传统，反映出罗马共和国晚期动荡的精神气候。第 65 首和第 68 首奠定了古罗马哀歌体的基础。第 66 首则带有明显的泛希腊时期亚历山大诗歌的风味。

第 69-116 首都采用了哀歌双行体的格律，主要是爱情诗和讽刺诗。这一部分的爱情诗与第一部分的相比，抒情性较弱，分析性较强，不以情趣见长，而更具内敛的张力。

## 四

《歌集》一百余首诗里，按照通常标准，有"不洁"词语或描写的多达三十余首，数百年间，这些作品一直令编注、评论、研究卡图卢斯的学者深感尴尬，第一部完整的英译本迟至 1966 年才出现。近几十年来，众多学者对卡图卢斯诗歌中的性因素作了深入的探讨，这些研究成果可以概括为文化、伦理、政治与诗学四个方面。

在阐释卡图卢斯作品时，我们不能以当代的文化观念去简单地下判断，毕竟它们是植根于古罗马文化之中，而古罗马社会对于性的理解远不同于今天。概括起来，性文化在当时的社会中主要有四重功能：（1）仪式功能。和许多古代民族一样，性崇拜也是古罗马宗教仪式的重要部分，在很多仪式中，阳具模型都是祈求丰产的道具。（2）避邪功能。在军事凯旋仪式和婚礼上，色情笑话、歌曲和淫秽的辱骂都是古罗马风俗所许可甚至鼓励的。（3）娱乐功能。在一些特定场合的色情娱乐是不受道德谴责的。例如在剧院举行的花神庆祝活动习惯上以脱衣舞收场。（4）政治功能。充斥着淫秽言辞的讽刺诗、宣传册广泛应用于古罗马的政治圈，无论选举活动、法庭辩论，还是元老院集会，都不例外。正因如此，色情因素和粗俗词汇在古罗马文学中广泛存在，不可回避。

在古罗马的性伦理中，自然形成的男性/女性的差别远没有文化和武力塑造的支配者/被支配者的差别重要，因此与征服相伴的惩罚性或报复性的性行为是社会所许可的，而在性行为中处于被支配地位的人，无论男女，都是受到鄙视的。此外，同性恋行为在古罗马非常普遍，一个突出的例子是，未婚男子与娈童的关系只要不维持到婚后，是完全符合道德的。卡图卢斯一方面深受这种伦理影响，另一方面也在多个方面提出了挑战。

如果用性伦理比喻古罗马的政治观念，我们可以发现，罗马人认为，主宰各民族命运的罗马是阳性的，被征服民族是阴性的；保护着罗马公民的国家机器是阳性的，无条件服从国家利益的公民个体是阴性的。在卡图卢斯的诗作中，这两方面都受到了质疑。他将个人情爱置于帝国的扩张事业之上，表达了他对古罗马政治秩序的反叛。

以性喻诗也是卡图卢斯诗学的一大特点。卡图卢斯揭示了诗与性的相通之处——一种快乐的游戏。在古罗马的文艺观念中，教化或者说为政治与伦理服务是诗歌的根本功能，比卡图卢斯晚一代的贺拉斯也只是在此基础上提出了折衷的主张——教化和娱乐兼顾。卡图卢斯将诗比作性，倡导的是一种以艺术快感为核心的唯美诗学。虽然古罗马社会的伦理观念仍是卡图卢斯所关注的，但艺术快感成了他诗歌的第一原则。这种快感包含两部分，一是诗人创作的快感，二是作品带给读者的快感。卡图卢斯的唯美诗观是超前的，后来奥古斯都时期的诗歌虽然成就辉煌，却失去了卡图卢斯的灵动清新，在很大程度上重新回到了教化传统，成为罗马帝国的官方文化秩序的一部分。

五

拉丁语诗歌翻译难度很大，文法的艰深是一个原因，古典诗人对语序和声音效果的高度关注是另一个原因。即使译成西方各国的现代语言，效果也不理想，例如著名诗人德莱顿所译的《埃涅阿斯记》虽是精品，但比起维吉尔的原作来，还是差了很远。将拉丁语译成汉语，就更不容易了。目前有汉语译本的古罗马诗集屈指可数，只有《物性论》（卢克莱修著/方书春译）、《埃涅阿斯记》（维吉尔著/杨周翰译）、《变形记》（奥维德著/杨周翰译）、《爱的艺术》（奥维德著/戴望舒译）、《女杰书简》（奥维德著/南星译）和《哀歌》（普洛佩提乌斯著/王焕生译）。

卡图卢斯《歌集》的校勘问题非常复杂，本书主要采用了 Merrill（1893）的版本，并参考了多个版本。本书的译者在翻译时采取的是介于学术翻译和文学翻译之间的路线。一方面尽可能贴近原文，不做过分的发挥，另一方面也力求译作的可读性。对于诗歌的格律，译者的原则是模仿但不遵循（也无法遵循）。古典拉丁语诗歌都不押韵，格律体现在长短音节的规则排列上。译作为了保持格律诗的风味，全部押韵，但押韵的方式多有变化。大体上说，1-62 首的韵式比较自由，第 63 首和第 64 首采用了双行押韵，第 65-116 首多半采用交错韵和抱韵。此外，为了弥补翻译过程中的意义和审美损耗，译者还加了大量的脚注，并引用了英美古典学界百年来的研究成果帮助读者理解和赏析原作。但由于译者的拉丁语和汉语水平有限，学养也浅，所以必定有不少错误和缺憾，恳请读者原谅并指正。

本书的翻译是教育部人文社科基金 2006 年的项目，同时得到了美国 Loeb Classical Library Foundation 的出版资助，在此一并致谢。

译者

2008.8.

# 《歌集》原文和译文

I[1]

Cui dono lepidum[2] novum libellum
Arida modo pumice expolitum[3]?
Corneli[4], tibi; namque tu solebas
Meas esse aliquid[5] putare nugas[6]
5　Iam tum cum ausus es unus Italorum
Omne aevum tribus explicare[7] chartis,
Doctis, Iuppiter[8], et laboriosis[9]!
Quare habe tibi quidquid hoc libelli

---

1 本诗格律是十一音节体（hendecasyllabic）。这首诗在卡图卢斯《歌集》手稿中排在最前面，学者普遍认为可能是作者为自己的某部诗集写的序诗，但这部诗集并不是我们今日所见的《歌集》。因为根据学者考证，古罗马时期 libellus 约在 500-800 行之间，《歌集》篇幅远大于此，但《歌集》中的不少诗大概收入了那部诗集。这首诗是献给历史学家科尔内利乌斯·涅波斯（Cornelius Nepos，约公元前 99 年-公元前 24 年）的，诗中提到的"三卷书"指涅波斯的历史著作《编年史》（Chronica），已经失传，但他的《名人传》（De Viris Illustribus）有一些片断保存下来了。关于这首诗，近六十年英美学界有很多讨论，基本的共识是它带有诗歌宣言的性质（a programmatic poem），表达了卡图卢斯的诗歌美学（参见 Copley 1951, Elder 1966, Cairns 1969, Levine 1969, Singleton 1972, Santini 1983, Schmidt 1985, Batstone 1998）。

2 lepidum（原形 lepidus）是卡图卢斯诗歌美学中的一个独特的关键词。根据 Copley 的分析，lepidus 首先指的是"性格和人格的特征"，其次才是外表特征，它类似于英语的 charming，但它通常形容的是日常生活中的某种魅力，因而被西塞罗等人视为不够高贵。卡图卢斯用这个词大致概括的是一种既平易又优雅的特质。

3 古罗马的书是写在一卷一卷的羊皮纸或纸草上，写完后需要用浮石把每卷首尾的位置

一

我赠给谁，这一小卷可爱的新书，
刚用干浮石磨过，闪着光泽？
科尔内利，赠给你，因你常说
我那些琐碎之作还值得一读——
5    虽然所有的意大利人中唯有你
敢把一切时代展现在三卷书里，
多么渊博，朱庇特啊，又多么精细！
所以请收下这卷不算什么的小书，

---

磨光滑。Batstone 等学者认为，由于 libellum 既可以指"书"的物质载体，也可指作品
本身，所以这里描绘书外表的词语同时也是卡图卢斯对自己作品的描述，概括起来，其
征是迷人（lepidum）、新颖（novum）、简炼（arida），并经过反复打磨（expolitum）。

4 科尔内利（Corneli），科尔内利乌斯（Cornelius）的呼格。

5 esse aliquid，拉丁语口语说法，意思是有内容，有分量，涅波斯在其著作中曾把卡图
卢斯和卢克莱修称为当时最优秀的诗人。

6 nugas 近于俚语，指琐碎、无足轻重的东西。这里既是谦语，也反映了卡图卢斯注重
日常生活的诗歌观念，与传统罗马诗歌关注所谓重大题材的做法截然不同。

7 explicare，原意是将卷起来的东西展开，引申为解释之意，因为古罗马的书是卷起来
的，所以这里两种意思兼而有之。

8 Iuppiter（朱庇特），罗马宗教中的主神，这里表示感叹。

9 关于 laboriosis 在这里的意思，英美学界有争议。Gibson（1995）等人认为 laboriosis
在这里明褒暗贬，虽然称赞涅波斯的著作凝聚了心血，却有嫌其过分费力的味道。
Singleton 等人却认为，卡图卢斯等新诗派诗人强调诗歌应该精心构思，反复打磨，
laboriosis 恰好概括了这一点，与涅波斯的风格并无冲突。

Qualecumque[10], quod, o patrona virgo[11],

10  Plus uno maneat perenne saeclo[12].

---

10 上一行的 quidquid 和这一行的 qualecumque 都是比较含混的词，与前面的 nugas、aliquid 相呼应，既是谦语，也包含了卡图卢斯对自己的评价，其含混恰好暗示了卡图卢斯诗作的革命性，无法用传统的说法来容纳。

11 patrona virgo 意为"庇护诗人的处女"，可能指诗神缪斯或密涅瓦女神。关于这行诗的原文，英美学界争议极大。主要疑点有二：一是这首诗是献给涅波斯的，因而涅波斯扮演了 patronus（庇护人、恩主）的角色，这里突然引入一个新的庇护人，显得非常突兀；二是卡图卢斯没有必要用这种绕弯子的说法来称呼诗神缪斯或密涅瓦女神。Bergk（1857）曾大胆提出，这行诗的原文可能是 "Qualecumque quidem patroni ut ergo"，意

4

好也罢，坏也罢，啊，庇佑的处女，

10　但愿一个世代以后，它依然留驻。

Lepidum novum libellum

Corneli, tibi: namque tu solebas

meas esse aliquid putare nugas

iam tum, cum ausus es unus Italorum

omne aevum tribus explicare cartis

doctis, Iuppiter, et laboriosis.

思是"无论它怎么样，因为你这位庇护人的缘故"。虽然现存卡图卢斯的三大抄本都不支持这种假设，Munro（1905）、Singleton、Gibson 等人却都表示赞同。Copley 从心理动因的角度解释了 patrona virgo 这一说法。他指出，虽然涅波斯慷慨地称赞了卡图卢斯，但卡图卢斯与他的美学观念相去甚远，所以虽然献书是出于感激，不愿说谎的卡图卢斯在回赠涅波斯的称赞时却感觉尴尬，只是勉强说出了 doctis 和 laboriosis 两个词。到了诗歌最后，一直保持谦卑姿态的诗人似乎觉得，像其他诗人那样郑重其事地抬出缪斯或其他有名有姓的神灵来，实在不妥，便用 patrona virgo 这样含混的名称搪塞过去。

12 saeclo（原形 saeclum）指人一生的时间，也可引申为一个世纪（人寿命的上限）。

## II[1]

> Passer, deliciae meae puellae[2],
> Quicum ludere[3], quem in sinu[4] tenere,
> Cui primum digitum dare appetenti[5]
> Et acris solet incitare morsus,
> 5  Cum desiderio meo nitenti[6]

---

1 本诗格律是十一音节体。从体裁上说，它戏仿了古希腊和泛希腊时期献给神的颂歌。这首诗早在古罗马帝国初期就已经广为人知，而且是卡图卢斯失传的某部诗集的第一首。关于这首诗，西方学术界一直争论不休。主要集中在两个问题上：一是这首诗是否含有色情隐喻，二是第 11-13 行是否属于这首诗。第一个问题主要是由 15 世纪佛罗伦萨学者 Politian 引发的，他以另一位古罗马诗人马尔提阿利斯的诗为证，认为这首诗中的 passer（"麻雀"）暗指阴茎，17 世纪的荷兰学者 Voss 进一步阐发了这个观点。20 世纪的 Genovese、Giangrande 和 Hooper 也支持这样的解读。但多数卡图卢斯学者认为，虽然 passer 在这首诗中与情欲有关，但并非象征物，而的确是一只鸟，这首诗的美妙之处就在于，卡图卢斯通过向情人的宠物鸟说话，戏剧化地揭示了说话人和情人之间微妙的情感，并且体现了他在第 1 首诗中所说的 nugas（"琐碎之作"）的美学风格：就是在日常生活的琐屑细节中发现诗意，精心处理，呈现出私人生活的风貌。Jones（1998）指出，对 passer 的错误解读主要源于两点，一是误将 passer 当作普通的麻雀，由此认为它不大可能指真实的宠物，然而正如《牛津拉丁词典》所说，passer 指的是蓝色矶鸫，外表美丽，性格温驯，是古罗马很常见的宠物鸟；二是马尔提阿利斯诗中的 passerem Catulli（铭体诗 11.4）并非如 Politian 所理解的，指卡图卢斯的阴茎，而是指卡图卢斯的诗集，因为在古代，人们往往用诗集的第一个词作为一部诗集的代称，在马尔提阿利斯的另一首诗（铭体诗 4.14）中，passer 明白无误地指卡图卢斯的诗集。关于这首诗最后三行的问题，绝大多数卡图卢斯诗集的编著者（比如 Lachmann、Merrill）都认为，

## 二

小雀啊，我情人的小甜心，
她和你嬉闹，将你拥在胸前，
她的指尖一次次向你寻衅，
让你咬啄，给她疼痛的快感——
5　　每当我思慕的明艳的姑娘

---

第 10 行和 11 行之间可能有诗行缺失，但 Birt、Giri、Braunlich 等人坚持认为，1 到 13 行是一个有机的整体。主要的疑惑在于第 9 行到第 11 行的转换过于突兀，possem 的虚拟语气表达的是与事实相反的一种愿望，11 行中的系动词 est 却是直陈式语气，表达的是一种事实，彼此矛盾。鉴于此，Owen（1893）的版本中，possem 被改成了不定式 posse，做系动词 est 的主语，以避开这个困难。Braunlich（1923）却相信，这样做仍未解决问题，而删除最后 3 行虽能解决问题，却会损失这首诗的美。他提出，这首诗的戏剧化场景需要读者的想象。前 10 行是说话人向情人间接示爱，在第 10 和 11 行之间，对方已做出正面的回应，所以才有语气上的这种变化。

2 puellae（原形 puella，"女孩"）指莱斯比娅，关于莱斯比娅，见书的译序部分。

3 ludere（"玩耍"，"游戏"）是卡图卢斯喜爱的一个词，常含有挑逗情欲的意味，在第 50 首诗中也用来形容诗人的写作。

4 sinu（原形 sinus）指由于衣服的起伏形成的一个半封闭空间，指胸前、怀中。

5 appetenti（不定式 appetere）既有寻求的意思，也有攻击的意思，这里兼而有之，描绘了莱斯比娅故意挑逗小雀咬她的样子。

6 关于 desiderio meo nitenti，学者有不同看法。desiderio（原形 desiderium）指渴望、欲望，多数学者认为这里指渴望的对象，即莱斯比娅。这个短语大意就是"我明亮的渴望的对象"，也即是说"我光彩照人的情人"。但 Postgate（1912）认为，这首诗的魅力就在于诗人用笔轻巧，desiderio meo nitenti 却破坏了这种风格，他觉得如果将 nitenti 改成

Carum nescio quid libet iocari

Et solaciolum sui doloris,

Credo, ut tum[7] gravis acquiescat ardor:

Tecum ludere sicut ipsa possem

10　　Et tristis animi levare curas!

IIb[8]

Tam gratum est mihi quam ferunt puellae

Pernici[9] aureolum fuisse malum,

Quod zonam solvit diu ligatam.

---

incidente 效果会更好，这样意思就是 "当她思念我的时候"。Baker（1958）提出，这个短语可以有双重解读，传统的解读（赞颂莱斯比娅的美）可以保留，但也可将 desiderio meo 理解为 "对我的思念"，这样 desiderio meo nitenti 就是 "当她因为思念我而变得炽热（形容程度难以忍受）的时候"。

7 ut tum 在 Owen（1893）版中作 et quo，在 Schimidt（1887）版中作 uti。

8 有学者认为，这三行与第 14 首最后三行原是一首诗（参考第 14 首注解 12）。

9 puellae pernici（原形 puella pernix，"迅捷的少女"）指 Atlanta。Atlanta 善于奔跑，所以当父亲强迫她结婚时，她就决定以赛跑的方式除掉众多的求婚者。比赛失败的人都被

想玩一些别致开心的游戏，
找一些安慰，驱散她的忧伤，
好让（我想）欲望的风暴平息：
如果我能像她一样，和你嬉闹，
10  让阴郁的心挣脱沉重的烦恼！

二（b）

这给我的快乐，就像传说中的
金苹果，它令捷足的少女欣喜，
因它让缠束已久的腰带滑落。

---

她杀掉了，但其中一位求婚者 Milanion（一说 Hippomenes）得到了维纳斯的帮助。女神给了他三只金苹果，逐一扔在路上，让 Atlanta 分神，结果 Milanion 获胜，与 Atlanta 结为伉俪。这种曲折用典的方式接近亚历山大的诗风，但卡图卢斯的用法却更富个人色彩。他在说话人的处境和 Atlanta 的传说之间建立了一种意外的联系（卡图卢斯在诗中经常将自己置于一种女性的地位，这对男性中心的古罗马社会来说是颇具挑战性的），gratum（"让人喜欢的"）暗示，其实 Atlanta 是希望自己输掉比赛的。考虑到这首诗的戏剧化情景，虽然说话人是将 Atlanta 和自己作比较，但 Atlanta 欲迎还拒的态度未必不影射莱斯比娅。这样，神话典故的意味就更微妙了。

### III[1]

Lugete, o Veneres Cupidinesque[2]
Et quantum est hominum venustiorum[3]!
Passer mortuus est meae puellae,
Passer, deliciae meae puellae,
5    Quem plus illa oculis suis amabat;
Nam mellitus erat suamque norat
Ipsam tam bene quam puella matrem,
Nec sese a gremio illius movebat,
Sed circumsiliens modo huc modo illuc
10   Ad solam dominam usque pipiabat.
Qui nunc it per iter tenebricosum
Illuc unde negant redire quemquam.
At vobis male sit, malae tenebrae

---

1 本诗格律是十一音节体。从体裁上说，它戏仿了古希腊和泛希腊时期的挽歌。这首诗在将 passer（"麻雀"）视为阴茎象征的学者看来，同样具有色情意味，他们认为第 6 行的 norat（"知道"，如同英文的 know，有时是性活动的委婉语）也支持这一解读。但正如 Adams（1982）所指出的那样，如果 norat 真的是这个意思，那么第 7 行 quam puella matrem（如同女儿 norat 母亲）的比较就变得极其荒诞。显然，这里的 norat 只能理解为它的原意（"知道"，"了解"）。多数学者认为，和第 2 首诗一样，这首诗的 passer 的确指的是莱斯比娅的宠物鸟。

2 Veneres（原形 Venus，罗马女神，与希腊神话中的 Aphrodite 对应）和 Cupidines（原形 Cupido，罗马神，与希腊神话中的 Eros 对应，其形象是一个小男孩）的复数形式也

# 三

悲悼吧，维纳斯和丘比特们，
还有普天下所有的名士佳人：
我心爱的姑娘的小雀死了，
我心爱的姑娘的宝贝小雀——
5  她爱它胜过爱自己的眼睛，
因为它性情甜美，熟悉她
如同女儿熟悉自己的母亲；
它从不离开她的膝，只是
忽而这儿忽而那儿，来回蹦跶，
10  单单对着女主人，啁啾终日。
此刻，它正去往幽冥的所在，
他们说，没有人从那里回来。
啊，邪恶的黑暗地府，诅咒你，

---

引发了争论。Giangrande（1975）从色情解读的立场出发，认为说话人是向所有与性活动有关的神灵呼告。Jocelyn（1980）引卡图卢斯的其他诗为证，认为这里的 Venus 和 Cupido 代表的是身体的美与魅力。既然说话人哀悼的是一只漂亮的宠物鸟，向所有以美著称的神灵呼告就再自然不过了。我觉得之所以用复数，主要是为了造成一种夸张的语气。这首诗用庄重的挽歌体裁来哀悼一只死去的宠物鸟，本身就是一种夸张的戏仿。学者们还指出了 passer 与 Venus 的另外一层联系：在古希腊诗人萨福的诗中，passer 担当了为 Aphrodite 驾车的角色。

3 venustiorum（原形 venustus）是卡图卢斯诗中一个重要的词，指外貌和气质的可爱迷人。

Orci[4], quae omnia bella devoratis;

15  Tam bellum mihi passerem abstulistis.

O factum male[5]! O miselle passer[6]!

Tua nunc opera meae puellae

Flendo turgiduli rubent ocelli.

---

4 Orci，原形 Orcus，地府之神。

5 factum male（"可憎的事"）承上启下，巧妙地引出了哀悼小雀的真正原因。

6 关于这行诗的第二个 O 学者们有争议。如要符合格律，O 后面必须有一处停顿（hiatus，指为了补足格律要求的长音，而停顿一个短音的长度），但 Goold（1969）坚持认为，

你吞噬了一切美好的东西：
15 我钟情的小雀，也被你抢掠：
多可憎的事！多可怜的小雀！
都是因为你，如今我的姑娘
在无尽的泪水中哭红了眼睛。

---

卡图卢斯诗中没有 hiatus，所有的 hiatus 都是由于抄本的讹误引起的，这里也不例外，他从格律、逻辑和文意三个角度推断，第二个 O 应该由 quod（因为）取代。其他学者也意识到了这个问题，比如在 Lachmann（1829）、Schimidt（1887）和 Merrill（1893）的版本中，O 作 io，在 Owen（1893）的版本中，O 作 vae，以补足节拍。

## IV[1]

Phaselus ille, quem videtis, hospites,
Ait fuisse navium celerrimus,
Neque ullius natantis impetum trabis
Nequisse praeterire, sive palmulis[2]
5     Opus foret volare sive linteo.
Et hoc negat minacis Hadriatici
Negare litus insulasve Cycladas[3]
Rhodumque[4] nobilem horridamque Thraciam[5]

---

1 本诗格律是抑扬格六音步（iambic senarius），其体裁仿照的是泛希腊时期的献辞诗。
这首诗的题材和风格在卡图卢斯的作品中自成一体，维吉尔（*Catalepton* 10）和庞德
（"Phaselus Ille"）等诗人都曾模仿过它，学者们也一直比较关注它。声音效果是这首诗
最突出的特点。Richardson（1972）指出，诗中有很多模拟风声和水声的地方，27 行的
短诗，竟有 11 处-ss-和 50 处单独的 s 或 x 音。Skinner（1993）也说，规则的抑扬格模
仿了船单调的晃动和吱嘎声，占支配地位的 s 音模仿了风的呼啸和浪花的声音。作品的
另外一个特点就是叙述的角度。正如 Richardson 所说，虽然将拟人手法用于船在古希腊
诗歌中早已不新鲜，卡图卢斯的处理却很有新意，他着力突出小艇（phaselus）说话的
能力，诗中有许多词都与说有关，例如 ait, negare, ait, dicit, se dedicat 等等。说话人扮演
中间人的角色，向客人（hospites）转述小艇的话。关于这艘船，学者们有不小的争议。
多数学者（例如 Merrill）认为这首诗与第 31 首诗都创作于卡图卢斯从比提尼亚（罗马
行省，在今土耳其境内）回到故乡之后，小艇属于诗人，所叙述的也是诗人的亲身经历，
但 Smith（1892）否定了这种观点，MacKay（1930）则认为，这首诗很可能是即兴的应
景之作，卡图卢斯和他的朋友很喜欢这样的文字游戏。关于这首诗的主题和语气，学者

# 四

　　各位，你们看见的那艘小艇，
　　它说自己的速度曾天下无双，
　　世上没有一只奋力游泳的木船
　　它不能胜过，无论是需用桨
5　在水面上飞驰，还是用风帆。
　　它说这点谁都不会否认——凶险的
　　亚得里亚海岸，基克拉迪群岛，
　　著名的罗德斯岛，色雷斯可怖的

Tuo stetisse dicit in cacumine,
Tuo imbuisse palmulas in aequore,
Et inde tot per impotentia freta
Erum tulisse, laeva sive dextera
20　Vocaret aura, sive utrumque Iuppiter

们也众说纷纭。Putnam（1962）觉得作品的语气是严肃的，小艇的旅途可以视为人生之旅；Hornsby（1963）在分析诗作的用典和技法之后提出，这艘小艇代表了神话中的著名航船 Argo；Khan（1967）却相信，这首诗的语气充满调侃，小艇的形象仿佛一位饶舌的老人在忆旧；Fredrick（1999）则认为，卡图卢斯诗歌中的声音技巧本身就是一个主题，小艇的不可捉摸恰好表明：作为事物替代品、建立在差异基础上的声音语言，永远不能让事物完整清晰地呈现出来。Fitzgerald（1995）概括了评论者面对这首诗时的困境："对于卡图卢斯评论者而言，这首诗令人尴尬。它的风格精美工巧，形式怪诞，让我们享受了感觉的盛宴，然而，它却似乎没有一种形式和主题上的粘合性，使得我们的心无法聚焦在某种更高层次的东西上。"

2 从形式上分析，palmulis 与 palmula（"桨"）和 palma（"手"）都有关，后者恰好与本诗的拟人手法相一致。译文难以传达双关。

3 Cycladas（原形 Cyclades），基克拉迪群岛（希腊文意思是环形岛），位于爱琴海。

4 Rhodum（原形 Rhodus），罗德斯岛，爱琴海最东的岛屿，因政治、经济和文化闻名。

5 Thraciam（原形 Thracius）是 Thracia（色雷斯，位于巴尔干地区）的形容词。

Propontida trucemve Ponticum[6] sinum,

10 Ubi iste post phaselus antea fuit

Comata silva: nam Cytorio[7] in iugo

Loquente saepe sibilum edidit coma.

Amastri[8] Pontica et Cytore buxifer,

Tibi haec fuisse et esse cognitissima

15 Ait phaselus; ultima ex origine

Tuo stetisse dicit in cacumine,

Tuo imbuisse palmulas in aequore,

Et inde tot per impotentia freta

Erum tulisse, laeva sive dextera

20 Vocaret aura, sive utrumque Iuppiter[9]

Simul secundus incidisset in pedem[10];

Neque ulla vota litoralibus diis[11]

Sibi esse facta, cum veniret a mari

Novissimo[12] hunc ad usque limpidum lacum.

25 Sed haec prius fuere: nunc recondita

Senet quiete seque dedicat tibi,

Gemelle Castor et gemelle Castoris[13].

---

6 Propontida（原形 Propontis），普洛庞提斯海（马尔马拉海）。Ponticum（阳性 Ponticus，第 13 行的 Pontica 是其阴性形式）是 Pontus（庞图斯，小亚细亚东北部）的形容词。

7 Cytorio（原形 Cytorius）是 Cytorus（第 13 行的 Cytore 是其呼格）的形容词。 Cytorus，基托鲁斯，黑海南岸的一座山，同时也是附近一个港口的名字。

8 Amastri （原形 Amastris），阿马斯特里斯，黑海南岸的一座港口城市，后来基托鲁斯港也成了它的一部分。所以这句的译文为了节省字数，就只译 Amastris。

　　普洛庞提斯和暴戾的庞图斯湾。

10　这艘后来的小艇，在那片海边
　　曾是一棵繁茂的树，它的叶子
　　常喁喁低语，在基托鲁斯的山脊。
　　长满黄杨树的阿马斯特里斯啊，
　　小艇说，这些细节都曾经为你

15　并依旧为你所熟谙：它说最初
　　自己就站在你的峰巅，它初次
　　浸湿桨叶也是在你的海水里；
　　后来它载着主人，穿越了无数
　　急峡险滩，无论风是在左边

20　还是右边呼唤它，还是从后面
　　均匀地降落在方帆的两边；
　　它从未在岸上向任何海神奉献
　　祷告，当它从最近的那片海域
　　一直航行到这个清澈的湖泊。

25　但这些都已过去：现在它老了，
　　安静地藏身于此，把自己献给你，
　　卡斯托，还有你的孪生兄弟。

---

9 Iuppiter 常借指天气，此处和 secundus（"顺"）搭配，指从船正后方吹来的风。

10 pedem（原形 pes）原意是"脚"，这里指绑在方帆下部的帆脚索。

11 当时遇到风暴的水手和乘客常在岸边向海神祷告奉献。这艘船无需如此，非常坚固。

12 mari novissimo（原形 mare novissimum）字面意思是"最近的海"，因为旅程是从土耳其到意大利，所以应当指亚得里亚海。

13 Castor（卡斯托）和他的孪生兄弟 Pollux（珀鲁克斯）是水手的保护神。

# V[1]

Vivamus mea Lesbia, atque amemus,
Rumoresque senum severiorum
Omnes unius aestimemus assis[2].
Soles occidere et redire possunt:
5    Nobis, cum semel occidit brevis lux,
Nox est perpetua una dormienda.
Da mi basia mille, deinde centum,
Dein mille altera, dein secunda centum,
Deinde usque altera mille, deinde centum.
10   Dein, cum milia multa fecerimus,
Conturbabimus[3] illa, ne sciamus,
Aut ne quis malus invidere[4] possit,
Cum tantum sciat esse basiorum.

---

1 本诗格律是十一音节体。这首诗是西方 carpe diem 主题最早、最著名的代表作之一，在古罗马时期就已赢得盛誉，奥维德（*Am*.I.8.58）和马尔提阿利斯（VI.34.7; XI.6.14; XII.59.3）都引用过它，文艺复兴时期及以后更是吸引了大批模仿者（仅以英国为例，就有赫里克、马洛、马维尔、多恩、琼森等人）。这首诗的构思非常精巧。Pratt（1956）分析说，作品可以分为“一”和“多”两个大的部分。第 1-6 行为第一部分，unius、semel、una 都与“一”有关，1-3 行、4-6 行又分别构成了两个小单元，1-3 行强调的是态度的坚决，4-6 行强调的是时间和生命消逝过程的不可逆。在 7-13 行中，mille、centum、multa 都着力渲染“多”，其中 7-10 行中的“多”尚可计数，11-13 行的“多”则不可计数。这首诗的轻快灵动与数字的助推力密不可分，其诙谐俏皮则主要源于对爱情主题的独特处理。吻是激情的、感性的，计数是冷静的、理性的，卡图卢斯却把二者完美地

## 五

莱斯比娅，让我们尽情生活爱恋，
严厉的老家伙们尽可闲言碎语，
在我们眼里，却值不了一文钱！
太阳落下了，还有回来的时候：
5　可是我们，一旦短暂的光亮逝去，
　　就只能在暗夜里沉睡，直到永久。
　　给我一千个吻，然后给一百个，
　　然后再给一千个，然后再一百个，
　　然后吻到下一千个，然后吻一百个。
10　然后，等我们已吻了许多千次，
　　我们就搅乱数字，不让自己知道，
　　也不给嫉妒的恶人以可乘之机——
　　如果他知道我们到底吻了多少。

---

结合在一起。7-10 行很容易唤起古罗马人在算盘（abacus）上计数的形象，让人忍俊不禁。如果我们考虑到数字和计算在古罗马社会中的重要地位（公共财务和私人财务都有详尽严格的记录），作品的幽默效果就更为明显。Zetzel（1982）指出，卡图卢斯用记账的方式来数吻的个数，与第 2 行对"严厉老家伙"（senum severiorum）的蔑视相呼应，都体现了对古罗马主流价值观的挪揄和反叛。

2 assis（原形 as）是古罗马的一种铜币，也是基准货币单位，这里的意思是老家伙们的议论一钱不值。

3 这里搅乱数字的做法是出于古时的一种迷信心理：我们不知道的东西就不可能用来伤害我们。

4 西方迷信认为，嫉妒者的眼睛能以魔法伤害人。

## VI[1]

Flavi[2], delicias tuas Catullo,
Ni sint illepidae[3] atque inelegantes,
Velles dicere nec tacere posses.
Verum nescio quid febriculosi
5   Scorti[4] diligis: hoc pudet fateri.
Nam te non viduas iacere noctes—
Nequiquam tacitum—cubile clamat[5]
Sertis ac Syrio fragrans olivo,
Pulvinusque peraeque et hic et ille[6]
10   Attritus, tremulique quassa lecti
Argutatio inambulatioque[7].
Mani, stupra vales nihil tacere[8].

---

1 本诗格律是十一音节体，模仿的是泛希腊时期一类打趣的爱情诗，通常的情形是，宴饮时大家故意用粗俗的言辞刺激一位朋友，迫使他坦白恋爱的真相。就古罗马文化而言，色情笑话是成年男子社交生活的重要元素。对于卡图卢斯来说，这首诗或许还有一种特别的意义，那就是体现他重视日常琐事（第 1 首诗中所称的 nugas）的诗歌美学。

2 Flavi（弗拉维），Flavius（弗拉维乌斯）的呼格；第 12 行中的 Mani（马尼）是 Manius（马尼乌斯）的呼格。此人全名或为 Manius Flavius。

3 illepidae（原形 illepidus，"缺乏魅力"），对比最后一行 lepido（原形 lepidus）。在卡图卢斯的观念里，魅力是人和诗最重要的品质。

4 scorti（主格 scortum），指只要对方出钱便可与之发生性关系的女人。

5 多数注释者和译者（例如 Ellis, Lee, Garrison 等等）认为 tacitum 是形容词（"沉默"），修饰 cubile（"床"），但 Munro（1905）认为，这里的 tacitum 是过去分词（"保持沉默"），

# 六

弗拉维，如果你的宝贝情人

不是庸脂俗粉，乏善可陈，

你的嘴断不可能封住秘密。

可正让你着魔的下贱胚子

5　　却像患了热病，你怎好启齿？

你的夜晚可一点也不荒凉——

隐瞒是无用的：床透露了真相，

飘着叙利亚橄榄油和花环的芳香，

而且你的长枕头，这边和那边

10　　都同样深陷，还有床也吱嘎震颤，

几乎要在房间里展翅盘旋。

隐藏你的秽行实在徒劳无益。

---

指向第 6 行的 te（"你"）。我觉得这样理解更为合理。第 6、7 行的大意是，"因为你不是独自过夜——隐瞒是徒劳的——你的床都在宣告"。

6 Tracy（1969）敏锐地发现，这行中 p, qu 和 et 都出现了两次，诗句的后半部也一连用了四个单音节词，从声音效果上传达了枕头留下两人印痕的信息。

7 Tracy 分析了这一行的特殊之处。这一行一共只有两个词，这在拉丁诗歌中非常罕见，而且考虑到单词间元音相连要省音的规则（elision），这行诗的实际读法是 argutatiinambulatioque，变成了一个超长单词。a 和 o 的重复模仿了床的吱嘎声，毫无停顿的音节组合则俏皮地模拟了床的运动。

8 这一行文字难以确定，至少还有以下版本：mi praevalet ista nil tacere (Doering 1822); nam in ista praevalet nihil tacere (Lachmann 1829); Iam tu ista ipse vales nihil tacere (Owen 1893); iam tu ista ipse nihil vales tacere (Schimdt 1887); nam nil ista valet, nihil, tacere (Lee

Cur? Non tam latera ecfututa[9] pandas,

Ni tu quid facias ineptiarum.

15    Quare, quidquid habes boni malique,

Dic nobis: volo te ac tuos amores[10]

Ad caelum lepido vocare versu[11].

---

1990). 我依据的是 Munro 的版本，因为我觉得从诗歌的结构上看，这个版本最合理。

它是对 7 行 Nequiquam tacitum 的重复，7-11 行是"物证"，13-14 行则是"人证"。

9 ecfutata 是俚语，意思是因为性交而精疲力竭。

10 amores 既可以指所爱的人（参见第 10 首），也可以指爱情本身（参见第 7 首），包括

为什么？若不是做了什么蠢事，
你怎会如此疲惫地摊开身体？

15　所以嘛，无论你那位是好是坏，
都赶紧坦白。我会把你和你的爱
送上天空——用我迷人的诗。

---

性爱。

11　对比 lepido 一词和 15 行的 mali 和第 2-5 行的 illepidae、inelegantes、febriculosi、scorti
等否定意义的词汇，结尾的两句表明了卡图卢斯眼中的诗歌魔力：化腐朽为神奇，化庸
俗为高雅。

## VII[1]

Quaeris quot mihi basiationes[2]
Tuae, Lesbia, sint satis superque.
Quam magnus numerus Libyssae harenae
Lasarpiciferis[3] iacet Cyrenis[4],
5   Oraclum[5] Iovis inter aestuosi[6]
Et Batti[7] veteris sacrum sepulcrum;
Aut quam sidera multa, cum tacet nox,
Furtivos hominum vident amores,
Tam te basia multa basiare
10   Vesano satis et super Catullo est,
Quae nec pernumerare curiosi
Possint nec mala fascinare[8] lingua.

---

1 本诗格律是十一音节体。Commager（1965）指出这首诗中激情与冷静相平衡，例如坟墓和星星的"冷"与朱庇特的"热"相对照；卡图卢斯自称"疯癫"，松香草却是一种药。Lyne（1980）分析了诗的戏剧效果。在沙砾的比喻中，卡图卢斯是以博学迎合莱斯比娅；在星星的比喻中，卡图卢斯是以浪漫情调来劝诱她；最后三句则以俏皮来打动她。Bertman（1978）发现诗中的意象都与口有关，从而与吻的主题联系起来。松香草可以做口服药，如同莱斯比娅的吻可以治好诗人的"疯癫"；oraculum（"神谕"）源于os（"口"）；Batti（希腊文主格 Battos）含有"口吃"的意思，而且与 basiationes 和 basiare（卡图卢斯是第一个在拉丁语中用这个词表示吻的诗人）都有关；描绘夜晚的词 tacet 指沉默不语；pernumerare（"数数"）需要用口；结尾的 lingua（"舌头"）一词表明，卡图卢斯害怕的是口头的诅咒（参考第 5 首诗中邪恶眼睛的伤害）。

2 basiationes（原形 basiatio）是卡图卢斯根据动词 basiare（"吻"）杜撰，其效果仿佛英

24

# 七

　　你问，究竟要给我多少个吻，
　　莱斯比娅，才能满足我的心。
　　我要它们多如利比亚的沙砾，
　　在盛产松香草的居雷奈绵延，
5　一边是炽烈的朱庇特的庙宇，
　　一边是老巴图斯的尊贵墓园；
　　或者多如沉默夜晚的星星，
　　注视着人间幽秘的爱情，
　　——你要给他这许许多多的吻，
10　疯癫的卡图卢斯才会满足，
　　好让好奇的家伙无法数清，
　　好让恶毒的舌头无法咒诅。

---

文的 kissification，有夸张的戏剧效果。

3 这里是故意模仿希腊史诗中的构词法，用 laserpicium（"松香草"）和-ferus（"出产"）造了这个词。

4 Cyrenis（原形 Cynenae，居雷奈），利比亚西北部的城市，这里指的是附近地区。

5 oraculum 这里不是指神谕，而是指神庙。古希腊人认为古埃及神阿蒙就是宙斯（相当于古罗马神话的朱庇特），所以这里说的"朱庇特神庙"其实是阿蒙神庙。

6 aestuosi（原形 aestuosus，"炽烈"），Moorhouse（1963）指出，这个词语义暧昧，既可指神庙所处地区的气候，也可暗示，大神朱庇特同样会被情欲折磨。

7 Batti（原形 Battus，巴图斯）是居雷奈的第一位国王，陵墓距阿蒙神庙约有三百英里。

8 fascinare 指用魔法伤人，魔法的一个基本定则是：对方的信息（比如姓名、生日等等）知道得越详细，你就越能伤害对方。参考第 5 首 11-13 行。

VIII[1]


Miser Catulle, desinas ineptire,

Et quod vides perisse perditum ducas.

Fulsere quondam candidi tibi soles,

Cum ventitabas quo puella ducebat

5　Amata nobis[2] quantum amabitur nulla.

Ibi illa multa cum iocosa fiebant,

---

1 本诗格律是 limping iambics（又名 choliamibics 或 scazons），每行由 5 个抑扬格音步和 1 个扬抑格（或扬扬格）音步组成，由公元前 6 世纪希腊诗人 Hipponax 创立。由于拉丁语单词重音常落在倒数第二个音节上，恰好与格律本身的重音一致，所以听觉效果比较散文化、口语化。在卡图卢斯诗集中，这种格律常用于讽刺性的作品中，所以不少评论者（例如 Swanson, 1963; Lyne, 1980）认为这首诗的语气也是调侃的。这首诗是卡图卢斯最受关注的作品之一。学者们关注的重点有二： 一是作品的结构，二是作品的阐释。Schmiel（1991）总结了 130 年间关于本诗结构的讨论，引述了英、法、德语学术界二十余位专家的意见。普遍的共识是这首诗的结构非常严谨，但在具体的分析上一直存在分歧。宏观上看，诗作从第二人称开始（第 1 行），中间转到第三人称（第 12 行），最后回到第二人称（第 19 行）。Swanson 指出，1-8 行（其中第 3 行和 8 行的 fulsere 呼应）、9-13 行（其中第 10 行和 13 行的 nec 呼应）和 14-19 行（其中第 14 行和 19 行的 At tu 呼应）分别构成了三个单元。他还认为，大量含 lla 音的词语一方面表明诗中的情感与恋爱双方都有关，一方面也造成了回环往复的效果。Rowland（1966）细致分析了诗歌的意义结构：1-2 行（坚强些，卡图卢斯）；3 行（你过去多幸福）；4-5 行（你过去所做的）；6-7 行（莱斯比娅过去所做的）；8 行（你过去多幸福）；9-11 行（坚强些，卡图卢斯）；12-13 行（再见，莱斯比娅[坚强些，卡图卢斯]）；14-18 行（莱斯比娅将要做的[也是过去所做的]；你过去所做的[但将无法再做的]）；19 行（坚强些，卡图卢斯）。

# 八

可怜的卡图卢斯，别再如此执迷，
知道已消逝的东西，就让它消逝。
太阳曾经多么明亮地照着你，
当她带着你去熟悉的地方嬉戏，
5　（咱们对她的爱再也无人能比。）
多少欢快的时辰你们一起分享，

---

无论如何划分结构，有一点是无疑的，就是诗歌的形式进程和情感进程是相配合的。诗歌中有两个声音，一个坚强，一个软弱。开头，坚强的卡图卢斯劝告软弱的卡图卢斯及时放弃这段感情，但软弱的卡图卢斯似乎仍留恋过去的幸福；从第 12 行开始，后者似乎听从了前者的劝诫，下定了决心，但到了诗歌的最后，这种决心又面临崩溃，以至于坚强的卡图卢斯不得不再次发出警告。使问题复杂化的是，除了这两种声音，还有一个无声却最重要的角色——作为作者的诗人。三者之间的关系如何？应当怎样理解诗作的语气？学者们的解读大体有三种。一种是自传式，Fordyce（1961）等人倾向于把诗中的情境看作诗人卡图卢斯的真实处境；一种是心理式，Commager（1965）等人从心理防护机制出发，认为卡图卢斯有意拉开自己和诗中情境的距离，甚至加入调侃成分，是一种抚平伤痛、控制情绪的手段；另一种是艺术式，Dyson（1973）相信，诗中的卡图卢斯可以换成任何其他名字，诗人是对自古希腊以来沿袭已久的一种程式（失恋的情人）作了个性化的处理。值得一提的是，在古罗马性别伦理的语境中，男性应当能完全控制自己的感情，软弱的卡图卢斯所代表的形象是违背这种要求的，但新诗派的观念却很欣赏这种形象（至少在诗歌里），从这个意义上说，坚强的卡图卢斯是陈旧传统的代表，诗作结尾的"崩溃"反而是一种叛逆举动。
2 在这一行里，似乎坚强的卡图卢斯也情不自禁地和软弱的卡图卢斯一起感伤起来，所以代词用了 nobis（"我们"）。

Quae tu volebas nec puella nolebat,

Fulsere vere candidi tibi soles.

Nunc iam illa non vult: tu quoque impotens noli,

10    Nec quae fugit sectare, nec miser vive,

Sed obstinata mente perfer, obdura.

Vale, puella! Iam Catullus obdurat,

Nec te requiret nec rogabit invitam.

At tu dolebis, cum rogaberis nulla[3].

15    Scelesta, vae te! Quae tibi manet vita?

Quis nunc te adibit? Cui videberis bella?

Quem nunc amabis? Cuius esse diceris?

Quem basiabis? Cui labella mordebis?

At tu, Catulle, destinatus obdura.

---

3 第 14-18 行是对莱斯比娅将来生活的想象，但语气难以把握。Fordyce（1961）认为，卡图卢斯在这里暗示，他和莱斯比娅曾经如此幸福，分手意味着双方都会永远失去这样的幸福。Gugel（1967）相信这几行诗是谴责性的，是将过去的理想生活与妓女式的生活相对照。Khan（1968）把这几句话看成卡图卢斯试图让莱斯比娅回心转意的手段，

　　　　你心甘情愿，她也没有丝毫勉强，
　　　　太阳那时多么明亮地照着你。
　　　　现在她不肯了，疯癫的你也要停止，
10　　她走了，你别去追，也别凄惶终日，
　　　　一定要固执地忍受，顽强地坚持。
　　　　永别了，姑娘！卡图卢斯决心已定，
　　　　他不会再找你，徒劳地盼你垂青。
　　　　可是你会受苦的，再没人向你献殷勤。
15　　小妖女，你惨了！怎样的生活等着你？
　　　　谁还会亲近你？谁还会顾念你的美？
　　　　谁还会做你的爱人？你还能属于谁？
　　　　你还能把谁亲吻？你还能咬谁的唇？
　　　　可是卡图卢斯啊，你一定要顽强、坚忍。

---

因为双方都知道这里所描绘的画面只是虚构。Rowland（1966）注意到，这几句诗的情感力度逐行递增，"我"原本是想通过设想莱斯比娅不幸的将来获得一种心理平衡，但由于所想象的每个细节都勾起了"我"的回忆，反而让"我"更深地感受到了自己的损失。

## IX[1]

Verani[2], omnibus e meis amicis
Antistans mihi milibus trecentis,
Venistine domum ad tuos penates[3]
Fratresque unanimos anumque matrem?
5    Venisti. O mihi nuntii beati!
Visam te incolumem audiamque Hiberum[4]
Narrantem loca, facta, nationes,
Ut mos est tuus, applicansque collum
Iucundum os oculosque suaviabor.
10   O quantum est hominum beatiorum,
Quid me laetius est beatiusve?

---

1 本诗格律是十一音节体。这是一首轻快单纯的诗歌。卡图卢斯极为珍视友情。他对自己真正欣赏的朋友怀有水晶般透明的感情，与他讽刺自己所憎恶的人时那种刻薄甚至恶毒形成了有趣的对照。

# 九

维拉尼，唯有你亲如灵魂，
在我的三十万朋友中间——
你回来啦？回到庇佑的家神、
同心的兄弟和年迈的母亲身边？
5　回来啦。多么美妙的消息！
我要去看无恙的你，听你
娓娓如平日讲伊比利亚的传奇：
风土，异俗……我要伸长脖颈，
亲吻你快乐的脸颊和眼睛。
10　全世界幸福的人啊，有谁
能比我更幸福、更陶醉？

---

2 Verani（维拉尼），Veranius（维拉尼乌斯）的呼格。他也出现在第 28 首和第 47 首中。
3 penates 是古罗马的灶神和护家的神。
4 Hiberum, Hiberia（伊比利亚）的形容词属格复数。伊比利亚就是现在的西班牙地区。

# X[1]

Varus me meus ad suos amores
Visum duxerat e foro otiosum,
Scortillum[2], ut mihi tum repente visum est,
Non sane illepidum neque invenustum.
5    Huc ut venimus, incidere nobis
Sermones varii, in quibus, quid esset
Iam Bithynia[3], quo modo se haberet,
Et quonam[4] mihi profuisset aere.
Respondi id quod erat, nihil neque ipsis
10    Nec praetoribus[5] esse nec cohorti.
Cur quisquam caput unctius[6] referret:
Praesertim quibus esset irrumator[7]
Praetor[8], nec faceret pili[9] cohortem.
"At certe tamen," inquiunt, "quod illic
15    Natum dicitur esse, comparasti

---

1 本诗格律是十一音节体。这是一首很有特色的诗。首先是语言高度口语化,诗人在叙述和对话之间切换自如,几乎让人感觉不到格律的束缚。其次,这首诗戏剧化效果极佳,舞台说明、对白、旁白一应俱全。再次,作者对诗歌的节奏和进程把握得非常到位。Fitzgerald(1995)和 Skinner(2001)等学者认为,在琐屑题材的背后能够看到卡图卢斯对古罗马等级社会的敏锐洞察力和他对罗马行省政治的批判。

2 scortillum(scortum 的小词形式),字面意思是"妓女"。参见第 6 首第 5 行。

3 Bithynia(比提尼亚行省,今土耳其境内),卡图卢斯曾在那里供职,这时刚刚回到罗马。

# 十

我在广场闲逛，撞见了瓦卢斯，
他非要带着我去见他的情人，
我一眼就看出她是个放荡种子，
不过长相举止也并非不入品。
5  我们到了她那儿，便瞎聊起来，
不知怎的，就说起了比提尼亚：
那里是不是发生了什么变化，
到底有没有给我招来一点钱财……
我就实话实说：当地人也好，
10  总督和手下也好，都没油水可捞；
怎么可能有谁风风光光地回来，
如果混蛋总督骑在你头上拉屎，
压根儿不把下属放在眼里？
   "可是不管怎样，"他们说，"你总该
15  带回几个抬轿子的吧，大家都说

---

4 Et quonam 在 Munro（1905）版中作 Ecquonam。

5 praetoribus（原形 praetor，这里指管理行省的总督）。作者用了复数，表明历来比提尼亚的总督都无钱可赚。

6 caput unctius 字面意思是"抹了更多油的脑袋"。古罗马人常在过节和庆祝时在头上抹油。所以这里有两层意思，一是在比提尼亚赚了钱，二是觉得有可以庆祝的事。

7 irrumator 原意是"强迫别人给自己口交的人"，这里是形容总督对待手下的蛮横态度。

8 praetor 指卡图卢斯任职期间的总督 C. Memmius。这里把攻击的矛头对准了他一人。

9 pili（原形 pilum，"头发"），这里的属格表示价值，说明总督根本不把手下放在眼里。

Ad lecticam homines." Ego, ut puellae

Unum me facerem beatiorem,

"Non" inquam "mihi tam fuit maligne

Ut, provincia quod mala incidisset,

20    Non possem octo homines parare rectos."

(At mi nullus erat nec hic neque illic[10]

Fractum qui veteris[11] pedem grabati

In collo sibi collocare posset.)

Hic illa, ut decuit cinaediorem[12],

25    "Quaeso" inquit "mihi, mi Catulle, paulum

Istos commoda: nam volo ad Serapim[13]

Deferri." "Mane," inquii puellae[14],

"Istud quod modo dixeram me habere…

Fugit me ratio: meus sodalis—

30    Cinna est Gaius[15]—is sibi paravit.

Verum, utrum illius an mei, quid ad me?

Utor tam bene quam mihi pararim[16].

Sed tu insulsa male et molesta vivis,

Per quam non licet esse neglegentem."

---

10 第 21-23 行是诗人的旁白。hic（"这里"）指罗马，illic（"那里"）指比提尼亚。

11 vetus（"旧"）和 fractus（"破"）突出了诗人的穷困。哭穷是诗人的传统。

12 cinaedus 原意是男同性恋中被动的一方，这里用了比较级，意思是"比 cinaedus 还 cinaedus 的人"，表达了卡图卢斯对她的憎恶。

13 Serapim（原形 Serapis，塞拉匹斯）是埃及的神，但在罗马有庙，敬拜者多为下层人。瓦卢斯的女友想坐轿子去塞拉匹斯庙，是想抬高自己的身份。这行诗在 Munro（1905）

　　　　　这是那儿的特产。"我可不想
　　　　　让这位女士觉得我太落魄，
　　　　　就说，"虽然摊上了一个破行省，
　　　　　我毕竟还没倒楣到这地步，
20　　　　会弄不到八个腰板挺直的轿夫。"
　　　　　（可是无论在这边还是那边，
　　　　　我都指挥不动哪怕一个家伙
　　　　　把破旧的行军床扛上双肩。）
　　　　　这时，那个婊子很婊子地说，
25　　　　"亲爱的卡图卢斯，你把他们
　　　　　借我用一下：我想坐着轿子
　　　　　去塞拉匹斯神庙。"我说，"等等，
　　　　　"我刚才说我有……那个东西……
　　　　　说得不太确切：其实是我的哥们——
30　　　　钦纳·盖乌斯——给他自己买的。
　　　　　不过，他的我的，有什么分别？
　　　　　我用起来，还不是跟自己的一样。
　　　　　可是你这无趣的难缠的活鬼，
　　　　　非要揪着别人的每句话不放。"

---

版中作 Istos: commodum enim volo ad Serapim。

14 "Mane," inquii 在 Munro 版中作"Mane me," inquio。Garrison（1989）认为，前面的动词 "说" 都是用的历史现在时（inquit, inquiunt），这里却用的完成时（inquii），表达了诗人当时的尴尬和竭力终止谈话的欲望。

15 情急之下，卡图卢斯把朋友的姓名都说反了。正确顺序应该是 Gaius Cinna。

16 pararim 在 Munro 版中作 paratis。

## XI[1]

Furi et Aureli[2], comites Catulli,
Sive in extremos penetrabit Indos,
Litus ut longe resonante Eoa[3]
    Tunditur unda,

5    Sive in Hyrcanos[4] Arabasve[5] molles,
Seu Sagas[6] sagittiferosve Parthos[7],
Sive quae septemgeminus[8] colorat
    Aequora Nilus,

---

1 本诗格律是 Saphhic strophe，由公元前 6 世纪的古希腊诗人萨福所创，每节前三行格律相同，最后一行是前面各行的一半长度。从风格上看，这首诗模仿了古希腊史诗传统的语汇和表达方式。Scott（1983）认为，诗作风格上的统一和平稳过渡得益于 Scylla 神话的运用。Scylla 是《奥德赛》中的女妖，吃人时也常把人拦腰折断（参考 *Od.* 245-50 和本诗第 20 行），在神话流传过程中，这位 Scylla 渐渐和另一位 Scylla（Ninus 之女）混淆了（参考维吉尔 *Ecl.* 6. 74-77），并逐渐添加了色情成分。卡图卢斯以 Scylla 的形象影射莱斯比娅，既起到了谴责的效果，又保持了措辞的庄重。这首诗的前四节也很值得玩味。表面上只是模仿史诗传统，列举了一系列地名，但背后却有巧妙的设计。首先，这段想象的旅程始于东方的印度，然后一直向西到达西方的不列颠，与日升日落的轨迹一致，与爱情终结的主题相配合；其次，它包括了古希腊、泛希腊和古罗马地理世界的各个极点（例如印度是亚历山大大帝远征的最东点，不列颠是古罗马军队征服的最西点），有一种恢宏的视野。这段旅程至少有两重功能。如 MacLeod（1973）所说，以远行冲淡失恋的哀伤是诗歌中的一个传统；更重要的是，旅程的艰险更衬托出两位朋友替他向莱斯比娅传话的恐怖，起到反讽的效果。从另一个角度看，这首诗还表现了卡图卢

## 十一

弗里，奥勒里，卡图卢斯的伙伴，
无论他是向遥不可及的印度进发——
那里，浪涛拍击着东方的崖岸，
　　发出悠长的喧哗——

5　还是去赫卡尼亚或阴柔的阿拉伯，
还是去萨凯或精于箭术的帕提亚，
还是去七重尼罗河所渲染的平原，
　　以其浑黄的泥沙——

---

斯的叛逆性格。一位女人对他的态度远比开疆拓土的帝国事业更重要，私人琐事而非公共事务才是他生活的重心（Zetzel 1982）。Miller（2000）从这首诗中读出了权力的运作方式。虽然抒情主人公扮演着牺牲品的角色，但他却掌握着向读者说话的修辞权力和道德裁判权，因此，他的软弱是个假象。修辞、政治、性的权力结构在诗中彼此交织，形成了复杂的意义场。

2 Furi 和 Aureli 分别是 Furius（弗里乌斯）和 Aurelius（奥勒里乌斯）的呼格。前者还出现在第 16 首、23 首、24 首和 26 首中，后者还出现在第 15 首、16 首和 21 首中。

3 ut 在这里引导地点状语从句。Eoa（阳性 Eous，"东方的"），源于 Eos（黎明之神）。

4 Hyrcanos（主格 Hyrcani），住在里海南岸 Hyrcania（赫卡尼亚）的民族。

5 因为古罗马人从阿拉伯人那里进口了许多奢侈品，所以推测他们性格阴柔。

6 Sagas 指萨凯人，住在伊朗北部的 Sacae（萨凯）。

7 Parthos（主格 Parthi），帕提亚（Parthia）人，帕提亚王国在小亚细亚境内，与古罗马帝国东部接壤，其军队擅长射箭。

8 septemgeminus 字面意思是"七个孪生兄弟"，因为尼罗河有七个入海口。

Sive trans altas gradietur Alpes,
10 Caesaris visens monimenta magni[9]
Gallicum Rhenum horribile aequor ulti-
    Mosque Britannos[10],

Omnia haec, quaecumque feret voluntas
Caelitum, temptare simul parati,
15 Pauca nuntiate meae puellae
    Non bona dicta:

Cum suis vivat valeatque moechis,
Quos simul complexa tenet trecentos,
Nullum amans vere, sed identidem[11] omnium
20     Ilia rumpens[12];

Nec meum respectet, ut ante, amorem,
Qui illius culpa cecidit velut prati
Ultimi flos, praetereunte postquam
    Tactus aratro est[13].

---

9 卡图卢斯对恺撒的态度可以参考第 57 首和第 93 首。这里用 magni（"伟大"）形容他，或许只是为了保持史诗风格，但也有可能表明他已与恺撒和解。

10 这两行原文不明。horribile aequor ultimosque Britannos 在 Lee（1990）版中作 horribile vitro ultimosque Britannos，在 Baehrens（1893）版中作 horribileque ultimosque Britannos。aequor 原意指海，这里指英吉利海峡。Vitro（原形 vitrum）是一种蓝色颜料，不列颠人将其涂在脸上。不列颠是古罗马帝国的西北边境，所以被形容为"ultimos"（最遥远的）。

还是追寻伟大恺撒留下的足迹，
10　徒步穿越高峻的阿尔卑斯山，
直至高卢的莱因河、可怖的海峡
　　和世界尽头的不列颠——

无论去何方，无论众神的旨意
如何，你们都愿与他一同出发——
15　但我只要你们向我的姑娘转告
　　几句远非动听的话：

让她与她的情人们恣意行乐吧，
三百个男人同时被她拥在怀里，
她一个也不爱，却一次又一次
20　　炸裂他们的腹地。

也别再惦记我的爱，像从前那样，
因为她的罪孽，它已经凋落，
仿佛原野尽头的一朵花，当犁头
　　从它的身上掠过。

---

11 identidem（"一次又一次"）仅出现于这首诗和另一首受萨福影响的诗（第 51 首）。

12 rumpens 是 rumpere（"使断裂、碎裂"）的现在分词，ilia 是 ilium（"下腹部"、"阴部"）的复数。这个意象显然兼具色情和暴力意味，Scott 认为，它也影射女怪物 Scylla 的杀人方式。值得注意的是，这里的性暴力中居支配地位的是女性。

13 这里被犁头摧折的花的意象可能来自萨福的一首婚歌（Frg. 151），但它颠覆了传统的男性支配观念（性行为常被比喻为耕种，但一般是男性被比作犁）。

## XII[1]

Marrucine Asini[2], manu sinistra
Non belle uteris: in ioco atque vino
Tollis[3] lintea neglegentiorum.
Hoc salsum esse putas? Fugit te, inepte:
5    Quamvis sordida res et invenusta est.
Non credis mihi? Crede Pollioni
Fratri, qui tua furta vel talento[4]
Mutari velit: est enim leporum
Differtus[5] puer ac facetiarum.
10   Quare aut hendecasyllabos[6] trecentos
Exspecta, aut mihi linteum remitte,
Quod me non movet aestimatione,
Verum est mnemosynum mei sodalis.
Nam sudaria Saetaba[7] ex Hiberis
15   Miserunt mihi muneri Fabullus[8]
Et Veranius: haec amem necesse est
Ut Veraniolum meum et Fabullum.

---

1 本诗格律是十一音节体。这首诗从一个琐屑的话题（手巾被偷）切入，出人意料地以一个严肃的主题（友谊）收尾，庄谐兼具，构思独特。这首诗、第 13 首和第 14 首可视为一个系列，因为都与礼物和友谊有关。

2 Marrucine Asini，Marrucinus Asinius（马鲁奇努斯·阿希尼乌斯）的呼格。

3 tollis（不定式 tollere），意思是"举起，拿起"，是"偷"的委婉语。

4 talento（原形 talentum，塔兰），古希腊的重量单位，约等于 26 公斤，用作货币单位

## 十二

马鲁奇纳·阿希尼，你的左手
让你亵渎了：我们饮酒戏谑时，
某些粗心人的手巾竟被你挪走。
你觉得幽默吗？你错了，小白痴，
5  这事不仅太庸俗，而且太龌龊。
你不信我？你总该相信你哥哥
波里欧吧，他宁可用一塔兰金币
赎回你的赃物：因为他是一个
最懂得魅力和幽默的小伙子。
10  所以，你要么等着我的三百行诗
登门问罪，要么利落地归还手巾，
我倒不是心疼那钱，可说真的，
它是好朋友赠给我的纪念品。
它来自西班牙的塞塔比斯，是
15  法布卢斯和维拉尼乌斯的厚礼：
我必须忠贞不渝地爱这手巾，
就像爱维拉尼乌斯和法布卢斯。

---

时，则相当于 26 公斤的金币或银币，一塔兰是很大一笔钱。

5 Differtus 采用的是 Garrison（1989）的版本，Merrill（1893）版作 Disertus。

6 hendecasyllabos 指每行十一个音节的格律诗，卡图卢斯常用这种格律写讽刺诗。

7 Saetaba，Saetabis（塞塔比斯，在今西班牙境内）的阴性形容词。

8 Fabullus（法布卢斯）是 Fabius（法比乌斯，参考第 13 首、28 首和 47 首）的昵称，第 17 行的 Veraniolum（主格 Veraniolus）是 Veranius（维拉尼乌斯）的昵称。

## XIII[1]

    Cenabis bene, mi Fabulle[2], apud me

    Paucis, si tibi di favent, diebus,

    Si tecum attuleris bonam atque magnam

    Cenam, non sine candida puella

5    Et vino et sale et omnibus cachinnis.

    Haec si, inquam, attuleris, venuste noster,

    Cenabis bene; nam tui Catulli

    Plenus sacculus est aranearum[3].

    Sed contra accipies meros amores

10    Seu quid suavius elegantiusve est:

    Nam unguentum dabo, quod meae puellae[4]

    Donarunt Veneres Cupidinesque,

    Quod tu cum olfacies, deos rogabis,

    Totum ut te faciant, Fabulle, nasum[5].

---

1 本诗格律是十一音节体。这首迷人的小诗在欧洲文学史上广为传诵，英国诗人本·琼森的《晚餐邀友》（"Inviting A Friend to Supper"）就是一首高超的仿作。在翻译理论家 Bassnett 的著作《翻译研究》（*Translation Studies*）中，这首诗被当作一个文学翻译的著名个案来研究。一些学者（例如 Littman，1977；Hallett， 1978；Case，1995；Kilpatrick，1998）认为第 11 行提到的维纳斯的香膏极有可能是一种催情剂。Vessey（1971）等人相信，提到这种神秘香膏是为了间接称赞莱斯比娅。Bernstein（1985）质疑了催情剂理论，提出这首诗表面上是邀请诗，其实有以一贯之的诗学隐喻。他注意到，candida、sale、venuster、suavius、elegantius 等词的比喻义都表达了新诗派的基本主张，nasum（"鼻子"）在拉丁文中也可表示鉴赏力和品味，他据此认为，第 9 行的 amores（"爱"）不是指情

## 十三

过一两天，我的法布卢斯，你就能

到我家大享口福，如果你能蒙神垂青，

如果你能自带菜肴，丰盛而美味，

并且不缺明亮动人的姑娘跟随，

5 也不缺葡萄酒、盐和所有的笑声。

如果你带这些来，我说，你就能

大享口福，迷人的嘉宾；因为蜘蛛

已将你的卡图卢斯的钱袋占据。

不过作为补偿，我会把至纯的爱给你，

10 或者某种更甜蜜、更优雅的东西：

我为你准备了我情人的一点香膏，

它可是维纳斯和丘比特亲手所赐，

你只要闻那么一下，就会向神哀告

——把整个儿法布卢斯都变成鼻子。

---

感，而是指爱情诗（维吉尔、奥维德都有这种用法），维纳斯和丘比特也是爱情诗的符号，至于香膏，意味着莱斯比娅是诗歌的灵感源泉。我觉得 Bernstein 的分析比较合理，但即使不考虑诗学隐喻，这首诗也是上乘的应酬之作。

2 Fabulle（Fabullus 的呼格），关于法布卢斯，可参考第 12 首和第 28 首。

3 钱包里结满蛛网的意象是诗人哭穷传统的又一个例子。

4 meae puellae, mea puella（"我的姑娘"）的与格。Ellis（1876）认为 puella 指莱斯比娅，学界普遍赞同这个看法。

5 这句诗利用拉丁语语序灵活的特点，将形容词 totum（"整个"）和修饰的名词 nasum（"鼻子"）分置两端，形象地表达了"变成一个大鼻子"的感觉。

## XIV[1]

Ni te plus oculis meis amarem,
Iucundissime Calve[2], munere isto
Odissem te odio Vatiniano[3]:
Nam quid feci ego quidve sum locutus,
5    Cur me tot male perderes poetis?
Isti di mala multa dent clienti[4],
Qui tantum tibi misit impiorum.
Quod si, ut suspicor, hoc novum ac repertum
Munus dat tibi Sulla litterator[5],
10   Non est mi male, sed bene ac beate,
Quod non dispereunt tui labores.
Di magni, horribilem et sacrum libellum!
Quem tu scilicet ad tuum Catullum
Misti, continuo ut die periret,
15   Saturnalibus[6], optimo dierum!
Non non hoc tibi, salse, sic abibit[7].

---

1 本诗格律是十一音节体。好友卡尔伍斯（新诗派另一位代表诗人）赠给卡图卢斯一份特别的礼物，卡图卢斯决定以其人之道还治其人之身。

2 Calve（Calvus 的呼格），卡尔伍斯是卡图卢最欣赏的同时代诗人之一，可参考第 50 首和第 53 首。

3 Vatiniano（原形 Vatinianus），Vatinius（瓦提尼乌斯）的形容词。卡尔伍斯曾作为律师，参与对瓦提尼乌斯的控诉，并大获成功（参考第 53 首），瓦提尼乌斯自然会恨他。卡图卢斯提及此事，是顺带恭维朋友的口才。根据上下文判断，卡尔伍斯送给卡图卢斯的礼

## 十四

如果我爱你不是胜过爱我的眼睛，
魅力四射的卡尔伍斯，你这份礼物，
就会激起瓦提尼乌斯一样的憎恨：
我到底做错了什么，说错了什么，
5  你要用这么多劣质诗人来谋杀我？
愿诸神用可怕的灾难惩罚你的主顾，
他竟搜罗了这么多亵渎上天的诗作。
倘若如我所怀疑，这别致的新礼物
其实是那个蹩脚老师苏拉给的你，
10  我不仅不会难过，反而会幸福无比，
因为你的这番安排绝非白白忙活。
伟大的神，多么恐怖邪门的一本书！
你把它送给你的卡图卢斯，显然
是想让他捱不过今天——捱不过
15  农神节，所有日子里最好的一天！
机灵鬼，我决不会这样饶过你——

---

物（munere，原形 munus）应该是一本诗选，里面收录的都是当时不入流的垃圾诗歌。

4 clienti（原形 cliens），"主顾"、"当事人"。因为卡尔伍斯是律师，在古罗马，律师不能收取当事人服务费，但诉讼成功后当事人常以礼物的名义报答律师。

5 litterator，学校老师，关于这位 Sulla（苏拉），身份不详。

6 Saturnalibus（原形 Saturnalia，农神节），是古罗马人纪念朱庇特之父 Saturn 的节日，每年 12 月 17 日开始，持续约一周，除了庆祝活动外，互赠礼物也是重要内容。

7 salse，这里用的是 Garrison（1989）的版本，Merrill（1893）版作 false。

Nam, si luxerit[8] ad librariorum

Curram scrinia, Caesios, Aquinos[9],

Suffenum[10], omnia colligam venena,

20   Ac te his suppliciis remunerabor.

Vos hinc interea valete abite

Illuc, unde malum pedem[11] attulistis,

Saecli incommoda, pessimi poetae.


## XIVb[12]


Si qui forte mearum ineptiarum

lectores eritis manusque vestras

non horrebitis admovere nobis,

---

8 si luxerit 的意思是"如果（我还能再见到）天亮"，也就是说"如果我明天早上还活着"，与上文"活不过今天"相呼应。

9 这里的 Caesios 和 Aquinos 分别是 Caesius（凯西乌斯）和 Aquinus（阿奎努斯）的宾格复数，泛指不入流的诗人。

10 Suffenum 是 Suffenus（苏费努斯）的宾格，苏费努斯是卡图卢斯鄙夷的一位同时代诗人，参考第 22 首。

11 pedem（原形 pes）在这里一语双关，既是指走路的"脚"，也指诗歌格律的"音步"。所以这行诗也隐含这些诗人技艺低劣之意。

12 这三行诗在卡图卢斯《歌集》的权威抄本中都放在这个位置，但显然与前面这首诗没有关系。不少学者（例如 Merrill）认为，这三行诗和第 2 首的最后三行（IIb）构成了单独的一首序诗。第 1 首是《歌集》某些诗（卡图卢斯生前出版的某部被后人称为

如果还能见到明早的太阳，我一定
跑遍每一个书摊，把凯氏、阿氏、
苏氏……所有毒药般的诗买个干净，
20　　让它们折磨你，回报你的善良。
再见吧，你们这些家伙，赶紧走开，
回到你们罪恶的脚出发的地方，
下流货色的诗人，时代的祸害！

## 十四（b）

如果机缘巧合，你们读到我
这些拙劣的作品，并且毫不
惊悚地把你们的手伸向我，

---

《小雀》的诗集）的序诗，而这首六行诗则是整部《歌集》的序诗。倘若果真如此，我
们就得到这样一首别有风味、内涵丰富的诗："如果机缘巧合，你们读到我 / 这些拙劣
的作品，并且毫不 / 惊悚地把你们的手伸向我，/ 这给我的快乐，就像传说中的 / 金
苹果，它令捷足的少女欣喜，/ 因它让缠束已久的腰带滑落。"Atlanta 的神话就成了卡
图卢斯的诗学隐喻。诗歌在不合适的读者面前是矜持的，它把自己的珍宝隐藏得很深，
如同 Atlanta 小心守护着自己的贞洁。但正如 Atlanta 其实心里盼望着神的金苹果，诗歌
也盼望着理想的读者打开自己的宝藏。以性喻诗是卡图卢斯经常采用的手段。他理想中
的诗歌是给诗人自己和读者都带来快感的高度艺术化的作品。但他的作品是反常规的、
叛逆的，要求读者有高度的承受力，所以他特别提到"毫不惊悚"，如果读者把他的作
品视为洪水猛兽，自然体会不到其中的妙处。也正因如此，卡图卢斯觉得知音难觅，自
己并不会成为大众喜欢的诗人。

## XV[1]

Commendo tibi me ac meos amores[2],
Aureli[3]. Veniam peto pudentem,
Ut, si quicquam animo tuo cupisti,
Quod castum expeteres et integellum,
5    Conserves puerum mihi pudice,
Non dico a populo—nihil veremur
Istos, qui in platea modo huc modo illuc
In re praetereunt sua occupati—
Verum a te metuo tuoque pene
10   Infesto pueris bonis malisque.
Quem tu qua lubet, ut lubet moveto
Quantum vis, ubi erit foris paratum:
Hunc unum excipio, ut puto, pudenter.
Quod si te mala mens furorque vecors
15   In tantam impulerit, sceleste, culpam,
Ut nostrum insidiis caput lacessas,
A tum te miserum malique fati!
Quem attractis pedibus patente porta
Percurrent raphanique mugilesque[4].

---

1 本诗格律是十一音节体。本诗涉及同性恋，Williams（1968）认为，古罗马诗歌中的同性恋主题最好放到古希腊同性恋诗歌传统中来阐释。

2 这里的 amores（"情人"）不是指莱斯比娅，而是一位青年男子（很可能是尤文提乌斯），参考第 21 首、24 首、48 首、81 首和 99 首。古罗马未婚男子可以有同性情人。

## 十五

我把自己和情人都托付给你，
奥勒里，但我有个谦逊的请求，
如果你曾真心渴望，世上仍有
某种未被玷污、完好如初的东西，
5　就请为我纯洁地守护这个男孩子。
我担忧的不是庸众——那些家伙
我毫不畏惧，他们整日来回奔波，
盘算着自己的事情，无暇他顾——
可是，我害怕你和你那件阳具，
10　好男孩坏男孩都慑于它的淫威。
什么地方都可以，你怎么使都成，
只要它在光天化日下做好了准备：
但我谦逊地请求，这位你不要碰。
因为堕落的心智和疯狂的情欲
15　一旦驱使你，该死的，犯下大罪，
做出什么背叛我、伤害我的事情，
哼哼，倒霉蛋，多悲惨的结局！
你会叫人捆住双脚，敞开后庭，
迎接萝卜和乌头鱼的长驱直入。

---

3 Aureli（奥勒里），Aurelius（奥勒里乌斯）的呼格，关于奥勒里乌斯，参考第 11 首、16 首和 21 首。

4 Merrill（1893）指出，这里所描绘的对通奸的惩罚，可以参考古希腊喜剧作家阿里斯托芬的作品《云》的第 1083 行。

# XVI[1]

Pedicabo ego vos et irrumabo[2]
Aureli pathice et cinaede Furi[3],
Qui me ex versiculis meis putastis,
Quod sunt molliculi, parum pudicum[4].
5    Nam castum esse decet pium poetam
Ipsum, versiculos nihil necesse est[5];
Qui tum denique habent salem[6] ac leporem,
Si sunt molliculi ac parum pudici,
Et quod pruriat[7] incitare possunt,
10    Non dico pueris[8], sed his pilosis

---

1 本诗格律是十一音节体。这首诗非常复杂，涉及到古罗马的性伦理、权力观念和卡图卢斯的诗学主张。

2 pedicabo（不定式 pedicare）和 irrumabo（不定式 irrumare）分别指强迫对方为自己肛交和口交。Miller（2000）指出，古罗马的性别观念不是以生理为基础的，在性活动中处于支配和进入的一方就是阳性，反之就是阴性。这里卡图卢斯戏谑地威胁两位读者，他要用实际行动证明自己的阳刚。

3 pathice（pathicus 的呼格）和 cinaede（cinaedus 的呼格）都是指肛交中被动的一方，也即是阴性的一方。Aureli（奥勒里）和 Furi（弗里）分别是 Aurelius（奥勒里乌斯）和 Furius（弗里乌斯）的呼格，参考第 11 首、15 首、21 首、23 首、24 首和 26 首。

4 两位读者认为卡图卢斯的诗过于阴柔（molliculi），因而卡图卢斯的人品也不够纯洁（pudicum）。这里的逻辑是建立在古罗马男性伦理规范基础上的。罗马人认为，男性最重要的标志是能靠意志和理性完全控制自己的欲望和情感。公开流露感情，尤其是爱情，是阴柔的表现，是可耻的。

# 十六

我一定要用阳具惩罚你们，
奥勒里、弗里，活该被蹂躏！
竟然怀疑起我纯洁的人品，
就因为我的诗充满了柔情。
5　虔诚的诗人自己是该无邪，
但他的作品却根本不必；
真正有机巧、有风味的诗
反而应柔媚些，放纵些，
能催动读者蛰伏的欲火，
10　我不是指年轻人，而是指

---

5 卡图卢斯的辩解是：诗与人应当分开。诗人本身应当纯洁（castum）、虔诚（pium），他的诗歌却大可不必。令后世读者困惑的是，一个男性诗人，以肛交和口交威胁（哪怕是开玩笑）两位男性读者（也是朋友），怎么配得上这两个形容词？在拉丁文中，纯洁和虔诚都意味着符合伦理规范，上述行为的确是社会认可的行为，并常被当作惩罚和羞辱失败者的手段。卡图卢斯为抒情诗的辩护影响深远。有鄙视抒情诗传统的古罗马最终却在抒情诗（尤其是爱情哀歌）方面取得了辉煌成就，与这两行诗有很大关系。奥维德（*Tristia* 2.354）、马尔提阿利斯（1.4.8）、小普林尼（*Epist.* 4.14.5）等人都引用过它。

6 salem（主格 sal，盐）这里指诗歌中的机智、诙谐。在第 7-8 行中，卡图卢斯进一步声称，阴柔的风格、背离伦理的说法反而是诗歌魅力的必要成分。后来的奥维德在这方面走得更远，并付出了被屋大维流放黑海地区的代价。

7 pruriat（不定式 prurire），原意是"发痒"，这里是指欲望被激发起来。

8 pueris（原形 puer，"小伙子"），小伙子原本就处于春情发动期，所以不是卡图卢斯所针对的读者。

Qui duros nequeunt movere lumbos[9].
Vos, quod milia multa basiorum[10]
Legistis, male me marem putatis?
Pedicabo ego vos et irrumabo[11].

---

9 duros（原形 durus），指僵硬，活动不灵活。Lumbos（原形 lumbus）指小腹部或腰部，代表欲望发动的部位。卡图卢斯在这里说，他的爱情诗是为了挑起老年人的欲望。和任何社会一样，古罗马指责别人性道德不端的也常常是老年人（参考第 5 首中"严厉的老家伙们"）。在第 5 首中，卡图卢斯的态度只是置之不理，这里却反戈一击了。要通过唤醒他们的性欲望，令他们尴尬，意识到自己的虚伪。MacLeod（1973）指出，这里的反讽在于，"软"的（molliculi）诗歌反而征服了"硬"的身体，这是爱情诗人的胜利。

小腹僵硬的毛茸茸的老家伙。
你们，因为读到我数不清的
吻，就以为我不是个男人？
我一定要用阳具惩罚你们。

---

Skinner（1993）指出，对于古罗马男性公民来说，爱情诗能起到治疗效果。罗马传统所强调的坚忍性格使得男性公民要承受莫大的心理压力和伤害，阅读爱情诗可以使他们暂时摆脱压抑，得到放松。

10 milia multa basiorum（"成千上万的吻"）显然是指第 5 首和第 7 首，因为沉溺于接吻表明卡图卢斯不能控制自己的情感，不符合古罗马所崇尚的阳刚品格。

11 这里再次重复第一句，不只强化了羞辱口气，也紧接上句，证明自己并非女性化。

# XVII[1]

O Colonia[2], quae cupis ponte ludere[3] longo,
Et salire paratum habes, sed vereris inepta[4]
Crura[5] ponticuli axulis stantis in redivivis,
Ne supinus[6] eat cavaque in palude[7] recumbat:
5    Sic tibi bonus ex tua pons libidine[8] fiat,
In quo vel Salisubsali[9] sacra suscipiantur,
Munus hoc mihi maximi da, Colonia, risus.

---

1 本诗格律是 Priapean，其名称源于希腊神 Priapus（普里阿波斯）。这种格律在泛希腊时期常用于献给普里阿波斯的颂诗。普里阿波斯是酒神狄俄尼索斯和爱神阿佛洛狄忒的儿子，是丰饶之神，其形象是一个阳具或有巨大阳具的人身。这种格律与诗歌的主题恰好相配合。卡图卢斯嘲讽了一位性冷淡而且性无能的老年男子，他让年轻、美丽、活泼的妻子虚掷青春。Rudd（1959）和 Khan（1969）的细致分析向我们揭示了卡图卢斯用词的考究。这首诗几乎每个词都有象征或隐喻意义，然而丝毫不妨碍表层文字的流畅和表层意象的鲜活。Rudd 还探讨了此诗精巧的结构。1-11 行为第一部分，其中 1-4 行是对小镇和桥的描绘，5-7 行是过渡，8-11 行是所许的愿，构成了一个 4-3-4 的对称结构；12-22 行是第二部分，按照丈夫-明喻-妻子-明喻-丈夫的布局推进；23-26 行是收尾部分。卡图卢斯描写小镇和桥的时候，处处体现人的特征；描写丈夫和妻子的时候，又处处以物来比拟；结尾处又呼应了前文的系列词语，使得结构格外紧密。而且，对比细节之后，Rudd 指出，小镇和桥分别为妻子和丈夫的形象作了铺垫。这首诗的另一个突出特点是，通篇都在写性，却没有一个直接描绘的词语。

2 Colonia（科洛尼亚）可能是卡图卢斯杜撰的一个地名，虽然在意大利北部的 Cologna Veneta 有一处"卡图卢斯之桥"。诗中这个小镇明显被塑造为一个活泼奔放的年轻女孩的形象。

## 十七

科洛尼亚，你渴望在这长桥上游戏，
急切地踏起舞步，然而它笨拙的腿
踩在重新搭起的朽木上，令你生畏，
怕它突然坍塌，仰面陷在泥坑里：
5　你若想得到一座好桥，称你的意，
甚至在祭拜萨神时都不会有所损伤，
就别吝啬我求的这份开心大礼——

---

3 ludere（"游戏"）首先指下文的庆祝活动中的各种游戏，如果把科洛尼亚视为女性角
色，ludere 也可指轻松的调情，与后文年轻妻子的性格一致。此外，ludere 也可以指性
活动中的前戏。

4 inepta（原形 ineptus），原意是笨拙，这里或许指桥摇摇晃晃的样子。如果桥影射后文
的丈夫，则 inepta 还可暗示"不知怎样做才合适"（即不知道履行丈夫职责）。

5 crura（原形 crus，"腿"），Merrill（1893）指出，拉丁文中 crus 用于非生物极其罕见，
通常用 pes（"脚"）表示这个意义。可见卡图卢斯有意把桥拟人化。

6 supinus 指仰面躺卧，第 9 行的 praecipitem（原形 praeceps）指面朝下跌下去。这两个
位置在古罗马的性活动中分别代表了被支配和支配的地位。用 supinus 修饰桥，突出了
它的阴性，也暗示丈夫缺乏阳刚。

7 Khan（1969）指出，诗中大量的形容词（如 cava，"凹陷"）和名词（如 palude，"沼
泽"）在古希腊罗马文化中都是女性性器的隐喻，有许多文学作品为证。

8 libidine（原形 libido），原意是"欲望"，这里理解为"意愿"。

9 Salisubsali（原形 Salisbusalus，萨利斯布萨卢斯），是当地敬拜的一位神，名字可能为
卡图卢斯所杜撰。从构词上看，似乎与"跳"（salire）有关。这行诗有许多 s 音，似乎
是在模仿跳舞时脚与地面摩擦的声音。

　　　　Quendam municipem[10] meum de tuo volo ponte
　　　　Ire praecipitem in lutum per caputque pedesque,
10　　Verum totius ut lacus putidaeque paludis
　　　　Lividissima maximeque est profunda vorago[11].
　　　　Insulsissimus est homo, nec sapit pueri instar
　　　　Bimuli tremula patris dormientis in ulna.
　　　　Cui cum sit viridissimo nupta flore puella
15　　Et puella tenellulo delicatior haedo[12],
　　　　Adservanda nigerrimis diligentius uvis,
　　　　Ludere hanc sinit ut lubet, nec pili facit uni,
　　　　Nec se sublevat[13] ex sua parte, sed velut alnus[14]
　　　　In fossa Liguri[15] iacet suppernata securi,
20　　Tantundem omnia sentiens quam si nulla sit usquam;
　　　　Talis iste meus stupor[16] nil videt, nihil audit,
　　　　Ipse qui sit, utrum sit an non sit, id quoque nescit.
　　　　Nunc eum volo de tuo ponte mittere pronum,
　　　　Si pote stolidum repente excitare veternum,
25　　Et supinum animum in gravi derelinquere caeno,
　　　　Ferream ut soleam[18] tenaci in voragine mula[19].

---

10 名义上属于罗马的自治城市称为 municipium，其居民称为 municipes，卡图卢斯家乡
维罗纳就是这样的城市。据此可以推断，此人大概是卡图卢斯同乡。

11 Rudd 认为，将此人从桥上扔入沼泽，既是惩罚，也是为了将他从麻木状态中惊醒。

12 haedo（原形 haedus），“小山羊”，给人的印象活泼轻佻。

13 Nec se sublevat 此处的意思是不能摆脱这种状态，但这个说法在拉丁文常指性无能。

14 在拉丁语中，alnus（“赤杨”）形式上像阳性，其实是阴性，这个词和被砍伤的赤杨

我想借你的这座桥把一位同乡
倒着扔下去，叫他的脑袋和脚
10　　都痛快地没入整片可憎的泥沼
最深最黑最臭不可闻的烂污里。
他几乎是个白痴，甚至比不上
父亲摇晃的怀中熟睡的两岁孩童。
可他却娶了一位青翠欲滴的姑娘，
15　　这位姑娘，比柔嫩的山羊还轻佻，
守护她本应比守护最甜美的葡萄
还细心，他却任她玩乐，毫不在意，
自己也没多少活气，像一棵赤杨
被利斧砍伤了腰身，躺在沟渠里，
20　　没任何知觉，仿佛周围空无一物。
他就这样，锁在无色无声的麻木里，
不知自己是谁，到底是活还是死。
现在，我想把他从你的桥上扔下去，
倘若这能让他从昏冥中猛然惊醒，
25　　把僵死的心弃在沉沉黑泥里，仿佛
母骡，把蹄铁留在执拗的沼泽中。

---

躺在沟渠中的意象都影射此人的性无能。

15 Liguria（利古里亚），意大利地名。

16 这里的 stupor（"麻木的状态"）是借代手法，指上文的老头。

17 这里的 solea 指绑在（而不是钉在）马或骡蹄子底下的铁掌，因而才会被沼泽的粘泥吸住。

18 mula 是母骡子，却无法生育，也与此人的情况相类似。

# XXI[1]

Aureli[2], pater esuritionum,
Non harum modo, sed quot aut fuerunt
Aut sunt aut aliis erunt in annis[3],
Pedicare[4] cupis meos amores[5].
5   Nec clam: nam simul es, iocaris una,
Haerens ad latus omnia experiris.
Frustra: nam insidias mihi instruentem
Tangam te prior irrumatione.
Atque id si faceres satur, tacerem:
10   Nunc ipsum id doleo, quod esurire
Meus iam[6] puer et sitire discet.
Quare desine, dum licet pudico[7],
Ne finem facias, sed irrumatus.

---

1 在 Muretus（1554）的版本中，第 17 首诗和这首诗之间另外有三首诗，分别标为 18 首、19 首、20 首，但学术界已认定不是卡图卢斯的作品，因此后来的版本不再收录，但保留原来的编号。本诗格律是十一音节体。MacLeod（1973）指出，这首诗的喜剧效果在于，一个依靠别人为食的家伙竟想抢夺主人的情人，这在等级森严的古罗马社会是不可接受的。

2 Aureli（奥勒里）是 Aurelius（奥勒里乌斯）的呼格，关于奥勒里乌斯，参考第 11 首、15 首和 16 首。

## 二十一

奥勒里乌斯，你这饥饿之父，
不只是眼前，而且是过去、
现在、未来的一切饥饿之父，
竟想让我的情人做你的玩物，

5　　而且如此露骨：你谈笑晏晏，
粘在他身边，用尽了所有伎俩。
——却是徒然，因为我会抢先
叫心怀不轨的你伺候我的欲望。
如果你吃饱了再做，我可以沉默：

10　　但令我痛苦的是，我心爱的男孩
已开始和你一起学习忍受饥渴。
所以，趁来得及，你赶紧打住，
省得被我蹂躏，再灰溜溜地退出。

---

3 这里夸张的表达方式可以参考第 24 首和第 49 首的 2-3 行。

4 pedicare 和第 8 行的 irrumatione（从 irrumare 变来）、第 13 行的 irummatus（不定式 irrumare），参考第 16 首注释 2。

5 meos amores 和第 11 行的 meus...puer 可能都指尤文提乌斯（参考第 15 首）。

6 Meus iam，这是 Garrison（1989）的版本，Merrill（1893）版作 Ah me me（表示感叹），Lee（1990）版作 A temet（"从你那里"）。

7 dum licet pudico 字面意思是"趁你还能体面地这么做"。

## XXII[1]

Suffenus iste[2], Vare[3], quem probe nosti,
Homo est venustus et dicax et urbanus[4],
Idemque longe plurimos facit versus.
Puto esse ego illi milia aut decem aut plura[5]
5    Perscripta, nec sic, ut fit, in palimpsesto[6]
Relata: cartae regiae, novi libri,
Novi umbilici, lora rubra, membranae,
Derecta plumbo et pumice omnia aequata[7].
Haec cum legas tu, bellus ille et urbanus
10   Suffenus unus caprimulgus aut fossor
Rursus videtur[8]: tantum abhorret ac mutat.
Hoc quid putemus esse? Qui modo scurra[9]
Aut si quid hac re tritius[10] videbatur,
Idem infaceto est infacetior[11] rure,

---

1 本诗格律是 limping iambics。这首诗是写给朋友瓦卢斯（参考第 10 首）的一封信，中心话题是一个叫苏费努斯的人以及他的诗。

2 Suffenus（苏费努斯），iste 既表达了卡图卢斯对这个人的蔑视，也说明瓦卢斯认识他。

3 Vare，Varus（瓦卢斯）的呼格。

4 venustus（"风度迷人"）、dicax（"言谈机智"）、urbanus（"有城里人的风范"）都是古罗马上流社会常用的称赞之词。

5 卡图卢斯常常嘲讽高产的诗人（参考第 95 首），他相信只有精雕细刻才能创造出真正的艺术品。

6 palimpsesto（原形 palimpsestus），"重复利用的纸草或羊皮纸"。按照古罗马人的习惯，

## 二十二

瓦卢斯，你熟悉的那位苏费努斯
有风度，谈吐风趣，也有教养，
可是他，却写了太多太多的诗，
我想，怎么也不少于一万行，
5 而且不是抄在旧纸上，可以刮掉
再写：宽绰的羊皮，崭新的书卷，
崭新的轴，红色的捆绳，封套，
用铅标了行，又用浮石磨得光鲜。
你拿来读，文质彬彬的苏费努斯
10 眨眼间却仿佛变成了一个羊倌，
一个挖沟人：反差如此令人惊异。
我们该怎么解释呢？片刻之前
还不乏魅力，甚至气质非凡的人，
一下笔写诗，就比蹩脚的乡村

---

不重要的内容通常记录在 palimpsestus 上面，需要写新东西的时候，就刮掉原来的字再写。

7 从 6-8 行，我们可以对古罗马书籍的装帧有所了解。

8 这里卡图卢斯再次反驳了文（诗）如其人的看法。

9 scurra，"聪明时髦的城里人"。

10 tritius（tritus 的中性比较级），字面意思"磨得更光亮"，这里意思是"更有教养、更文雅"，Garrison（1989）版作 scitius（scitus 的中性比较级），意思是"知道得更多、更聪明"，也可成立。

11 infaceto… rure，infacetum rus（"傻气的乡村"）的夺格。

15    Simul poemata attigit, neque idem umquam
      Aeque est beatus ac poema cum scribit:
      Tam gaudet in se tamque se ipse miratur.
      Nimirum idem omnes fallimur, neque est quisquam
      Quem non in aliqua re videre Suffenum
20    Possis. Suus cuique attributus est error;
      Sed non videmus manticae quod in tergo est[12].

---

12 这个典故出自伊索寓言。有一个人带着两个包，胸前的包装着邻居的缺点，背上的

15　更蹩脚，而且只有在写诗之际
　　他才感觉最幸福，他为自己
　　兴奋不已，对自己敬佩万分。
　　无疑，我们都会犯同样的错，
　　苏费努斯你随处都能找到，
20　谁都有一份属于自己的错，
　　却谁也看不见自己背着的包。

包装着自己的缺点，他只抱怨邻居的缺点。见 Phaedrus IV. 10。

## XXIII[1]

Furi[2], cui neque servus est neque arca
Nec cimex neque araneus neque ignis[3],
Verum est et pater et noverca[4], quorum
Dentes vel silicem comesse possunt,
5    Est pulchre tibi cum tuo parente
Et cum coniuge lignea[5] parentis.
Nec mirum: bene nam valetis omnes,
Pulchre concoquitis, nihil timetis[6],
Non incendia, non graves ruinas,
10   Non furta[7] impia, non dolos veneni[8],
Non casus alios periculorum.
Atque corpora sicciora cornu
Aut siquid magis aridum est habetis
Sole et frigore et esuritione.
15   Quare non tibi sit bene ac beate?

---

1 本诗格律是十一音节体。弗里乌斯（参考第 11 首、16 首、24 首和 26 首）向卡图卢斯借一大笔钱，不仅遭到拒绝，还受到一番奚落。Merrill（1893）对此诗评价不高，称之为"缺乏品味的讽刺"。Munro（1905）却认为，虽然由于题材的限制，这篇作品无法体现出卡图卢斯最突出的那些特质，但在轻型的玩笑诗中，这首精致、诙谐的诗是出类拔萃的。MacLeod（1973）指出，这首诗的一个妙处在于最后两行对前文的颠覆。

2 Furi（弗里）是 Furius（弗里乌斯）的呼格。弗里乌斯可能和奥勒里乌斯一样，生活穷困，整日向朋友讨钱。

3 第 1-2 行重复使用 neque（nec）强化了弗里乌斯一无所有的印象。

## 二十三

弗里，你既没钱柜也没家奴，
既没床虱也没蜘蛛也没火炉，
可你既不缺父亲也不缺继母，
他们的牙能让燧石粉身碎骨。
5　和你的父亲、还有他木头似的
配偶一起生活，你是多么快乐。
难怪，你们三位都身体健康，
消化顺畅，心里也从不惊慌：
没有火灾，也没有坍塌的房顶，
10　没人偷盗，也没人投毒害命，
也没任何别的危险，别的不幸。
而且，你们的身板比牛角还硬，
甚至胜过任何比牛角更硬之物，
这是烈日、严寒和饥饿的馈赠。
15　所以，你的生活怎能不幸福？

---

4 noverca（"继母"），古罗马和许多社会一样，对继母有根深蒂固的偏见。

5 lignea（阳性 ligneus），意思是"像木头一样的"，这里可能指外表皱缩、枯干，暗示他们的穷困。

6 Garrison（1989）指出，在 7-11 行，卡图卢斯是以斯多葛派的口吻在劝诫弗里乌斯。斯多葛派认为有尊严的贫困是生活的理想状态，因为无需担心由于财富引来的各种祸患，而远离忧虑、心境平和就是幸福。

7 furta（原形 furtum），盗窃，Lee（1990）版作 facta（"行为"）。

8 dolos veneni 字面意思是"毒药的痛苦"，指别人谋财害命。

A te sudor abest, abest saliva,

Mucusque et mala pituita nasi.

Hanc ad munditiem adde mundiorem,

Quod culus tibi purior salillo est,

20    Nec toto decies cacas in anno;

Atque id durius est faba et lapillis,

Quod tu si manibus teras fricesque,

Non umquam digitum inquinare posses.

Haec tu commoda tam beata, Furi,

25    Noli spernere nec putare parvi,

Et sestertia[9] quae soles precari[10]

Centum desine: nam sat es beatus.

---

9 sestertia…centum，十万塞斯脱（sestertius，古罗马硬币，相当于 2.5 个硬币基本单位 as），相当于古罗马中产人士一年的收入（Garrison 1989）。

汗水离开了你，唾液离开了你，
恼人的鼻涕也永远消失了踪迹。
如此的洁净之外，还有一种洁净，
因为你的肛门清爽超过了盐瓶，
20  一年到头，它最多只大便十次，
而且那玩意比豆子和石块还硬实，
即使你用手反复地磨蹭搓揉，
你也永远不会弄脏一个指头。
你有如此美妙的财富，弗里，
25  别不屑一顾，一定要好好珍惜，
也别再不停地求我，求我给你
十万塞斯脱：你已经太有福气。

---

10 precari（"请求"，"祷告"）和 soles（"经常"）突出了弗里乌斯纠缠不清的形象，与斯多葛派的坚忍哲学显然不符。

## XXIV[1]

O qui flosculus[2] es Iuventiorum,
Non horum modo, sed quot aut fuerunt
Aut posthac aliis erunt in annis[3],
Mallem divitias Midae[4] dedisses
5    Isti, cui neque servus est neque arca,
Quam sic te sineres ab illo amari.
"Qui? Non est homo bellus?" inquies. Est:
Sed bello huic neque servus est neque arca.
Hoc tu quam lubet abice elevaque:
10    Nec servum tamen ille habet neque arcam.

---

1 本诗格律是十一音节体。这首诗属于尤文提乌斯系列，参考第 15 首、21 首、48 首和 99 首。诗中的"家伙"根据"既没奴隶也没钱柜"的措辞判断，当指弗里乌斯（参考上一首诗）。MacLeod（1973）认为，这首诗的诙谐之处在于，卡图卢斯扭曲了爱情诗（包括同性爱情诗）的浪漫传统，故意扮演了类似皮条客的角色。他在诗中关心的不是情人被抢走，而是关心弗里乌斯的经济状况。

## 二十四

　　啊，尤文提乌斯家族的花朵，
　　不只是眼前这些，而且是过去、
　　现在、未来所有族人中的花朵，
　　我宁可你把米达斯那样的财富
5　送给那个没奴隶也没钱柜的家伙，
　　也不愿你如此接受他的恋慕。
　　"为什么？难道他不好？"你会问。
　　他是挺好，可他没奴隶也没钱柜。
　　无论你怎样轻描淡写，置若罔闻：
10　他就是没有奴隶，也没有钱柜。

---

2 flosculus（flos 的小词），意思是"花"。

3 这里的表述方式可以参考第 21 首和 49 首的 2-3 行。

4 Midae，Midas（米达斯）的属格。米达斯是佛里吉亚的国王，因为他善待酒神狄俄尼索斯的同伴 Silenus，酒神答应他的请求，让他能把手所触碰的任何东西变成黄金，因此他常被视为财富的象征。

# XXV[1]

Cinaede[2] Thalle[3], mollior cuniculi capillo
Vel anseris medullula vel imula auricilla[4]
Vel pene languido senis situque araneoso,
Idemque, Thalle, turbida rapacior procella,

5    Cum diva Murcia arbitros ostendit oscitantes[5],
Remitte pallium mihi meum, quod involasti,
Sudariumque Saetabum[6] catagraphosque[7] Thynos[8],
Inepte, quae palam soles habere tamquam avita.
Quae nunc tuis ab unguibus reglutina et remitte,

10   Ne laneum latusculum manusque mollicellas[9]
Inusta turpiter[10] tibi flagella conscribillent,
Et insolenter aestues, velut minuta magno
Deprensa navis in mari, vesaniente vento.

---

1 本诗格律是 iambic tetrameter catalectic。这首诗的题材与第 12 首相似。Garrison（1989）指出，在现代织布机发明以前，任何手工织品都很昂贵，所以有很多阿希尼乌斯（第 12 首）和塔卢斯（本诗）这样偷宾客手巾的贼。

2 Cinaede（cinaedus 的呼格），指男同性恋中被动的一方，也可指男妓。从下文可以看出，它不是简单的辱骂之词，至少还表明了塔卢斯缺乏阳刚的特征。

3 Talle（Tallus，塔卢斯）的呼格。

4 这行诗用了三个小词形式（diminutive），着力突出嫩和软的感觉。

5 这句话原文不明。这里依据的是 Quinn（1970）的版本。diva Murcia arbitros 在 Merrill（1893）版中作 diva mulier aries，在 Munro（1905）版中作 diva Murcia atrieis，在 Lee

## 二十五

小仙女塔卢斯，你柔软胜过兔毫，
胜过最轻的鹅绒，最嫩的耳垂，
胜过老人耷拉的性器和蜘蛛的幕帷，
可你的贪婪也不逊于狂乱的风暴。

5　当怠惰女神告诉你宾客都昏昏欲睡——
赶紧还给我，被你凌空攫去的外套，
还有塞塔比斯手巾、比提尼亚彩绘，
白痴，你把它们像传家宝一样炫耀！
赶紧松开爪子，把东西还给主人，

10　以免你羊毛般的软腰和漂亮的嫩手
被火辣辣的鞭子烙上可耻的花纹，
你将迥异平日，扭曲挣扎，如小舟
陷于茫茫大海，在癫狂的风中翻滚。

---

（1990）版中作 Diva miluorum aves。Murcia 是怠惰之神的名字。Arbitros（主格单数 arbiter）原意是证人，这里指在场的、可以充当目击者的宾客。

6 Saebatum，Saetabis 的中性形容词，参考第 12 首注释 8。

7 catagraphos（原形 catapgrahus）在拉丁文中极其罕见，学者们都不能确定究竟指什么，可能是某种有彩绘或刺绣的织品。

8 Thynos（原形 Thynus），来自名词 Thynia（提尼亚），提尼亚人原来在比提尼亚（Bithynia）的部分区域居住，后来提尼亚和比提尼亚这两个词几乎没有区别。

9 这行诗用了两个三个小词形式，表达对塔卢斯的蔑视。

10 这里的惩罚通常用在奴隶身上，因此是"可耻的"。

## XXVI[1]

Furi[2], villula[3] vestra[4] non ad Austri
Flatus opposita[5] est neque ad Favoni
Nec saevi Boreae aut Apheliotae[6],
Verum ad milia quindecim et ducentos[7].
5    O ventum horribilem atque pestilentem!

---

1 本诗格律是十一音节体。

2 Furi（弗里）是 Furius（弗里乌斯）的呼格。参考第 15 首、21 首、24 首、48 首和 99 首。

3 villula（villa 的小词形式），villa 在拉丁语中只是乡间小屋，未必有别墅的规格。

4 vestra（"你们的"），从第 23 首我们得知，弗里乌斯和父亲、继母住在一起。

## 二十六

　　弗里啊，你的这座乡间小屋
　　吹不着南风，也吹不着西风，
　　也吹不着狂野的北风或东风，
　　可是这一万五千两百的债务，
5　　真是活活把人吹病的恐怖风！

---

5 opposita（不定式 opponere）双关，既有"面向"的意思，也有"抵押"的意思。

6 Austri、Favoni、Boreae 和 Apheliotae 分别是 Auster（西南风）、Favonius（西风）、Boreas（北风）和 Apheliotas（东风）的属格。

7 一万五千两百塞斯脱并不是很大一笔钱。根据西塞罗的说法（*Pro Caelio* 17），他的当事人 Caelius 在罗马租房，一年的租金是一万塞斯脱。

73

## XXVII[1]

Minister[2] vetuli puer Falerni[3],
Inger mi calices amariores[4],
Ut lex Postumiae iubet magistrae[5]
Ebriosa acina ebriosioris.
5  At vos quo lubet hinc abite, lymphae[6],
Vini pernicies, et ad severos[7]
Migrate. Hic merus[8] est Thyonianus[9].

---

1 本诗格律是十一音节体。这首很短的酒歌上承古希腊诗人安纳克瑞翁（Anacreon），下启奥古斯都时期的贺拉斯。

2 minister…puer 指倒酒的奴隶。

3 Falerni（Falernus 的属格），Falernus（"菲勒年"）原指 Falernus Ager，位于意大利北部坎帕尼亚地区，当地出产的葡萄酒是古罗马最好的酒。

4 amariores，amarus（"苦"）的比较级复数。这里指纯的、未勾兑水的酒。

5 古罗马饮酒时常有一位 magister bibendi（"司酒"），负责劝酒并报酒的强度。他们的指令称为 lex bibendi。这里的司酒是位女人，名字叫 Postumia（Postumiae 是属格），关

## 二十七

倒酒的男孩啊，为我斟满
一杯杯更醇更烈的菲勒年！
听从司酒波斯图米娅的命令，
她已比酩酊的葡萄更酩酊。
5　可是你们，谋害美酒的水，
快走开，去跟古板之辈
为伴。这样的酒才算纯粹。

---

于她，我们没有了解。

6 lymphae（原形 lympha），原来指水中的仙女，这里指加在酒里的水。

7 severos（原形 severus），这里用作名词，指古板严肃的人，参考第 5 首中 senum severiorum（"严厉的老家伙"）。

8 merus（"纯粹的"），这里指"不加水的"。这句话仿佛是举杯欲饮时的评论。

9 Thyonianus 是卡图卢斯杜撰的词，源自 Thyoneus（酒神巴克斯的一个称谓），因为酒神巴克斯的母亲据说是 Thyone（也叫 Semele）。merus…Thyonianus 的意思是"纯然属于酒神"，也即是纯粹的酒。

## XXVIII[1]

Pisonis[2] comites, cohors[3] inanis,
Aptis[4] sarcinulis et expeditis[5],
Verani optime tuque mi Fabulle[6],
Quid rerum geritis? Satisne cum isto
5    Vappa[7] frigoraque et famem tulistis?
Ecquidnam in tabulis patet lucelli
Expensum, ut mihi, qui meum secutus
Praetorem refero datum lucello[8]?
"O Memmi[9], bene me ac diu supinum[10]
10   Tota ista trabe[11] lentus irrumasti."
Sed, quantum video, pari fuistis
Casu: nam nihilo minore verpa[12]

---

1 本诗格律是十一音节体。

2 Pisonis，Piso（庇索）的属格。多数学者（例如 Merrill）认为，这里的庇索是恺撒的岳父 L. Calpurnius Piso Caesonius，他曾于公元前 58 年任执政官。但 Ellis（1876）认为 Cn. Piso 是更合理的人选，因为罗马历史上只有这位庇索曾在西班牙任总督（参考第 9 首）。

3 comites 和 cohors 在这里都是指总督的扈从。

4 aptis（原形 aptus），意思是与他们的状况（inanis，"两手空空"）相称。

5 expeditis（原形 expeditus）通常形容轻装的军队，这里指行囊干瘪。

6 Verani（维拉尼）是 Veranius（维拉尼乌斯）的呼格，参考第 9 首和第 12 首；Fabulle 是 Fabullus（法布卢斯）的呼格，参考第 12 首。

7 vappa（"蠢货"），蔑称。

## 二十八

庇索的幕僚，落魄的扈从，
背着干瘪的行囊，来去匆匆，
我的维拉尼，我的法布卢斯，
你们怎么样？跟着那个白痴，
5　是不是已受够了寒冷饥饿？
难道你们没有一点收入进帐——
像我这样？跟着总督干活，
我已学会把支出记入贷方。
"孟米啊，你骑在我身上太久了，
10　用你的整根棍子慢慢碾压我。"
不过在我看来，你们的处境
也同样可怜：毫不逊色的阴茎

---

8 第 6-8 行使用了记账的术语。tabulis（主格 tabulae）指账本，lucelli 是 lucellum（"收益"）的属格，形容词 expensum（"支出"）却很意外，照理应当是 acceptum（"收入"）才对。矛盾的手法表达了愤懑和讽刺。refero（不定式 referre）是记录的意思。卡图卢斯已学会把支出（"datum"）记到收入栏里。

9 Memmi（孟米）是 Memmius（孟米乌斯）的呼格，即第 8 行的 praetorem（原形 praetor，"总督"），参考第 10 首。

10 supinum（原形 supinus）是仰卧的姿势，在古罗马的性行为中是被支配的姿势，形容总督对他的欺压。下一行的 irrumasti（不定式 irrumare）与此类似，参考第 16 首注释 2。

11 verpa 指阴茎。

12 trabe（原形 trabs）原意是指长棍子、长矛，这里指阴茎。Tota（"整个"） ista trabe 突出了折磨之难熬。

Farti estis. Pete nobiles amicos[13]!

At vobis mala multa di deaeque

15     Dent, opprobria Romuli Remique[14].

---

13 在古罗马，投靠掌权的朋友是非常普遍的做法。这里的命令式用单数，表明卡图卢斯并非是劝告维拉尼乌斯和法布卢斯，而是对人们通常的说法表示激愤。

14 opprobria（单数 opprobrium，"羞耻"）， vobis（主格 vos，"你们"）指庇索和孟米乌

也把你们填满。投奔显赫的朋友！
大家都说。可是愿神降大灾于你们，
15　罗姆卢斯和雷姆斯因你们而蒙羞。

斯，Romuli（主格 Romulus，罗姆卢斯）和 Remi（主格 Remus，雷姆斯）是传说中罗马城的建立者。Merrill（1893）的注解说，庇索和孟米乌斯的家族都有很长的历史，前者始于 Numa（罗马第二位国王），后者源于埃涅阿斯的同伴 Mnestheus。

## XXIX[1]

Quis hoc potest videre, quis potest pati,
Nisi impudicus et vorax et aleo,
Mamurram[2] habere quod Comata Gallia[3]
Habebat ante et ultima Britannia?
5    Cinaede Romule[4], haec videbis et feres?
Et ille nunc superbus et superfluens
Perambulabit omnium cubilia,
Ut albulus columbus aut Adoneus[5]?
Cinaede Romule, haec videbis et feres?
10    Es impudicus et vorax et aleo[6].
Eone nomine, imperator unice[7],
Fuisti in ultima occidentis insula[8],
Ut ista vestra diffututa mentula[9]

---

1 本诗格律是六音步抑扬格（iambic senarius）。抑扬格节奏比较急促，在古希腊诗歌中常用于攻击和辱骂。卡图卢斯的这首诗淋漓尽致地发挥了抑扬格的威力。这是他攻击恺撒得力助手玛穆拉（Mamurra）的系列诗作之一（参考第 94 首、105 首、114 首和 115 首）。与军事征服相伴的大规模掠夺为恺撒、庞培等军事将领带来了惊人的财富，他们回到罗马后，往往以极其奢华的形式肆意挥霍，向公民们炫耀。玛穆拉这样的心腹也从中捞到了油水。这首诗直接攻击的靶子是玛穆拉，恺撒和庞培也顺带成了牺牲品。根据诗中提及的史实，本诗当作于公元前 55 年恺撒进攻不列颠之后，公元前 54 年恺撒女儿尤利亚去世之前。

2 Mamurram（原形 Mamurra），玛穆拉，他在恺撒军中负责工程，聚敛了大量财富。在其他诗中，卡图卢斯都称他 Mentula（"阳具"）。

## 二十九

　　谁能眼睁睁地忍受这一切，除非
　　他是寡廉鲜耻、贪得无厌的赌徒？
　　天涯的不列颠和长发高卢的财富
　　竟要从此锁进玛穆拉的私人钱柜？
5　　小仙女罗姆卢斯，你真甘心如此？
　　甘心让那个挥霍无度的傲慢家伙
　　从所有的床边趾高气扬地走过，
　　仿佛是洁白的鸽子，或阿多尼斯？
　　小仙女罗姆卢斯，你真甘心如此？
10　　你是寡廉鲜耻、贪得无厌的赌徒。
　　无双的将军，就是为了这个缘故，
　　你才踏足西方尽头的那个岛屿？
　　为了让你们那位荒淫的"门图拉"

---

3 Comata Gallia（字面意思是"长发高卢"），指阿尔卑斯山以北的高卢地区，因为当地的男子都留长发，故有此名。

4 cinaede（cinaedus 呼格），见第 16 首注释 3，Romule（Romulus 呼格），见第 28 首注释 14。这里卡图卢斯用罗姆卢斯借指恺撒，因为他自命为罗马共和国的第一人。

5 columbus（"鸽子"）是爱神维纳斯的宠物鸟，Adoneus（即 Adonis），阿多尼斯，是维纳斯钟情的美少年。7-8 行把玛穆拉四处掠夺财富的行为描绘成巡回奸淫的画面。

6 卡图卢斯擅长通过重复获得一种惊人的冲击力。参考第 16 首。

7 imperator unice（unicus 的呼格），"独一无二的将军"，指恺撒。

8 ultima occidentis insula，"最西边的岛屿"，指不列颠。

9 vestra（"你们的"），根据下文判断，这里除了指恺撒外，还包括庞培。diffututa（不定

Ducenties comesset aut trecenties?
15 Quid est alid sinistra liberalitas?
Parum expatravit an parum elluatus est?
Paterna prima lancinata sunt bona;
Secunda praeda Pontica[10]; inde tertia
Hibera[11], quam scit amnis aurifer Tagus[12].
20 Nunc Galliae timetur et Britanniae.
Quid hunc malum fovetis? Aut quid hic potest
Nisi uncta devorare patrimonia?
Eone nominee urbis o piissimi[13]
Socer generque[14], perdidistis omnia?

---

式 diffutuere），意为"到处性交"，比喻玛穆拉四处捞钱。mentula（"阳具"），指玛穆拉。

10 praeda Pontica，从 Pontus（庞图斯，今黑海地区）劫掠来的财富，可能指公元前 62 年庞培征服 Mithradates，也可能指公元前 79 年恺撒攻陷 Mitylene。

11 Hibera（Hiberia 的形容词），西班牙地区，指公元前 61 年恺撒攻打卢西塔尼亚（Lusitania，今葡萄牙）之事。

12 Tagus，塔古斯河，今天西班牙境内的塔霍河，以产金闻名。

    吞下两千万甚至三千万塞斯脱？
15  这样的慷慨不算荒谬，还算什么？
    难道他浪费的钱还少，还不可怕？
    先是祖宗的遗产被他啃得千疮百孔，
    然后是庞图斯的战利品，然后是
    西班牙，产金的塔霍河一定没忘记。
20  现在人们又要替高卢和不列颠惊恐。
    你们为何要帮这个恶人？除了吞掉
    别人的油膏，难道他还能做什么？
    就是为了这个缘故，罗马最忠诚的
    岳丈和女婿啊，你们才将一切毁掉？

---

13 此处原文不明，urbis o piissimi 是 Garrison（1989）的版本。Merrill（1893）版作 urbis opulentissime；Owen（1893）版作 urbis o potissimae；Schimdt（1887）版作 urbis o putissimi；Lachmann（1829）版作 urbis, opulentissime；Doering（1822）版作 imperator unice；Baehrens（1893）版作 orbis, o piissimi。

14 soccer generque（"岳丈和女婿"），恺撒为了牵制庞培，于公元前 59 年将女儿尤利亚嫁给庞培，但她于公元前 54 年就去世了。

# XXX[1]

Alfene[2] immemor atque unanimis false sodalibus,
Iam te nil miseret, dure, tui dulcis amiculi?
Iam me prodere, iam non dubitas fallere, perfide?
Nec facta impia fallacum hominum caelicolis placent;
5    Quae tu neglegis ac me miserum deseris in malis.
Eheu quid faciant, dic, homines cuive habeant fidem?
Certe tute iubebas animam tradere, inique, me
Inducens in amorem[3], quasi tuta omnia mi forent.
Idem nunc retrahis te ac tua dicta omnia factaque
10   Ventos irrita ferre ac nebulas aerias sinis.
Si tu oblitus es, at di meminerunt, meminit Fides[4],
Quae te ut paeniteat postmodo facti faciet tui.

---

1 本诗格律是 greater Asclepiadean。

2 Alfene，Alfenus（阿尔费努斯的呼格）。阿尔费努斯是卡图卢斯的一位朋友，身份不明。

3 amorem（原形 amor，"爱"）这里应当指广义的爱——友谊。有学者试图证明阿尔费

# 三十

健忘的阿尔费努斯，你对不起忠诚的伙伴，
你如此冷酷，竟已不再怜悯你温良的朋友？
竟不惮欺骗我，出卖我，难道你如此善变？
欺骗者的行为悖逆伦理，神都不会接受，
5　你却毫不在意，在我陷入困厄时抛弃了我。
啊，你说，人能做什么，人还能相信谁？
不义的人，是你让我把心托付给你，没错，
是你领我进爱的门，仿佛里面是我的堡垒。
现在，你却退了出来，信誓旦旦的承诺
10　还未兑现，就已随风吹卷，随云雾逝去。
你或许忘了，可是神记得，"忠诚"记得，
她迟早会让你懊悔，懊悔你犯下的错误。

努斯在卡图卢斯与莱斯比娅的恋情中起了穿针引线的作用，当这段关系陷入困境时，却
不肯帮助卡图卢斯。但这种解释比较牵强，也没有证据。
4 Fides（"忠诚"）大写表示人格化。在古希腊和古罗马诗歌中，抽象概念常常拟人化。

## XXXI[1]

    Paene insularum, Sirmio[2], insularumque

    Ocelle[3], quascumque in liquentibus stagnis

    Marique vasto fert uterque Neptunus[4],

    Quam te libenter quamque laetus inviso,

5    Vix mi ipse credens Thyniam[5] atque Bithynos

    Liquisse campos et videre te in tuto!

    O quid solutis est beatius curis,

    Cum mens onus reponit, ac peregrino

    Labore fessi venimus larem[6] ad nostrum,

10    Desideratoque acquiescimus lecto?

    Hoc est quod unum est pro laboribus tantis.

    Salve, o venusta Sirmio, atque ero gaude

    Gaudente; vosque, o Lydiae[7] lacus undae;

    Ridete quidquid est domi cachinnorum.

---

1 本诗格律是 limping iambics。这首诗大约作于公元前 56 年夏天，当时卡图卢斯从比提尼亚回到家乡维罗纳。Merrill（1893）称它风格自然，洋溢着回家的喜悦。K. Quinn（1970）则认为，虽然诗作所表达的只是欢欣快慰的普通情感，其结构却相对复杂，别具匠心。Witke（1972）揭示了作品中的双重情感和双重世界：给人温暖和休憩的家周围，仍隐隐潜伏着另一个充满艰辛甚至危险的世界；快乐虽然强烈，却未必能持久。

2 Sirmio（西尔米欧）是 Largo di Garda 湖上的一个半岛，在维罗纳以西二十英里，是卡图卢斯家的别墅所在。

3 ocelle, ocellus（"眼睛"）的呼格，表示亲昵的称呼，通常用于女性，但在第 50 首中也用来称呼卡图卢斯的诗人朋友卡尔伍斯。

## 三十一

西尔米欧啊，所有半岛和岛屿中的明眸，
　（无论尼普顿是把它们放在潋滟的湖泊里，
还是置于浩瀚的大海间，）能这样望着你，
我多么欣喜、快慰——啊，几乎像梦游，
5　我竟然已离开提尼亚，离开比提尼亚的
原野，竟然重新见到了你，完好如初！
还有什么比抛却了一切烦忧更让人幸福，
当心灵放下了重担，当因海外的漂泊
而疲惫不堪的我们终于回到自己的家，
10　躺在日夜思念的旧床上，安然地休憩？
正是这样的结局让种种艰辛都有了意义。
你好，可爱的西尔米欧，为主人庆祝吧！
还有你们，吕底亚的湖水，也要庆祝，
让你们家里所有开心的笑鱼贯而出。

---

4 uterque Neptunus（海神尼普顿），这里的两位尼普顿分别掌管湖泊和海洋。

5 Thyniam，Thynia（提尼亚）原本指 Bithynia（比提尼亚）的一部分，后来基本上没有区别了，卡图卢斯这里玩了一个文字游戏，Bithynia 仿佛是在 Thynia 前面加了一个拉丁文表示"二"的前缀 bi-。

6 larem（原形 lar），Lar 在古罗马是家的守护神，这里代指家。

7 Lydiae（原形 Lydia，吕底亚），居住在维罗纳一带的伊特鲁里亚人（Etruscans）据说最初来自小亚细亚的吕底亚。卡图卢斯恰好也从那里回到家乡。这行诗用的是 Garrison（1989）的版本，Merrill（1893）在上行末尾加了分号，这行诗以 Gaudete vosque 开头；Owen（1893）版作 Gaudete vos quoque Italae lacus undae。

## XXXII[1]

Amabo[2], mea dulcis Ipsitilla[3],
Meae deliciae, mei lepores,
Iube ad te veniam meridiatum[4].
Et si iusseris illud, adiuvato,
5    Ne quis liminis obseret tabellam[5],
Neu tibi lubeat foras abire,
Sed domi maneas paresque nobis
Novem continuas fututiones[6].
Verum si quid ages, statim iubeto:
10   Nam pransus[7] iaceo et satur supinus[8]
Pertundo tunicamque palliumque.

---

1 本诗格律是十一音节体。这是卡图卢斯《歌集》中最令人尴尬的作品之一。20 世纪中叶以前的学者大都不愿谈论它。Merrill（1893）称其内容"令人极度厌恶"。后来的学者持更宽容的态度，并逐渐意识到了其技巧的高超。Heath（1986）认为，这首诗巧妙地利用了古希腊和古罗马情色诗歌的一些传统，在自我调侃的同时也羞辱了对方。读这类诗歌时，我们不应忘记，在古典时代，性描写在文学中极其普遍，阿里斯托芬、贺拉斯、奥维德、马尔提阿利斯、佩特罗尼乌斯等经典作家的作品中有很多例子。

2 Amabo 和下文的 Iube 一起用，表示请求。

3 Ipsitilla（伊普斯提拉），身份不详，但很可能是罗马的一位高级妓女。这类妓女往往有自己独立的住所，在家接待顾客。这首诗前面部分卡图卢斯的态度似乎很谦恭，但到了最后我们却会发现，他的真实动机是以言辞羞辱她。

4 meridiatum（不定式 meridiare），字面意思是午间休息，这里的意思很明显。

5 liminis（主格 limen，"门槛"）所代表的门在古希腊罗马文学中很容易让人联想起一类

## 三十二

求你，甜美的伊普斯提拉，
我的宝贝，我的亲爱，求你
允许我午后去你那儿小憩。
还求你，如果你答应的话，
5 千万别让人插上你的门闩，
也别突发兴致，到外面游玩，
而要留在家里，好好准备，
咱们俩要一口气做上九回。
如果你愿意，请立刻叫我：
10 我仰卧在这儿，吃饱了饭，
内衣和外衣都已被刺穿。

---

典型形象——吃闭门羹的情人。此外，门常是女性的象征。这里卡图卢斯似乎暗示，他不愿扮演暴力闯入（象征性活动中的主动）的角色。

6 Heath 指出，fututiones（"性交"）一词一般都用于男性，这里卡图卢斯似乎很谦卑，让伊普斯提拉扮演主动角色，为后文的逆转作铺垫。

7 根据 Heath 的研究，pransus（不定式 prandere，"用餐"）在古罗马文学中往往出现在对战斗前士兵状态的描写中，恩尼乌斯、卡托、李维、瓦罗的作品中都有例证。它和下文的 pertundo（"刺穿、击穿"）一起赋予了作品仿史诗的味道。

8 supinus 和 iaceo 有很强的性色彩，指性活动中的下位。前文的请求语气和这种姿势似乎都让卡图卢斯处于被支配的地位，然而卡图卢斯给伊普斯提拉留出的位置——女上位——在古希腊罗马时代却是一种耻辱。Heath 引用了阿里斯托芬的《黄蜂》、佩特尼乌斯的《萨蒂利孔》、马尔提阿利斯的《铭体诗》，证明即使当时的妓女也不愿以这种姿势进行性活动。此外，这一省体力的姿势也使得上文"连续九次"的说法不至太离谱。

## XXXIII[1]

O furum optime balneariorum[2]
Vibenni[3] pater et cinaede fili
(Nam dextra pater inquinatiore,
Culo filius est voraciore),
5    Cur non exilium malasque in oras[4]
Itis? quandoquidem patris rapinae
Notae sunt populo, et natis pilosas,
Fili, non potes asse venditare[5].

---

1 本诗格律是十一音节体。这首诗攻击的是维本尼乌斯父子。

2 balnerariorum（balnerarius 的复数属格），从 balneum（"浴场"）变来。公共浴场是古罗马人喜爱的社交场合，由于衣物中不乏贵重的织品，常被小偷盯上。

3 Vibenni（维本尼），Vibennius（维本尼乌斯）的呼格，身份不详。或许他真有偷盗的恶习，或许只是得罪了卡图卢斯。

## 三十三

维本尼，浴场最杰出的小偷，
还有你这位做男妓的儿子，
（父亲有一只肮脏的右手，
儿子则有贪婪的肛门匹敌），
5　　为什么还不滚开，滚进地府？
既然父亲的盗窃举国皆知，
儿子啊，你毛茸茸的屁股，
也已经卖不了一个硬币。

---

4 exilium（"流放"）是古罗马常见的惩罚手段。malas…oras（悲惨的海岸）可以指流放地，也可比喻地府。

5 古罗马男性喜欢同性娈童，因为他们皮肤光滑，等他们成人，身上长出许多毛，就不再吸引人了，所以这里说维尼尼乌斯的儿子已经不再适合这个行业，收费再低廉也没人要了。

## XXXIV[1]

Dianae sumus in fide
Puellae et pueri integri:
Dianam pueri integri
    Puellaeque[2] canamus.

5    O Latonia[3], maximi
Magna progenies Iovis[4],
Quam mater prope Deliam[5]
    Deposivit[6] olivam,

Montium domina ut fores
10  Silvarumque virentium
Saltuumque reconditorum
    Amniumque sonantum[7];

---

1 本诗由 6 个 4 行诗节组成，每节前 3 行格律是 glyconic，第 4 行格律是 pherecratean。这种格律可追溯到古希腊诗人安纳克瑞翁（Anacreon）。这首诗是一首传统的颂歌，献给戴安娜神（相当于古希腊神话中的阿忒弥斯）。敬拜戴安娜神的活动通常在 8 月的满月之夜进行，地点在阿文廷山的戴安娜神庙。卡图卢斯完全遵循了颂歌的程式。根据 Garrison（1989）的解释，1-4 行是开场白（introduction），说明了敬拜者的身份（未婚的少男少女）；5-12 行是唤神（invocation），点出神的名号、谱系和管辖范围；13-20 行是庆祝（celebration），描绘神的力量；21-24 行是祈福（prayer），求神庇佑敬拜者和他们所代表的群体。

2 puellae、pueri 和 integri 这几个词的重复造成了一种仪式效果。

## 三十四

戴安娜，我们信靠你，
贞洁的少女与少男：
戴安娜，我们贞洁的
　　少男少女，将你颂赞。

5　啊，拉托尼娅，至高
朱庇特的伟大果实，
在提洛岛的橄榄树旁，
　　你母亲产下了你，

以使群山，以及
10　翠绿的森林，以及
幽静的峡谷，以及
　　潺湲的溪流，归于你。

---

3 Latonia（拉托尼娅），对戴安娜的称呼，意思是 Latona（拉托娜）的女儿。拉托娜又名 Leto（列托），戴安娜是她和大神朱庇特的孩子。

4 Iovis，Iuppiter（朱庇特）的属格。

5 Deliam（主格 Delia）是 Delos（提洛岛）的阴性形容词，修饰 olivam（"橄榄树"）。根据传说，拉托娜在生戴安娜的时候，曾拽着一棵橄榄树（一说棕榈树）。

6 deposivit 是较为古老的形式，通常 deponere 的现在完成时形式是 deposuit。这种拼写也增加了语言的仪式感。

7 戴安娜是猎神，因此山岭、森林、峡谷、溪流都在她的管辖之下。Garrison 注意到，这一节里面有许多 u 和 m 的音，他认为有一种庄重肃穆的听觉效果。

Tu Lucina[8] dolentibus
Iuno dicta puerperis,
15    Tu potens Trivia[9] et notho[10] es
    Dicta lumine Luna[11].

Tu cursu, dea, menstruo
Metiens[10] iter annuum,
Rustica agricolae bonis
20    Tecta frugibus exples.

Sis quocumque tibi placet
Sancta nomine, Romulique[11],
Antique ut solita es, bona
    Sospites ope gentem.

---

8 Lucina（卢契娜）是女神 Iuno（朱诺，朱庇特之妻）的称号，从词源上看，与 lux（"光"）有关。朱诺是掌管生育的女神，戴安娜是少男少女的守护神，但在古希腊罗马神话中，不同的神常常混合。这里戴安娜充当了生育女神。

9 Trivia（特里维娅），字面意思是"三条路"，之所以这样称呼戴安娜，是因为戴安娜有三个名字——戴安娜/卢契娜/卢娜，并有三重身份——猎神/生育神/月神。

你被分娩中痛楚的女人
称为朱诺，称为卢契娜，
15　你，大能的特里维娅，
　　因所借之光，又称卢娜。

神啊，你用每月的轮回
量出了一年的旅途，
你用鲜美的水果，装满了
20　　乡间农民的小屋。

无论你喜爱怎样的名号，
都愿你永远神圣，也愿你
像昔日一样，赐福于我们，
　　赐福于罗姆卢斯的后裔。

---

10 notho（原形 nothus）原意是"假的"，因为月亮的光是反射的太阳光。

11 Luna，月亮。这里为了与上文一致，仍用音译。

10 metiens（不定式 metiri）是测量的意思，与 menstruo（原形 menstruus，"按月的"）在词源上有关联。

11 Romuli 是 Romulus（罗姆卢斯，罗马城的建立者）的属格。

## XXXV[1]

Poetae tenero[2], meo sodali,
Velim Caecilio[3], papyre, dicas
Veronam[4] veniat, Novi relinquens
Comi[5] moenia Lariumque[6] litus:
5  Nam quasdam volo cogitationes
Amici accipiat sui meique[7].
Quare, si sapiet, viam vorabit,
Quamvis candida milies puella
Euntem revocet, manusque collo
10  Ambas iniciens roget morari[8].
Quae nunc, si mihi vera nuntiantur,

---

1 本诗格律是十一音节体。卡图卢斯邀请一位诗人朋友到他在维罗纳的家。这首看似简单的诗却有学者难以解开的不少谜团。例如第 5 行中的"评论"究竟指什么？"他和我共同的友人"到底是谁？为什么卡图卢斯这么急迫地让朋友来？为什么作品超过一半的篇幅都在描写那个女孩？卡图卢斯对朋友的诗歌如何评价？Copley（1953）提出了一种解读。他觉得 incohata（"未完成"）在这首诗中是个贬义词，指朋友的作品尚需打磨。他推测说，卡图卢斯的这位朋友可能已经写完《库柏勒》，自己感觉很好，准备发表。卡图卢斯认为虽然这部作品的确很迷人，但仍不完美，不宜立刻发表，所以邀请朋友面谈。但朋友不肯来，并以恋爱为由。卡图卢斯于是写了这首诗再次催促他来。Fisher（1971）不同意 Copley 的看法。他认为 incohata 是"未写完"的意思。他根据第 1 行的 tenero 一词和诗中的其他线索，提出这位朋友现在已经改写爱情诗，而卡图卢斯认为他未完成的微型神话史诗《库柏勒》水准很高，不应放弃，因而劝他继续写下去。
2 poetae tenero（poeta tener 的与格），字面意思是"温柔的诗人"，但在古罗马文学传统

### 三十五

纸草啊，请你对温柔的诗人、
我的朋友凯奇利乌斯说一声，
快离开新科蒙的城墙，离开
拉里乌斯湖滨，到维罗纳来：

5　因为我想让他听听一些评论，
来自一位他和我共同的友人。
所以若他还算明智，一定会
日夜兼程，即使美丽的女孩
一千次唤他回去，用双手

10　搂住他的脖子，劝他停留。
就是她，如果我的消息确切，

---

中（参考奥维德），常常指爱情诗人。Copley 认为，它也指这位诗人朋友年纪尚轻。

3 Caecilio（Caecilius 的与格），凯奇利乌斯，卡图卢斯的一位诗人朋友，身份不详。

4 Veronam，Verona（维罗纳的宾格），维罗纳是卡图卢斯的家乡。根据卡图卢斯此时在家乡这一事实判断，这首诗可能作于公元前 56 年他从比提尼亚回来之后，或者更晚。

5 Comi，Comum（科蒙）的属格，科蒙城在维罗纳以西约一百英里。公元前 59 年，恺撒迁徙了 5000 人到此居住，重建了这座城市，改名 Novum Comum（新科蒙）。

6 Larium 指 Lacus Larius（拉里乌斯湖），今天的科莫湖（Lago di Como）。科蒙城就位于这个湖的西南角。

7 Amici…sui meique（主格形式为 amicus…suus meusque），意思是"他和我共同的友人"，多数学者认为，这位友人只可能指卡图卢斯本人，这是一种调侃的说法。

8 Fisher 提出，morari（"耽搁"，"逗留"）这个词往往有贬义，卡图卢斯可能是以一种曲折的方式责备凯奇利乌斯沉溺于情诗写作，而不去完成更重要的作品——《库柏勒》。

Illum deperit impotente amore:
Nam quo tempore legit incohatam
Dindymi dominam⁹, ex eo misellae

15   Ignes interiorem edunt medullam¹⁰.
Ignosco tibi, Sapphica puella
Musa doctior: est enim venuste¹¹
Magna Caecilio incohata Mater¹².

---

9 Dindymi（主格 Dindymus，丁蒂穆斯山），位于小亚细亚佛里吉亚地区的一座山。
dominam（主格 domina），女主人。Dindymi dominam 字面意思是"丁蒂穆斯山的女主
人"，指女神库柏勒，因为丁蒂穆斯山在古代是敬拜库柏勒的中心。这里卡图卢斯是指
凯奇利乌斯的作品。根据古代称呼诗集的惯例，Dindymi dominam 很可能是这部作品的
头两个词。卡图卢斯对这部作品感兴趣至少有两个原因，一是体裁，这部作品是卡图卢
斯所欣赏的微型神话史诗（epyllion），与第 95 首提到的诗人钦纳的《斯密尔纳》类似；

正爱着他，爱得丢了魂魄。
自从读了他未完成的诗篇
《库柏勒》，悲惨的火焰
15　就一直咬噬着她的骨髓。
我不怪你，比萨福的缪斯
还博学的女孩：凯奇利乌斯
未完成的《神母》的确很美。

---

二是内容，卡图卢斯对库柏勒崇拜很痴迷，他的重要作品第 63 首就是以库柏勒的祭司阿蒂斯为主人公的。

10 Fisher 指出，第 12-15 行用了不少古罗马爱情诗中典型的语汇，间接地呈现了凯奇利乌斯所写的爱情诗的内容。

11 venuste（形容词 venustus）是卡图卢斯最为欣赏的品质，指一种可爱的魅力。

12 Magna…Mater 字面意思是"伟大的母亲"，因为库柏勒是众神之母。

## XXXVI[1]

Annales Volusi[2], cacata charta,
Votum solvite pro mea puella:
Nam sanctae Veneri Cupidinique
Vovit, si sibi restitutus essem

5   Desissemque truces vibrare iambos,
Electissima pessimi poetae
Scripta tardipedi deo[3] daturam
Infelicibus ustulanda lignis.
Et hoc pessima se puella vidit

10   Iocose lepide vovere divis.
Nunc[4] O caeruleo creata ponto[5],
Quae sanctum Idalium[6] Uriosque[7] apertos
Quaeque Ancona[8] Cnidumque[9] harundinosam

---

1 本诗格律是十一音节体。学者们普遍认为，第 2 行提到的 mea puella（"我的姑娘"）指莱斯比娅。卡图卢斯曾与莱斯比娅发生争执，莱斯比娅说，如果两人能重归于好，她就要将"最劣质诗人"的最差的作品献给维纳斯和丘比特。她是指卡图卢斯的诗，但卡图卢斯却找到了更合适的人选。

2 Volusi，Volusius（沃鲁西乌斯）的属格。沃鲁西乌斯是卡图卢斯同时代的一位诗人，身份不详。第 95 首也提到了他。根据那首诗中的线索判断，他应当出生在意大利北部的波河流域。Annales（《编年史》）是他创作的一部史诗。卡图卢斯等新诗派诗人反对冗长的史诗写作。

3 tardipedi deo，tardipes deus（"跛脚的神"）的与格，指火神 Vulcan（瓦尔甘）。

## 三十六

　　沃鲁西乌斯的《编年史》啊，被大便
　　污染的纸页，请为我的情人还一宗愿！
　　她曾向神圣的维纳斯和丘比特许诺，
　　如果有一天我与她重归于好，如果
5　　我不再向她投掷抑扬格的凶狠诗句，
　　她就要从最劣质诗人的作品里选出
　　最骇人听闻的几首，献给跛脚的火神，
　　让它们和被咒诅的木柴一起化为灰烬。
　　这位天底下最坏的姑娘想，这想法
10　　既滑稽又不乏情趣，神一定会悦纳。
　　现在，从碧蓝海水中诞生的女神啊，
　　住在圣城伊达良和平旷的乌里亚斯、
　　住在安科纳和长满芦苇的克尼杜斯、

---

4 从这行开始到第 17 行，卡图卢斯模仿的是敬拜神的语言程式，参考第 34 首。

5 "从碧蓝海水中诞生的女神"指维纳斯。

6 Idalium（伊达良）是塞浦路斯的一座城市，从史前时代起，人们就在那里敬拜一位爱与性之神（阿佛洛狄忒/维纳斯）。

7 Urios 可能指意大利半岛南端的 Urias（乌里亚斯）海湾。

8 Ancona（安科纳）位于罗马城东北 140 英里的亚得里亚海滨，是古希腊的一个殖民地，居民信奉阿佛洛狄忒/维纳斯。

9 Cnidum（主格 Cnidus，克尼杜斯）是小亚细亚西南一个半岛上的城市，居民信奉爱神阿佛洛狄忒。

Colis, quaeque Amathunta[10], quaeque Golgos[11],
15　Quaeque Durrachium[12] Hadriae tabernam,
Acceptum face redditumque votum,
Si non illepidum neque invenustum est.
At vos interea venite in ignem[13],
Pleni ruris et infacetiarum.
20　Annales Volusi, cacata carta.

---

10 Amathunta（主格 Amathus，阿玛图斯），塞浦路斯南部的港口，以阿多尼斯（维纳斯的情人）崇拜闻名。
11 Golgos（主格 Golgi，戈尔基），塞浦路斯城市，据说有最古老的阿佛洛狄忒神庙。

　　　　住在阿玛图斯和戈尔基，以及
15　　亚得里亚的客栈杜拉契乌斯的女神，
　　　　我们已经两讫，请收下这份礼品，
　　　　如果它还算有些风味，有些魅力。
　　　　可是你们，快干脆利落地走进火里！
　　　　你们这些俚俗粗糙的诗句，被便溺
20　　污染的纸页，沃鲁西乌斯的《编年史》。

---

12　Durrachium（主格 Durrachius，杜拉契乌斯），在亚得里亚海东岸，即今天阿尔巴尼亚的杜雷西，往来船只常停靠于此，故称"亚得里亚的客栈"。

13　最后三行构成了第三部分，与诗歌的开头部分呼应，直接对诗卷说话。

## XXXVII[1]

Salax[2] taberna[3] vosque contubernales[4],

A pilleatis nona fratribus[5] pila,

Solis putatis esse mentulas vobis,

Solis licere quidquid est puellarum,

5    Confutuere[6] et putare ceteros hircos[7]?

An, continenter quod sedetis insulsi

Centum an ducenti[8], non putatis ausurum

Me una ducentos irrumare[9] sessores?

Atqui putate: namque totius vobis

---

1 本诗格律是 limping iambics。由于诗中有不少不雅的词语，早期的学者一般将这首诗视为"读者不宜"之作，然而二战后不少学者却认识到，这是卡图卢斯的一篇杰作，突出地体现了他在私人生活的描绘中点染时代氛围、融会文学传统的能力。作品攻击的是混迹酒馆的一些人，卡图卢斯钟爱的莱斯比娅也常在此落脚，并与他们厮混。Angelou（1999）发现，诗中不少词汇和意象都有军事色彩，卡图卢斯明显是将自己的这些情敌描写为莱斯比娅指挥的一群乌合之众，而自己则是单枪匹马与他们对阵的"英雄"。然而这个"英雄"形象却有自嘲甚至自怜的味道。空洞的性暴力威胁不仅不能展示力量，反而显明了自己的无奈，甚至堕落。从更广的角度看，卡图卢斯也为我们勾勒出罗马共和国晚期城市下层的精神面貌。卡图卢斯为夺走的情人而战（第 11-13 行），与荷马史诗中梅内拉俄斯（Menelaus）的命运相似，莱斯比娅与海伦（Helen）对应，诗末的艾格纳提乌斯则与帕里斯（Paris）对应。诗人的措辞和意象明显指向这种对比。影射特洛伊战争强化了作品的反讽色彩，增强了复义效果。

2 salax，"淫邪的"，这里是直接呼告酒馆。

3 taberna 在拉丁文中可以指酒馆、客栈或店铺，但其原始意思是"帐篷"——行军的临

## 三十七

从毡帽兄弟的庙数过去，第九根柱子，
就是你，放荡醍醺的酒馆，还有里面
所有的混混，你们以为世上唯独自己
才有阳具，天下女孩只能被你们霸占，
5    其他的男人都是些臭气熏天的山羊？
或者，因为你们这一两百号白痴
密匝匝坐一起，就以为我没胆量
把你们统统蹂躏，不歇一口气？
再好好想想吧：整个酒馆的门脸

---

时住所。

4 contubernales（从 taberna 变来）原意是"共享一顶帐篷的人"，在军事上指战友。

5 pilleatis...fratribus（主格 pilleati fratri）字面意思是"戴毡帽的兄弟"，也就是卡斯托（Castor）与珀鲁克斯（Pollux）孪生兄弟，合称 Discuri（参考第 4 首 26-27 行），他们是朱庇特和列达（Leda）之子，古罗马人相信他们经常帮助自己在战场上取胜，因而是军事胜利的象征。

6 confutuere，futuere 意思是"与人性交"，con-强调次数多或程度彻底。

7 hircos（原形 hircus），"公山羊"，以气味难闻著称。

8 centum，"一百"；ducenti，"两百"。这里显然是夸张，但或许延续了上文的军事意味，罗马军队最下层的军官是百夫长（centurio）。

9 irrumare，"强迫他人为自己口交"。Skinner（1991）指出，古罗马人常用性交的意象来表达政治或经济上的成败。在古罗马文化中，性活动中的支配地位代表了权力，所以按照常规来理解，卡图卢斯在这首诗中处于强势地位。然而，从下文可以看出，他对情人的淫乱生活无能为力，除了用性暴力的威胁吓唬情敌、发泄愤怒之外，没有别的手段。

10     Frontem tabernae sopionibus[10] scribam.

        Puella nam mi, quae meo sinu fugit,

        Amata tantum quantum amabitur nulla,

        Pro qua mihi sunt magna bella pugnata[11],

        Consedit[12] istic. Hanc boni beatique[13]

15     Omnes amatis, et quidem, quod indignum est,

        Omnes pusilli et semitarii moechi;

        Tu praeter omnes une de capillatis[14],

        Cuniculosae Celtiberiae[15] fili,

        Egnati[16], opaca quem bonum facit barba

20     Et dens Hibera defricatus urina[17].

---

10 sopionibus（主格单数 sopio），俚语，指男性生殖器。

11 magna bella（单数 magnum bellum），"大战"，这个提法有意让人联想起史诗传统。特洛伊战争的起因是特洛伊王子帕里斯劫走斯巴达国王梅内拉俄斯的妻子海伦。从这个意义上说，特洛伊战争也是爱情战争。此外，古罗马文学中将爱情比作战争也很常见。

12 consedit（不定式 considere），有"坐下来、停下来"的意思，在军事上有"扎营"的意思。

13 boni beatique 字面意思是"善良俊美之人"，指的是罗马的上层人士，显然有讽刺的

10    将要被我画满你们那件物事的图案。
      我的女孩抛弃了我，从我怀里逃走，
      我对她那样的爱，再也没人能拥有，
      为了她，我打过多少激烈的仗，她却
      在你们这儿扎了营。罗马城所有那些

15    名士贵胄都爱她，甚至（唉，真丢脸！），
      所有潦倒落魄的淫棍也对她垂涎，
      尤其是你，长发飘飘、迥然不群的公子，
      你，野兔遍地的凯尔提伯利亚的子弟，
      艾格纳提乌斯，浓密的长髯和西班牙

20    尿液刷洗的牙齿让你成了一株奇葩。

---

味道。从第 14 行开始，我们看到，卡图卢斯的情敌包含三类人：上层人士、下层游民和外族人（艾格纳提乌斯来自西班牙）。

14 capillatis（主格单数 capillatus），"蓄长发的"。

15 Celtiberiae 是 Celtiberia（凯尔提伯利亚）的属格，凯尔提伯利亚在今天的西班牙境内。

16 Egnati 是 Egnatius（艾格纳提乌斯）的呼格。关于艾格纳提乌斯，参见第 39 首。

17 Hibera 是 Hiberia（伊比利亚，即西班牙地区）的阴性形容词。关于用尿液刷牙的习俗，参见第 39 首注释 14。

## XXXVIII[1]

Male est[2], Cornifici[3], tuo Catullo,

Male est me hercule ei et laboriose[4],

Et magis magis in dies et horas.

Quem tu, quod minimum facillimumque est,

5    Qua solatus es allocutione?

Irascor tibi. Sic meos amores[5]?

Paulum quid lubet allocutionis,

Maestius lacrimis Simonideis[6].

---

1 本诗格律是十一音节体。由于 male est 既可能指身体（"生病"），也可能指精神（"难受"），学者们对这首小诗的理解有很大分歧。Ellis（1876）、Baehrens（1893）、Merrill（1893）等人推测，此诗作于诗人临终前。Copley（1956）不同意这种看法。他认为，解决谜题的关键是作品的最后一行。Simonides（西蒙尼德斯）是公元前 5 世纪希腊诗人，以挽歌和墓志铭出名，所以卡图卢斯的抑郁情绪可能与某位亲人或友人的去世有关。诗人责备朋友科尔尼菲奇乌斯不关心自己，希望他能说点安慰的话。Baker（1960）在诗中读出了保护性的反讽（protective irony）。因为诗人在作品中流露了真情，并责备了朋友，这种点缀式的反讽可以缓和气氛，既避免自己陷入尴尬，也防止自己的责备冒犯对方。20 世纪的美国诗人金斯堡曾以此诗的第一行为题写过一首赠克鲁亚克的诗。

2 Garrison（1989）等版本中，male est 作 malest，意思相同。

3 Cornifici（科尔尼菲奇），Cornificius（科尔尼菲奇乌斯）的呼格。科尔尼菲奇乌斯，很可能是卡图卢斯同时代的诗人、西塞罗的朋友 Quintus Cornificius（昆图斯·科尔尼菲奇乌斯）。

4 这一行原文难以确定，我采用的是 Merrill（1893）的版本。Owen（1893）版作 Male est, me hercule, et est laboriose；Baehrens（1893）版作 malest me hercule et laboriose。

## 三十八

科尔尼菲奇，你的卡图卢斯在受苦，
海格立斯啊，他在艰难地挣扎，
而且每天、每刻，他越来越无助，
你难道就不能说一些安慰他的话？
5   这么容易的小事儿，你竟然不肯？
我生你气了。就这么回报我的爱？
你随便说什么都可以，几句就成，
只要比西蒙尼德斯的眼泪更凄哀。

---

Copley 指出，这行诗有轻微的喜剧色彩。me hercule 原本是古罗马人常挂在嘴边的感叹语，里面的 hercule（来自 Hercules，海格立斯，即希腊神话中的赫拉克勒斯）已没有意义，但卡图卢斯将它与 laboriose（本意指受苦）并置，自然地引发了 labores Herculis（海格立斯完成的十二项艰巨任务）的联想。这样，卡图卢斯仿佛就是将自己的遭遇夸张地与赫拉克勒斯相比。此外，ei 也有双重功能，一方面可理解为 is（"他"，指卡图卢斯）的与格，另一方面 ei（hei）是也是表达痛苦的感叹词。而且，根据格律，me hercule ei 三个词一起念，每个词末尾的元音都要省略（elision），仿佛一个人在不停地呻吟。所有这些，都让这行诗获得了明显的戏谑效果。

5 Sic meos amores? 省略了动词，意思是"如此（对待/回报）我的爱？"

6 Simonideis（原形 Simonideus）是 Simonides（西蒙尼德斯）的形容词。从这里看得出来，卡图卢斯是希望对方送自己一首诗。Copley 认为，"比西蒙尼德斯的眼泪更悲哀"也是为了制造轻松气氛而采用的夸张说法。关于悲伤的话如何起到安慰的作用，学者们有不同理解。Garrison（1989）用亚里士多德《诗学》中的悲剧"净化"理论来解释。Copley 则提出，古罗马文学中有一个很常见的观点：如果比我们伟大的人也曾经受过与我们相似甚至更深的痛苦，我们就没有理由沉浸在悲痛中。

## XXXIX[1]

Egnatius, quod candidos habet dentes,
Renidet[2] usque quaque[3]. Si ad rei ventum est[4]
Subsellium[5], cum orator excitat fletum,
Renidet ille; si ad pii rogum fili
5    Lugetur, orba cum flet unicum mater,
Renidet ille. Quidquid est, ubicumque est,
Quodcumque agit, renidet: hunc habet morbum
Neque elegantem, ut arbitror, neque urbanum.
Quare monendum est te mihi, bone Egnati[6].
10    Si urbanus[7] esses aut Sabinus[8] aut Tiburs[9]
Aut parcus Umber[10] aut obesus Etruscus[11]
Aut Lanuvinus[12] ater atque dentatus

---

1 本诗格律是 limping iambics。这首诗的主角是第 37 首末尾描绘的那位西班牙人艾格纳提乌斯。

2 renidet（不定式 renidere），原意是"闪耀"，引申为"露出笑容"。renidet 及其不定式在诗中反复出现，复制了艾格纳提乌斯不分地点、不分场合傻笑给别人造成的厌倦感；此外，renidet 连续三次出现在行首（拉丁语诗歌最重要的位置），也模仿了艾格纳提乌斯极力吸引众人注意的心态。

3 usque quaque，"在任何地方"，"在任何场合"。值得注意的是，que、qua、que 接连三个音都有咧嘴露齿的效果。

4 拉丁语诗歌不押尾韵，est 在这首诗中却四次出现在行末，应当是诗人刻意的安排，参考注释 16 对[st]音的分析。

5 Merill（1893）解释说，在古罗马的法庭上，被告常常邀请一些朋友聚集在被告席一

## 三十九

　　　艾格纳提乌斯，因为有一副亮白的牙齿，
　　　永远都粲然而笑。如果作为被告的朋友
　　　去法庭助阵，当律师用悲情将眼泪引诱，
　　　他会粲然而笑；如果参加某位孝子的葬礼，
5　　当母亲为夭亡的独子哀哀哭泣，他会
　　　粲然而笑。无论发生什么，无论在哪里，
　　　无论做什么，他都粲然而笑：这个顽疾
　　　在我看来，既欠优雅，也让文明人羞愧。
　　　所以，我必须劝告你，亲爱的艾格纳提。
10　　就算你是罗马人或萨宾人或提布尔人，
　　　干瘦的昂布里亚人或肥硕的伊特鲁里亚人，
　　　或皮肤黝黑、牙齿像吸血鬼的拉努维昂人，

---

侧，为自己助阵。当辩护律师竭力唤起听众和法官对被告的同情时，这些朋友也应摆出悲伤的表情。艾格纳提乌斯为了炫耀自己的牙齿，却破坏了这个规矩。

6 Egnati（艾格纳提）是 Egnatius（艾格纳提乌斯）的呼格，bone（bonus 的呼格）字面意思是"好"，表示亲切，这里有讽刺意味。

7 urbanus 是 urbs（"城市"）的形容词，在古罗马，urbs 通常特指罗马城。

8 Sabinus，萨宾人，居住在意大利中部的古老民族，公元前 290 年被罗马征服。

9 Tiburs，提布尔人，Tibur（提布尔）在罗马城东北 15 英里。

10 Umber，昂布里亚人，Umbria（昂布里亚）在萨宾以北，南阿尔卑斯高卢以南。

11 Etruscus，伊特鲁里亚人，居住在 Etruria（伊特鲁里亚），古罗马人从伊特鲁里亚那里学习了很多宗教仪式和政治制度。

12 Lanuvinus，拉努维昂人，Lanuvium（拉努维昂）位于罗马城东南 19 英里。

Aut Transpadanus[13], ut meos quoque attingam,
Aut quilubet, qui puriter lavit dentes,
15 Tamen renidere usque quaque te nollem:
Nam risu inepto res ineptior nulla est.
Nunc Celtiber es: Celtiberia in terra,
Quod quisque minxit[14], hoc sibi solet mane
Dentem atque russam defricare gingivam,
20 Ut quo iste vester[15] expolitior dens est[16],
Hoc te amplius bibisse praedicet loti.

---

13 Transpadanus，意为"Padus（帕杜斯河，今天意大利北部的波河）以北"，包括卡图卢斯的家乡维罗纳。

14 minxit（不定式 mingere），"小便"。根据古罗马作家 Diodorus Siculus （5.33.5） 和 Strabo （3.4.16）的记载，当时的西班牙人的确用尿液做牙膏。

15 vester（"你们的"），根据上下文，这里的 vester 只能理解为单数，相当于 tuus（"你的"）。据 Katz（2000）说，所有拉丁文学中，vester=tuus 的例子只有四个，其中另外一个例子是卡图卢斯第 99 首第 6 行。他认为，卡图卢斯之所以这么用，是为了声音效果，参考注释 16。

或（我也没忘家乡）帕杜斯河以北的人，
或无论什么地方牙齿刷得很干净的人，
15　我仍然不希望你这么粲然地笑到永恒：
因为天下没有什么比愚蠢的笑更愚蠢。
可你却来自凯尔提伯利亚，在那里，
每个人都会在早晨用自己撒的东西
奋力刷洗他们的牙齿和鲜红的齿龈，
20　所以，你那令人羡慕的牙齿越是光洁，
就等于宣告你饮下了越多神奇的洗液。

---

16 Katz 提醒我们注意这首诗、尤其是这一行的声音效果。这一行中有三个[st]音（iste、vester 和 est）。在拉丁语中，[t]是齿音（在英语等许多语言中则是齿龈音），[s]是齿龈音，这意味着发[st]这个音时，需要将舌头从上齿龈稍微往下挪到上齿背部，这个动作惟妙惟肖地模仿了艾格纳提乌斯清洁牙齿的动作。他对自己的牙齿如此关心，甚至连背面都要随时打磨！前文出现的许多 est 和 est 的乱序形式 tes 也是为了达到这个效果；用 vester 代替 tuus，也是出于同样的目的。此外，[st]音还是古罗马人心目中凯尔特人的口音标记（凯尔提伯利亚的居民是凯尔特人）。卡图卢斯传达的信息是：如果你是别的什么地方的人，傻笑尚可忍受，可你却是西班牙的凯尔特人！

# XL[1]

Quaenam te mala mens, miselle Ravide[2],
Agit praecipitem in meos iambos[3]?
Quis deus tibi non bene advocatus[4]
Vecordem parat excitare rixam?

5   An ut pervenias in ora vulgi?
Quid vis? Qualubet esse notus optas?
Eris, quandoquidem meos amores[5]
Cum longa voluisti amare poena[6].

---

1 本诗格律是十一音节体。一个名叫拉维杜斯的人试图夺走卡图卢斯的情人（莱斯比娅
或尤文提乌斯），卡图卢斯以讽刺诗相威胁。Garrison（1989）认为，这首诗的风格很像
公元前 7 世纪的古希腊诗人阿尔奇洛科斯（Archilochus，以抑扬格讽刺诗闻名）。

2 Ravide，Ravidus（拉维杜斯）的呼格，拉维杜斯，身份不详。

3 iambos（原形 iambus，"抑扬格"），meos iambos（"我的抑扬格"）很可能指的是这首
诗本身（就像第 6 首本身就是该诗末行所说的"迷人的诗"）。虽然严格地说，这首诗的

## 四十

什么样的妄念，可怜的拉维杜斯，
驱赶你径直撞到了我的诗句里？
哪位神灵被你错误的仪式冒犯，
非要让你搅起一场疯狂的争端？
5   或者，你渴望成为大众的谈资？
你要什么？如何扬名你都不在意？
你会的，既然你执意爱我所爱，
连永久的惩罚都不能让你走开。

---

格律是十一音节体，但因为抑扬格适合讽刺和攻击他人，已经成了这类诗歌的代称。

4 古人认为，如果敬拜神的仪式中犯了错误，就会招致神的惩罚。

5 meos amores（"我的爱"），这里不是指感情，而是指情人。Merrill（1893）根据措辞推测，这里的情人更可能是尤文提乌斯，而不是莱斯比娅（卡图卢斯习惯用 puella 和 deliciae 称呼她）。

6 longa…poena（"长久的惩罚"），因为诗歌可以流传后世，让拉维杜斯"不朽"。

## XLI[1]

Ameana[2] puella defututa[3]
Tota milia me decem poposcit,
Ista turpiculo puella naso,
Decoctoris amica Formiani[4].
5    Propinqui, quibus est puella curae,
Amicos medicosque convocate:
Non est sana puella, nec rogare
Qualis sit solet aes imaginosum[5].

---

1 本诗格律是十一音节体。这首诗挖苦了一位妓女的长相与贪婪性格，迂回地攻击了恺撒的助手玛穆拉（参考第 29 首、57 首、94 首、105 首、114 首和 115 首）。

2 Ameana（阿梅亚娜），身份不详，可能是与第 32 首中的伊普斯提拉一样，是一位高级妓女。参考第 43 首。

3 defututa（不定式 defutuere），futuere，"与人性交"，前缀 de-强调程度或次数。

## 四十一

被人玩过千遍的阿梅亚娜
竟向我开了整整一万的价——
就是那个鼻子有点丑的女孩,
破产的弗尔米埃人的甜心。
5  负责监护这个女孩的亲戚们,
赶紧把朋友和医生都叫来:
她脑子有毛病,从不问镜子
自己到底能值几两银子。

---

4 Formiani,Formianus("弗尔米埃人")的属格,Formiae(弗尔米埃)是玛穆拉的家乡(参考第 57 首)。decoctoris 是 decoctor("破产者")的属格,从第 29 首等诗作我们知道,玛穆拉富可敌国,这里用"破产"形容他,突出了他的挥霍无度。

5 aes 意思是"铜",imaginosum 是 imago("影像")的中性形容词,aes imaginosum 指铜镜。

## XLII[1]

Adeste, hendecasyllabi[2], quot estis
Omnes undique, quotquot estis omnes.
Iocum me putat esse moecha turpis,
Et negat mihi vestra[3] reddituram
5    Pugillaria, si pati potestis.
Persequamur eam, et reflagitemus.
Quae sit, quaeritis? Illa quam videtis
Turpe incedere, mimice ac moleste[4]
Ridentem catuli ore Gallicani[5].
10   Circumsistite eam, et reflagitate,
"Moecha putida, redde codicillos!

---

1 本诗格律是十一音节体。这是卡图卢斯《歌集》中最迷人的作品之一。卡图卢斯曾将写有自己诗作的笔记本（即第 5 行的 pugillaria，在古罗马，通常是将涂有蜡的一些小木板用线串在一起）借给一位女人（或者存在她那里），后来她却拒绝归还，卡图卢斯便写了这首别致的诗。Fraenkel（1961）对这首诗作过详细的分析，认为其妙处主要在于融合了喜剧手法和古罗马民俗，细节也非常考究。在古罗马，解决欠债等民事纠纷通常有两种手段，一种是诉诸法律（actio），一种便是卡图卢斯在这里戏拟的民间维权形式 flagitatio（字面意思是"要求"、"索要"，即索回久拖不还的欠款或迫使某人履行自己的承诺或义务）。Flagitatio 的形式通常是维权的一方纠集一批人（朋友或游民），到对方家中或在公共场合拦截对方，将其围住，以高声喧嚷甚至辱骂的形式让公众知晓其理亏之事，迫使对方就范。卡图卢斯的创意在于，他纠集的是自己的诗句，而且对整个过程的描写极具戏剧性。他先让诗句们集合，发泄了一通怒气，才向它们说明缘由。经过他的煽动，诗句们找到并包围了那位女人，并且卖力地辱骂了一阵。那位女人无动于衷，

## 四十二

十一音节的诗句们，到我这儿来，
从四面八方过来，一个也别走开。
真以为我好戏弄，这该死的娼妇，
竟不肯让你们的蜡板物归原主，
5　诗句们，你们能忍下这口气吗？
咱们找她要去，决不能放过她。
我说谁，你们问？瞧，就是那位，
步态丑陋，笑容如戏子般谄媚，
还有那张脸，可以和高卢犬比赛。
10　你们快把她团团围住，高声叫喊：
　"下贱的娼妇，把蜡板交出来！

---

卡图卢斯只好变换策略。作品在高潮处突然收笔。

2 hendecasyllabi（"十一音节体的诗句"），很可能泛指卡图卢斯所有的短诗，十一音节体是他最擅长的格律。

3 vestra（单数 vester，"你们的"），这里卡图卢斯是将诗句视为蜡板（pugillaria）的主人。Fraenkel 解释说，在法律用语中，vester 带有强烈的物权意味。卡图卢斯是在用这个词煽动诗句们的义愤。

4 mimice，副词，从 mima（"女演员"）变来，意为"像女演员一样"。演员在古罗马是下贱的职业。Fraenkel 指出，mimice ac moleste 中三个 m 音（读起来口型仿佛在撇嘴）表达了作者对她的蔑视。

5 catuli（主格 catulus），"小狗"；ore（主格 os），这里指脸；Gallicani（主格 Gallicanus）是 Gallia（高卢）的形容词，或许这个女人来自高卢，或许仅仅以当时罗马常见的高卢犬来形容她。

Redde, putida moecha, codicillos!"[6]
Non assis facis? O lutum, lupanar[7],
Aut si perditius potes[8] quid esse.
15  Sed non est tamen hoc satis putandum.
Quod si non aliud potest, ruborem
Ferreo canis exprimamus ore[9].
Conclamate iterum altiore voce.
"Moecha putida, redde codicillos!
20  Redde, putida moecha, codicillos!"
Sed nil proficimus, nihil movetur.
Mutanda est ratio modusque vobis,
Si quid proficere amplius potestis:
"Pudica et proba, redde codicillos."[10]

---

6 Fraenkel 指出，flagitatio 使用的语言常常有吟唱的感觉（仿佛小贩走街串巷时的叫卖
声），第 11-12 行中词语顺序的变换体现了这种吟唱的特点。

7 lutum，"泥浆"；lupanar，"妓院"。

8 Garrison（1989）版 potes 作 potest。

下贱的娼妇，交出我们的蜡板！"
你无动于衷？啊，你这烂污臭泥，
你这没法形容的惊世骇俗的垃圾！

15  不过，我们可不能如此草草收工，
如果没别的招儿，我们至少要从
她铁壁般的狗脸里挤出一丝霞彩。
大家扯足嗓子，再一起嚷几遍：
"下贱的娼妇，把蜡板交出来！

20  下贱的娼妇，交出我们的蜡板！"
还是白费力，她还是不为所动。
如果你们不希望最后徒劳无功，
就别死心眼儿，试试别的手段：
"纯洁高贵的姑娘，请归还蜡板。"

---

9 Fraenkel 认为，第 16-17 行密集的[r]音模仿了犬吠的效果。因为[r]发音如狗叫，r 被古罗马人称为 littera canina（"狗的字母"）。

10 Fraenkel 从 19-24 行读出了颇有喜剧色彩的音乐效果，从渐强-最强（第二轮喧嚷）到渐弱-最弱（诗末谦卑的请求）。

## XLIII[1]

Salve, nec minimo puella[2] naso
Nec bello pede nec nigris ocellis
Nec longis digitis nec ore sicco[3]
Nec sane nimis elegante lingua[4],

5　Decoctoris amica Formiani.
Ten[5] provincia[6] narrat esse bellam?
Tecum Lesbia nostra comparatur?
O saeclum insapiens et infacetum!

---

1 本诗格律是十一音节体。

2 puella（"姑娘"），根据第 5 行（完全重复了第 41 首的第 4 行）判断，应该指玛穆拉的情人阿梅亚娜。

3 sicco（原形 siccus，"干的"），nec…sicco 指阿梅亚娜嘴角流涎。

4 lingua（"舌头"），从多方面判断，这里应当指谈吐。首先 sane（"当然"）表明这行诗

## 四十三

你好，姑娘，你既没纤巧的鼻子，
也没精致的足，也没漆黑的眼眸，
也没修长的手指，也没干洁的唇，
当然也没储藏着优雅言辞的舌头，
5  你这破产的弗尔米埃人的女友。
你就是外省众口称誉的绝代美人？
你竟会与我的莱斯比娅相提并论？
啊，这时代多么粗俗，多么愚蠢！

---

比前面几行的地位更重要，其次根据 Merrill（1893）的看法，elegante（原形 elegans，
"优雅的"）一般不用来描绘形体特征。

5 ten = te（"你"）＋ne （表疑问的附着词）。

6 provincia（"行省、外省"），相对于罗马城而言，卡图卢斯用这个词体现了罗马城居民
的文化优越感。

## XLIV[1]

O funde noster seu Sabine seu Tiburs[2]

(Nam te esse Tiburtem autumant quibus non est

Cordi Catullum laedere; at quibus cordi est,

Quovis Sabinum pignore esse contendunt),[3]

5    Sed seu Sabine sive verius Tiburs,

Fui libenter in tua suburbana

Villa malamque pectore expuli tussim,

Non inmerenti quam mihi meus venter,

Dum sumptuosas appeto, dedit, cenas[4].

10   Nam, Sestianus dum volo esse conviva,

Orationem in Antium petitorem[5]

---

1 本诗格律是 limping iambics。塞斯提乌斯（Sestius，很可能是 Publius Sestius，公元前 57 年任保民官，公元前 54 年任行政官）邀请卡图卢斯赴宴，并顺带给了他一篇自己的演说，内容是抨击政敌安提乌斯（Antius，曾推动通过一项限制高级官员宴请规模的法令）。为了能在宴会上奉承主人一番，卡图卢斯提前读了这篇演说，不料竟染上风寒，被迫在家休养。这首诗的体裁是以别墅为对象的一封信，里面有多种戏拟成分和幽默元素。卡图卢斯是否参加了宴会，一直是学者们争论的问题。Ellis、Baerhrens、Merrill 等人认为他没有到场，但不少学者持相反的看法，一个重要线索是，第 6 行的 fui 和第 15 行的 recuravi 都是完成时，表明作者此时已不在自己的别墅。Skinner（2001）甚至断定，卡图卢斯还在宴会上当众朗诵了这首诗。

2 卡图卢斯在此直接呼告自己的别墅。Sabine，Sabinus（萨宾）的呼格。Tibur（提布尔，Tiburs 是其形容词）是上层罗马人夏季别墅比较集中的地方，是身份的象征。萨宾离提布尔不远，却是上流人士鄙薄的地方。卡图卢斯家族的别墅位于两地之间，恰好与他尴

## 四十四

啊，我在萨宾或提布尔的乡间产业
（因为那些不喜欢伤害卡图卢斯的人
说你在提布尔，而喜欢伤害他的家伙
则愿下任何赌注说你绝对在萨宾），

5    可是，不管你在萨宾还是在提布尔，
我都很高兴回到郊外，回到你那儿，
将讨厌的咳嗽逐出胸膛——我活该
受这份儿罪，因为我对丰盛的饭菜
过于垂涎，肚子就给了我一点教训。

10   为了做塞斯提乌斯酒宴上的嘉宾，
我就读了他抨击安提乌斯的演说，

---

尬、暧昧的社会地位相称。他的家乡维罗纳虽然罗马化程度很高，也是著名的文化中心，但从严格的法律意义上说，只是罗马的一个自治城市（municipium），因此卡图卢斯并不是完全意义上的罗马公民。他的家族虽然富庶，也有较大的政治影响力，但毕竟不是贵族。

3 第2-4行这段绕口令似的话有三重功能。首先，解释了自己不确定的社会地位；其次，根据 Skinner 的看法，也暗示了自己和塞斯提乌斯相似的背景——塞斯提乌斯虽然进入了罗马政治高层，却是新贵，没有显赫的家族渊源；第三，卡图卢斯可能也是在模仿塞斯提乌斯演说的风格（Skinner 以西塞罗为证，指出此人的写作风格非常造作）。

4 这里隐含着古罗马宴会（convivium）心照不宣的一种交换。主人通过举办宴会为自己捞取赞誉和名声，增强自己的影响力；客人则通过赞誉主人换取享用美食的权利，并扩大社交圈子。

5 petitorem（原形 petitor），字面意思是"寻求（官职）的人"，也就是参与竞选的人。

Plenam veneni et pestilentiae legi.

Hic me gravedo frigida et frequens tussis

Quassavit usque dum in tuum sinum fugi

15    Et me recuravi otioque et urtica[6].

Quare refectus maximas tibi grates

Ago, meum quod non es ulta peccatum.

Nec deprecor iam, si nefaria scripta[7]

Sesti recepso, quin gravedinem et tussim

20    Non mihi, sed ipsi Sestio ferat frigus,

Qui tunc vocat me, cum malum librum legi.

---

6 如果卡图卢斯的确曾在塞斯提乌斯的宴会上朗诵这首诗，那么这几行诗虽有调侃和戏弄的成分，却未必是全然的讽刺。假若把卡图卢斯换成安提乌斯，而能有同样的效果，那恰好说明塞斯提乌斯攻击政敌的这篇演说很有杀伤力。无论卡图卢斯是否曾赴宴，有一点是显而易见的，就是这里的自嘲。卡图卢斯埋怨自己为了满足口腹之欲，非要读这

哎呀，里面真是充满了瘴气毒液。
结果我就染上了风寒，咳嗽不止，
浑身哆嗦，最后只好逃进你怀里，

15　用荨麻和静养让自己恢复元气。
现在我好了，自然对你感激涕零，
我犯了罪，你却没有责以重刑。
从今后，如果我再碰塞斯提乌斯
晦气的文章，我决不祈求神阻止

20　风寒和咳嗽，只要受害者不是我，
是他：竟让我先读恶文，再做客。

篇演说，自讨苦吃。但这种戏谑是双向的，主人一心想钓取客人的赞誉，也没得逞。讽刺的轻重在很大程度上取决于读者的立场。

7 第 18-21 行是戏拟古代一种很常见的祈祷（Skinner 2001），逃脱灾厄的人一方面感谢拯救自己的神，一方面许诺再也不犯同样的错，万一再犯，也不再烦劳神来相救。

## XLV[1]

Acmen[2] Septimius[3] suos amores
Tenens in gremio "Mea" inquit, "Acme,
Ni te perdite amo atque amare porro
Omnes sum assidue paratus annos
5    Quantum qui pote plurimum perire,
Solus in Libya Indiaque[4] tosta
Caesio veniam obvius leoni."[5]
Hoc ut dixit, Amor, sinistra ut ante,
Dextra sternuit approbationem[6].

---

1 本诗格律是十一音节体。一些学者（例如 Merrill 1893；Fordyce 1961）认为，这首描绘爱情的诗非常单纯。另外一些学者（例如 Baker 1958；Ross 1965；Khan 1968；Singleton 1971）却读出了反讽的味道。Kitzinger（1992）在其中发现了卡图卢斯对语言和符号表意局限性的敏锐直觉，指出这首诗最大的特点就在于其意义的不确定。阐释这首诗遇到的困难主要源于内置的多重视角、关键因素的省略处理和微妙的语言。诗中有四种视角——叙述者、男主人公、女主人公和小爱神（Amor，即丘比特），这样如何理解诗歌所描绘的场景、所记录的语言、所做的判断就变得异常复杂了。与诗歌内容相关的一些重要因素卡图卢斯并未呈现给读者。Kitzinger 分析说，第 8 行中的 ante（"以前"）指向一个令人困惑的过去，第 19 行中的 ab（"从……开始"）指向一个变动的未来。小爱神的喷嚏是这首诗最大的谜题（参考注释 6），如果将其视作兆象，那么次数、方向都很重要，然而恰好关于这两个问题学者至今争论不休。至于语言中的玄机，请参考注释 5、8、9 和 12。Kitzinger 认为，卡图卢斯对语言（无论是情人的语言还是诗人的语言）能否有效传达自己的意思持怀疑态度，并且故意在作品中运用一些手段，令读者陷入阐释的困境。

## 四十五

　　塞普提米乌斯把情人阿克梅
　　搂在怀里，说，"我的阿克梅，
　　如果我不是爱你爱得失魂落魄，
　　一心一意要和你度过所有年月，
5　　像最痴情的人那样生死不渝，
　　我甘愿去炽热的利比亚和印度，
　　孤身面对目光狰狞的狮子。"
　　听到这话，小爱神打起了喷嚏，
　　先左边，后右边，表示同意。

---

2 Acmen（Acme 的宾格），Acme（阿克梅）是希腊名字，暗示女主人是希腊人或希腊人的后代。

3 Septimius（塞普提米乌斯）是罗马名字。男女主人公民族身份的不同在下文的语言中有明显的反映。Ross（1965）注意到，塞普提米乌斯和阿克梅说话时所用的意象、声音（例如男主人公用了很多[r]、[s]音，女主人公则用了很多[m]、[l]音）很不一样，表明了截然不同的情感和思维，因此他们之间的冲突是可预计的。

4 Libya（利比亚）和 India（印度）分别代表了古罗马人心目中世界的最南和最东。这两个词后面显然浮动着帝国征服的图景。

5 Kitzinger 分析了 3-7 行中语言整体和局部的矛盾。塞普提米乌斯所竭力突出的是 omnes…annos（"永远"），他所用的 perdite（动词 perdere "摧毁"变来的副词）、perire（"死亡"）唤起的确是死亡的形象。

6 第 8-9 行（与 17-18 行相同）是本诗的一桩悬案。小爱神打喷嚏是确定无疑的，但他到底打了几个喷嚏？在诗歌开场之前打了没有？打喷嚏是在左边、右边，还是从左向右？喷嚏是吉兆还是凶兆？Stearns（1929）提出，小爱神每次都打两次喷嚏，先左边，

10　At Acme leviter caput reflectens

　　Et dulcis pueri ebrios ocellos

　　Illo purpureo ore suaviata

　　"Sic" inquit, "mea vita, Septimille[7],

　　Huic uni domino usque serviamus,

15　Ut multo mihi maior acriorque

　　Ignis mollibus ardet in medullis[8]."

　　Hoc ut dixit, Amor, sinistra ut ante,

　　Dextra sternuit approbationem.

　　Nunc ab auspicio bono profecti

20　Mutuis animis amant amantur[9].

　　Unam Septimius misellus Acmen

　　Mavult quam Syrias Britanniasque[10]:

　　Uno in Septimio fidelis Acme

　　Facit delicias libidinisque.

25　Quis ullos homines beatiores[11]

　　Vidit, quis Venerem auspicatiorem?[12]

---

后右边。他用大量古希腊和古罗马文学中的例子说明：左边在古罗马是吉利的方向，但古希腊文化（以右为吉）的传入造成了混乱，为了让读者更明确，卡图卢斯让小爱神在右边也打了喷嚏；此外，古罗马文化中先左后右是吉利的，而且古罗马人相信，至少应有两个兆像相继发生，才可明确判断是吉兆。我的译文采用了他的说法。

7 Septimille，Septimillus（Septimius 塞普提米乌斯的昵称）的呼格。

8 阿克梅着力强调 usque（"永远"），可是她描绘的图景（火焰吞噬骨髓）却无法持久，必定终结。与塞普提米乌斯的盟誓相比，她的用语更个人化，这也体现了古希腊文化和古罗马文化的差异。

10　可是，阿克梅把头微微仰起，
　　绛红的嘴唇迎着甜蜜的情人，
　　亲吻了他沉醉梦幻中的眼睛。
　　她说，"塞普提米乌斯，我的生命，
　　让我们永远只侍奉这一位主人，

15　永远如同此刻：我柔软的骨髓
　　正被更亮、更热烈的火焰包围。"
　　听到这话，小爱神打了个喷嚏，
　　先左边，后右边，表示同意。
　　两颗心有了这个吉兆的祝福，

20　从此相亲相爱，找到了归属。
　　塞普提米乌斯觉得，一个阿克梅
　　比无数个叙利亚和不列颠还宝贵；
　　阿克梅也只在塞普提米乌斯身上
　　享受生命中所有的快乐与欲望。

25　谁曾见过比他们更幸福的人，
　　谁曾见过更受神护佑的爱情？

---

9 这里叙述者所用的语汇和句式刻意渲染两人的和谐。

10 Syrias（叙利亚）和 Britannias（不列颠）都用了复数，一方面是夸张地表达爱情，另一方面也让读者联想起罗马的开疆拓土。

11 这个问题让一直和叙述者一起处于旁观者地位的读者被迫对前面的场景做出评估，却未必能找到答案。卡图卢斯似乎故意用细致的平衡结构让读者无法到达一个明晰的结论。

12 Venerem（原形 Venus，维纳斯）既可指爱（尤其是性爱），也可指爱神维纳斯本身；auspicatiorem（原形 auspicatus）既可指"保佑他人"，也可指"被保佑"。

# XLVI[1]

Iam ver egelidos refert tepores,
Iam caeli furor aequinoctialis[2]
Iucundis Zephyri[3] silescit auris.
Linquantur Phrygii[4], Catulle, campi
5    Nicaeaeque ager uber aestuosae[5]:
Ad claras Asiae volemus urbes.
Iam mens praetrepidans avet vagari,
Iam laeti studio pedes vigescunt[6].
O dulces comitum valete coetus[7],
10   Longe quos simul[8] a domo profectos
Diversae varie viae reportant.

---

1 本诗格律是十一音节体。这是卡图卢斯《歌集》中又一首轻快的诗，大约作于公元前 56 年春天。当时卡图卢斯在比提尼亚行省任职期满，即将回意大利，他打算在回家途中到小亚细亚的各个名城游历一番。11 行诗明显分为两个单元，1-6 行和 7-11 行。Iam （"已经"）四次出现在行首，传递出一种急切的心情。20 世纪俄国诗人曼德尔施塔姆在《词与文化》中引用了本诗的第 6 行，将其称为"卡图卢斯的白银号角"。按文学史分期，卡图卢斯属于古罗马文学的黄金时代。曼德尔施塔姆用"白银"二字，似乎是有意让卡图卢斯成为俄罗斯白银文学的灵感源泉。

2 aequinoctialis（从 aequinox 变来），aequinox 指春秋分，这里显然指春分。furor，原意是"疯狂"，因为地中海地区春分前后多风暴。

## 四十六

如今春日已载回解冻的温暖，
如今春分时节狂暴的天幕
已因和煦的西风而变得舒缓。
卡图卢斯，快告别佛里吉亚平原，
5　　告别火城尼西亚的富饶田亩，
让我们飞向亚细亚的那些名都！
如今我急切的心渴望去远游，
如今我欣喜的脚期盼去奔逐，
再见了，共享过这段时光的朋友！
10　　我们曾一起离开遥远的故土，
却将沿不同的道路踏上归途。

---

3 Zephyri（原形 Zephyrus，"西风"），欧洲的西风从大西洋来，温和湿润。

4 Phrygii（原形 Phrygius），形容词，从 Phrygia（佛里吉亚，包含了比提尼亚行省的西部）变来。

5 Nicaeae，主格 Nicaea（尼西亚，如果按古典拉丁文发音，应译为尼凯亚）。尼西亚是比提尼亚首府，公元 325 年著名的尼西亚主教会议就在这里召开。

6 vigescunt（不定式 vigescere），意思是"获得力量，变得强壮"。

7 coetus comitum 这里指和卡图卢斯一起在总督孟米乌斯手下任职的朋友，他们此时也要启程回家。

8 因为当初他们是作为总督的手下一起离开意大利到比提尼亚的。

XLVII[1]


Porci et Socration[2], duae sinistrae[3]
Pisonis[4], scabies famesque mundi,
Vos Veraniolo meo et Fabullo[5]
Verpus[6] praeposuit Priapus[7] ille?
5　Vos convivia lauta sumptuose
De die facitis, mei sodales
Quaerunt in trivio[8] vocationes[9]?


---

1 本诗格律是十一音节体。其内容可对比第 28 首。

2 Porci（波尔奇）是 Porcius（波尔奇乌斯）的呼格，Socration（苏格拉底昂）是 Socrates（苏格拉底，不是那位著名哲学家）的小词（diminutive）形式。两个人身份不详，但 Porcius 是个贵族姓氏，Socration 应当是希腊人，两人都是庇索（Piso）的手下。

3 duae sinistrae 字面意思是"两只左手（辅佐者）"，这里按照中文习惯译为"左右手"。

4 Pisonis，Piso（庇索）的属格，关于庇索，参考第 28 首注释 2。

5 Veraniolo，主格是 Veraniolus（维拉尼奥卢斯），Veranius（维拉尼乌斯）的昵称；Fabullo，主格 Fabullus（法布卢斯），Fabius（法比乌斯）的昵称。两人都是卡图卢斯的好友，参

## 四十七

波尔奇和苏格拉底昂，庇索的
左右手，世人躲避的疥癣和瘟疫，
我的维拉尼奥卢斯和法布卢斯
竟被那位割了包皮的普里阿波斯

5   置于你们之下？你们整天抛掷
豪奢浮华的宴席，我的两位兄弟
却在三岔路口巴望着免费的饭食。

---

考第 12 首、13 首和 28 首。

6 verpus，意为"环切了包皮的人"。

7 Priapus（普里阿波斯）是丰饶之神，在古希腊罗马的庆祝游行中，其形象通常是一个巨大的阴茎。这里卡图卢斯显然是指庇索（Piso），根据西塞罗的记载，庇索以淫乱著称。

8 trivio（原形 trivium），"三条路会合之处"，张贴消息的地方。

9 vocationes（原形 vocatio），字面意思是"招呼"，这里指上层人士发出的宴会邀请。在古罗马，上层人士经常举办大规模的宴会。

## XLVIII[1]

Mellitos oculos tuos, Iuventi[2],
Siquis me sinat usque basiare,
Usque ad milia basiem trecenta[3]
Nec umquam[4] videar satur futurus,
5    Non si densior aridis aristis
Sit nostrae seges osculationis[5].

---

1 本诗格律是十一音节体。这首诗属于尤文提乌斯系列（参考第 21 首、24 首、81 首和 99 首，主题与献给莱斯比娅的第 5 首和第 7 首相似。诗作呈对称结构：第 1-2 行（假设 A），3 行（结果 A），4 行（结果 B），5-6 行（假设 B）。

2 Iuventi，Iuventius（尤文提乌斯）的呼格。

## 四十八

你甜蜜的眼睛，尤文提乌斯，
如果谁能允许我一直吻下去，
我就会一口气吻三十万次，
而且，我永远不会知道满足，
5    即使我们收获的吻彼此偎依，
比晒干的玉米穗还紧，还密。

---

3 milia…trecenta，"三十万"，参考第 9 首第 2 行。

4 unquam，Garrison（1989）版作 numquam。

5 Garrison（1989）指出，最后两行密集的[s]音模仿了情人的耳语声和庄稼在风中的窸
窣声。

## IL[1]

Disertissime Romuli[2] nepotum,
Quot sunt quotque fuere, Marce Tulli[3],
Quotque post aliis erunt in annis[4],
Gratias tibi maximas Catullus
5    Agit[5] pessimus omnium poeta,
Tanto pessimus omnium poeta,
Quanto tu optimus omnium patronus[6].

---

1 本诗歌律是十一音节体。这首诗是写给古罗马最著名的演说家、学者西塞罗的一封信。关于这封信的语气，学者们有许多争论，大约一半人认为这是真诚的夸赞和致谢，另一半人则认为诗作的语气明显是反讽。与此相关的问题是，这首诗的背景和动机是什么？由于没有任何明确的线索，学者们提出了许多假说。Fredricksmeyer（1973）提出，这首诗应当是真诚的道谢，其原因可能是西塞罗在卡图卢斯与恺撒的和解中发挥了中间人的作用。卡图卢斯《歌集》中有许多严厉抨击恺撒的诗（第 29 首、57 首和 93 首），令恺撒大为恼火，但卡图卢斯的父亲却与恺撒关系很好，父爱和政治的双重压力可能迫使卡图卢斯最终选择和解（第 11 首第 10-13 行对恺撒的恭维或许就是证据）。考虑到西塞罗是罗马政坛举足轻重的人物和恺撒极力笼络的对象，卡图卢斯可能曾写信向他求助，并在事成后表示感谢。Thomson（1967）和 Laughton（1970）相信，卡图卢斯在这首诗中讽刺了西塞罗的文学品味，并提出引发这首诗的事件可能是西塞罗向卡图卢斯赠诗。西塞罗在公元前 60 年后曾致力于写诗，并赢得了诗人的名声，但他的诗歌美学与新诗派的卡图卢斯相去甚远。卡图卢斯借此机会挪揄了他一番，暗示他做个最好的律师就该知足了，不要到诗歌圈里来碰运气。Svavarsson（2000）也认为，从作品本身看，反讽的说法更有说服力。主要理由是：诗中夸张的吹捧和夸张的自我贬损很可疑；"罗姆卢斯的后裔"有戏拟史诗的感觉；诗歌夸饰的风格很可能在模仿西塞罗的演说；对西塞罗

## 四十九

罗姆卢斯的所有后裔里，过去、
现在、未来所有数不尽的后裔里
口才最最优秀的马库斯·图利乌斯，
卡图卢斯这位最最蹩脚的诗人
5　向你致以最最真诚的谢意，
他是多么最最蹩脚的诗人，
你就是多么最最卓越的律师。

---

严肃的称呼和第三人称的自指有意淡化了情感；最后一行还可能语带双关（参考注释
6）。卡图卢斯讽刺西塞罗的原因在于，他认为后者的文学观念不够先锋，风格过于偏向
夸张造作的亚细亚派，不像简明、精炼的阿提卡派（参考第53首注释5）。根据卡图卢
斯和西塞罗的性格，我觉得还有一种可能：卡图卢斯以投其所好的方式感谢（事由我们
无从知晓）西塞罗（以自负和喜好夸张出名），却语藏机锋。

2 Romuli，Romulus（罗姆卢斯）的属格，罗姆卢斯是罗马城的建造者。

3 Marce Tulli，Marcus Tullius 的呼格，西塞罗全名是 Marcus Tullius Cicero。

4 第 2-3 行的表达方式可以参考第 21 首和第 24 首的 2-3 行。

5 从语法上说，全诗的主要内容都包含在 4-5 句中："Gratias tibi maximas Catullus agit"
（"卡图卢斯向你表示最深切的感谢"）。卡图卢斯在前后各加了三行诗，显然与新诗派
精炼的诗风相悖，应当是一种戏拟。

6 patronus，这里指律师。如果把 optimus omnium patronus 视为整体，意思就是"最卓
越的律师"，与西塞罗的身份相符，至少是表面的称赞。但如果重读 omnium，则可能激
活 omnium patronus（"所有人的律师"）的一种特殊含义，指没有道义原则、可以为任
何人辩护的律师。西塞罗曾经做过控告瓦提尼乌斯（参考第 14 首、52 首和 53 首）的
律师，也曾作过为他辩护的律师，卡图卢斯可能讥讽西塞罗立场变化太快。

$$L^1$$

Hesterno, Licini[2], die otiosi
Multum lusimus[3] in meis tabellis[4],
Ut convenerat esse delicatos[5]:
Scribens versiculos uterque nostrum
5    Ludebat numero modo hoc modo illoc,
Reddens mutua[6] per iocum atque vinum.
Atque illinc abii tuo lepore
Incensus[7], Licini, facetiisque,
Ut nec me miserum[8] cibus iuvaret
10   Nec somnus tegeret quiete ocellos,

---

1 本诗格律是十一音节体。从形式上看，这是卡图卢斯写给诗人朋友里奇尼乌斯·卡尔伍斯的一封信。卡图卢斯和卡尔伍斯饮酒唱和，度过了一个愉快的下午，回到家里，卡图卢斯依然兴奋异常，夜不能寐，于是给卡尔伍斯写了这首诗，希望能继续他们的唱和游戏。近五十年来，这首诗才成为学者们关注的一个重点。Scott（1969）分析了作品的结构，将其划为 1-6 行、7-13 行、14-17 行、18-21 行四个部分，并指出卡图卢斯在每个部分都随内容重点的变化而采用了不同的风格。Burgess（1986）根据泛希腊时期诗人忒奥克里托斯（Theocritus）的诗作和文法家阿忒奈俄斯（Athenaeus）的描述，重构了古典诗歌唱和传统的特征，并用卡图卢斯诗集中的其他作品（例如第 14 首和 38 首）加以印证。MacLeod（1973）和 Zetzel（1982）分析了诗作对古典爱情诗歌的戏拟和以性喻诗的特点。

2 Licini（里奇尼），Licinius（里奇尼乌斯）的呼格，即卡尔伍斯。

3 lusimus（不定式 ludere），"游戏"。这个词有伦理和诗学双重意义。从伦理上说，它和上一行的 otiosi（"闲散"，源于名词 otium）反叛了古罗马男性伦理。古罗马传统要求

## 五十

里奇尼，昨天我俩没什么事，
就用我的蜡板玩了许多游戏，
因为我们约好要开心到底：
你和我都惬意地写着诗句，
5　玩着这套格律，那套格律，
伴着美酒与戏谑，彼此唱和。
从你家回来，你的才智幽默，
里奇尼，仍让我魂不守舍。
可怜的我，吃饭没了滋味，
10　眼睛也无法在安宁中入睡，

---

男性致力于政治、军事、经济等正事（称为 negotium，与 otium 相对）。卡图卢斯所描绘的这种沉溺诗酒的生活是"阴柔"的体现。从诗学上说，它挑战的是以神话和严肃历史题材为内容的史诗传统。卡图卢斯崇尚的是一种聚焦私人生活的轻型诗歌。

4 tabellis，写诗用的蜡板，与第 42 首中的 pugillaria 和 codicillos 差不多。

5 delicatos（原形 delicatus）有"轻快"、"俏皮"、"优雅"、"情色"等多重意思，既指这种生活方式轻松迷人，也可能影射写作的内容和风格。

6 mutua（"相互"）指明了这里两位诗人是在唱和。根据 Burgess 的考证，西方古典时代的唱和传统规定，如果一方提出和诗要求，另一方有义务满足要求。和诗内容和风格由原诗确定，但不必遵循同样的格律。

7 incensus（不定式 incendere），字面意思是"点燃"，这个词和它对应的希腊语是西方古典爱情诗的一个标准词汇。但卡图卢斯将常规的 amore（"爱"）换成了 lepore（"魅力"）和 facetiis（"机巧"），就把爱情描写变成了诗学描写。

8 miserum（原形 miser，"可怜"）和茶饭不思、夜不能寐的描写也明显在模仿爱情诗。

Sed toto indomitus furore lecto
Versarer cupiens videre lucem,
Ut tecum loquerer simulque ut essem.
At defessa labore membra postquam
15   Semimortua lectulo iacebant[9],
Hoc, iucunde, tibi poema feci,
Ex quo perspiceres meum dolorem.
Nunc audax cave sis, precesque nostras[10],
Oramus, cave despuas[11], ocelle[12],
20   Ne poenas Nemesis[13] reposcat a te.
Est vehemens dea: laedere hanc caveto.

---

9 浑身瘫软也是爱情的症状，参考第 51 首诗第 9-12 行。

10 Burgess 指出，preces...nostrae（"我的请求"）从爱情比喻的角度说，指对方应当回报"我"的爱，从诗歌唱和传统的角度看，这里卡图卢斯是希望卡尔伍斯继续这个唱和游戏。事实上，这首诗本身已经启动了新一轮唱和，卡尔伍斯收到这首诗后有义务作出回应。

11 despuas（不定式 despuere），原意是"吐痰"，这里意思是"鄙夷"，"不加理会"。

我发了疯，不能自已，在床上
辗转反侧，只盼着早一刻天亮，
早一刻和你说话，和你在一起。
可是疲惫的四肢仿佛已半死，
15  全然不能动弹，我只好为你，
迷人的朋友，写下了这首诗。
读了它，你就会知道我的痛苦。
但亲爱的，你要小心，别得意，
也别对我的这份请求不屑一顾，
20  以免奈米西斯女神降罚于你——
她心狠手辣，千万别惹她生气。

---

12 ocelle, ocellus（oculus，"眼睛"的小词形式）的呼格，通常是对女人的昵称，所以
也有情诗用语的色彩。

13 Nemesis（奈米西斯）是希腊神话中掌管平衡和公正的女神，一般通过打击强势一方
达到扶助弱势一方的目的。Scott 指出，卡图卢斯是第一个在诗歌中呼求奈米西斯的古
罗马诗人，很可能是从泛希腊时期的诗歌中吸收的用法。Burgess 认为，卡图卢斯提到
奈米西斯，等于把卡尔伍斯置于比自己高的位置，间接称赞了朋友的诗艺。

## LI[1]

Ille mi par esse deo videtur[2],
Ille, si fas est[3], superare divos,
Qui sedens adversus identidem te
    Spectat et audit

---

1 本诗格律和第 11 首一样，也是 Sapphic strophe。这首诗可能是卡图卢斯短诗中最受学者关注的作品，争论的焦点在第四节。诗歌的前三节显然是翻译（比较自由）古希腊诗人萨福的一首诗（31 Voigt），但第四节却似乎异常突兀，与前面仿佛没有关系。如果卡图卢斯的目的是翻译，那么萨福原作的第四节哪儿去了？如果卡图卢斯是想改写，那么第四节的用意何在？ 19 世纪的多数学者认为第四节不是第 51 首的一部分，或者认为第三节和第四节之间有缺失的文字。但 20 世纪的多数学者都在相信全诗完整性的前提下去理解第四节与其他部分的关系，并仔细考察了卡图卢斯的"译文"与萨福原文的异同。Greene（1999）分析指出，卡图卢斯的作品以古罗马的男性视角改写了萨福。在萨福的作品中，是一位男性、一位女性（抒情主人公）共同爱一位女性，卡图卢斯的诗呈现的却是一位女性和两位男性的关系。萨福第一节的重心是抒情主人公的感受，卡图卢斯第一节的重心却是描绘与自己构成竞争关系的那位男子。萨福诗中的男子很快淡出了视野，卡图卢斯诗中的男子却一直发挥着影响。更重要的是，卡图卢斯的诗作体现了闲逸（otium）与责任（negotium）、阴性的沉溺与阳性的自制之间的冲突，反映了古罗马的价值观。Commager（1965）认为，卡图卢斯的用意不在翻译萨福，而在探索自己对莱斯比娅的情感，萨福的作品构成了一种框架，让他意识到无论自己的爱如何特殊，都只是人类古往今来普遍经验的一部分。Zetzel（1982）提出，这首诗反映的是文学的力量。正如在第 50 首中，卡尔伍斯的诗让卡图卢斯产生了一种类似爱情的体验，翻译萨福的诗也让卡图卢斯情不自禁想起了他对莱斯比娅的情感。Vine（1992）和 Pardini（2001）分析了第三节的措辞，认为卡图卢斯已经把萨福第四节的一些要素浓缩进了第

### 五十一

那人在我眼里，仿佛神一般，
那人，甚至神都不能与他比，
他坐在你的对面，一遍遍
　　看着你，听着你

---

三节（见注释 5），为第四节做好了铺垫。Wormell（(1966)认为，萨福的第四节女性口吻太重，不符合卡图卢斯的要求，因此没有直接翻译过来。 Frank（1968）从罗马男性价值观入手，相信第四节不仅是这首诗的有机组成部分，而且是承载主题的关键部分。他用西塞罗、卢克莱修和维吉尔三位重要人物的著作说明，古罗马人并不看重爱情，相反，他们把爱情视为一种情感失控的非正常状态，甚至一种病症，是应当谴责的，除非能纳入家庭和国家秩序。第四节代表了正统的罗马声音，体现了卡图卢斯的内心冲突。闲逸让人沉溺于情感，忽略对民族公共事务的责任，间接对国家的命运构成威胁。Fredricksmeyer（1965）意识到，第四节和第一节之间有隐秘的联系。那位男子之所以被卡图卢斯称为"神"，一是因为他的镇定（与自己的无助形成鲜明对照），二是因为他能和莱斯比娅在一起。卡图卢斯在第四节中虽然用罗马传统的伦理观对自己提出了严厉的警告，但深陷情网的他似乎无意摆脱"闲逸"，他真正向往的是取代第一节中那位男子的位置。因此，最后一节其实是间接向莱斯比娅求助："只有你能帮他摆脱这样的状态，避免他陷入毁灭，再不帮他就晚了！" Fredricksmeyer 认为，从根本上说，这首诗不是翻译，而是卡图卢斯献给莱斯比娅的一首诗，既描绘了莱斯比娅的魅力，也表达了自己的相思之情，还提出了爱的请求。卡图卢斯借诗献情人的技巧，的确令人拍案叫绝。
2 O'Higgins（1990）指出，这位男子之所以被视为"神"，除了能与莱斯比娅在一起之外，主要是因为他能控制自己的情感，保持镇定，这是罗马人心目典型的男性特征。他们警惕爱情，也正是因为爱情让人失去自制力。
3 si fas est（"如果这不算渎神的话"）带有浓重的古罗马文化色彩，不见于萨福原文。

5    Dulce ridentem, misero quod omnis
       Eripit sensus mihi: nam simul te,
       Lesbia, aspexi, nihil est super mi
          [Vocis in ore,][4]

       Lingua sed torpet, tenuis sub artus
10   Flamma demanat, sonitu suopte
       Tintinant aures, gemina teguntur
          Lumina nocte[5].

       Otium, Catulle, tibi molestum est:
       Otio exsultas nimiumque gestis[6].
15   Otium et reges prius et beatas
       Perdidit urbes[7].

---

4 这一行原文缺失，在卡图卢斯《歌集》的几大抄本中都没有。此处根据 Garrison（1989）补上。最初是 Doering 根据萨福原文推测的。

5 学者们对这一节有不少讨论。Greene 指出，萨福原作强调的是身体各部分的分解，卡图卢斯突出的是感觉的丧失，主体意识更明显。Commager 分析了这部分的修辞效果，总体上用了散珠格（asyndeton，省略连词），11 行用了对称格（chiasmus），tintinant 的拟声效果也很生动。Pardini 提出，gemina teguntur lumina nocte 借用了荷马的表达方式（Il. l. 5.310 = 11.356）。根据格律判断，gemina（"双重"）修饰的是 nocte（"夜"），不是 lumina（"光"，"眼睛"），"双重的夜"既指黑暗，也可以指死亡，从而把萨福第四

5    笑靥甜美，笑语甜蜜——可怜的
     我，却失去了所有知觉：因为
     一见到你，莱斯比娅，我
        就再说不出话来，

     舌头麻木了，细小的火焰
10   向四肢深处游去，耳朵
     嗡嗡作响，双重的黑暗
        把眼睛的光吞没。

     闲逸，卡图卢斯啊，是祸殃：
     你因为闲逸而放纵、沉溺。
15   闲逸在过去毁掉了多少国王
        和繁华的城市。

---

节的部分内容也囊括进来，也与下文"毁灭"的主题联系起来。

6 exsultas（不定式 exsultare）和 gestis（不定式 gestire）两个动词都表示强烈的、兴奋的情绪。

7 个人的闲逸怎么会毁掉国家？这在古罗马人看来，绝不是夸张。罗马国家的强盛正是建立在个人对国家的无条件服从基础上的。男性公民必须承担对国家的义务，参与公共事务（包括参加战争、参与竞选和公共事务管理，等等）。古罗马人所推崇的美德（virtus）最原始的意思就是作战的勇敢。闲逸（otium）则意味着沉溺在个人世界里，忽视公共精神，既然社会由个体组成，个体的闲逸就抽掉了国家的基石。

## LII[1]

Quid est, Catulle? Quid moraris emori?
Sella in curuli[2] struma[3] Nonius sedet,
Per consulatum peierat[4] Vatinius:
Quid est, Catulle? Quid moraris emori?

---

1 本诗格律是抑扬格三音步（iambic trimeter）。这首诗攻击的对象也是恺撒的党羽——诺尼乌斯（Nonius，身份不详）和瓦提尼乌斯（Vatinius，参考第 14 首和 53 首）。瓦提乌斯于公元前 55 或 54 年被恺撒和庞培送上了行政官（praetor）的高位，并得到了进一步升任执政官（consul）的许诺。

2 sella…curuli（原形 sella curulis）是一种饰有象牙的座椅，在古罗马只有执政官、司法

五十二

为什么，卡图卢斯？为什么不赶紧死？
瘤子一样的诺尼乌斯竟坐上了象牙椅，
瓦提尼乌斯执政官没到手，就在吹嘘：
为什么，卡图卢斯？为什么不赶紧死？

长官等少数高级官员有权使用。

3 struma，"淋巴瘤"，比喻诺尼乌斯非常恰当，两者都寄生在某个机体上。

4 peierat（不定式 peierare），原意是"作伪证"，这里指撒谎。根据西塞罗的说法（*In Vatinium* 11），瓦提尼乌斯在第一次当上执政官之前好几年，就开始到处吹嘘他会第二次当上执政官了。

## LIII[1]

Risi nescio quem[2] modo e corona[3]
Qui, cum mirifice Vatiniana[4]
Meus crimina Calvus explicasset
Admirans ait haec manusque tollens,
5    "Di magni, salaputium[5] disertum!"

---

1 本诗格律是十一音节体。卡图卢斯的朋友卡尔伍斯不仅是著名的诗人,而且是著名的演说家、律师。这首诗称赞了他的辩才。

2 nescio quem,字面意思是"我不知道谁",合起来相当于"某人"。

3 corona,原意是"头上的冠冕",这里指环绕在古罗马法庭周围的旁听席。

4 Vatiniana(原形 Vatinianus),从 Vatinius(瓦提尼乌斯)变来的形容词,关于瓦提尼乌斯,参考第 14 首和第 52 首。

5 salaputium 这个词是本诗最大的疑案,从 18 世纪的 Doering 开始,学者们就提出了种种猜测。一些人根据塞涅卡(Seneca)描写卡尔伍斯的话判断,salaputium 是"小个子"的意思,然而他们是根据卡尔伍斯个子矮小的事实臆测的,并无其他证据支持。MacKay(1933)提出,这个词可能有误,或许原文是 salapantium,salaputas 的复数属格。Salaputas 的意思是"蝎子",比喻语言犀利的人。这样 salapantium disertum 就是称赞卡尔伍斯是所有语言犀利的人中最厉害的。Pisani(1956)从语文学的角度指出,salaputium 不可能是拉丁语的词,拉丁语中非首音节的 a 一般都会弱化成 i、e 或 u。Weiss(1996)更进一步,推测 salaputium 可能是奥斯坎语(Oscan,意大利中南部一些民族语言的通称,

五十三

    刚才旁听席上有个人让我捧腹，
    当我的卡尔伍斯口若悬河地
    列举完指控瓦提尼乌斯的证据，
    他举起双手，惊异万分地说：
5    "天，这小人儿口才真不错！"

---

与拉丁语有联系，也有区别）的一个词，由 sala（"盐"）和 putium（"净化"）两部分组成。在拉丁语和许多西方语言中，"盐"都可以指人说话机智诙谐。"净化"、"提纯"的"盐"可以比喻这种品质的程度之高。Weiss 还提出，disertum（"雄辩"）不仅可以形容人，也可形容人的话。所以 salaputium disertum 就是称赞卡尔伍斯的演说极其高妙。至于这首诗的幽默在何处，卡图卢斯为什么会觉得这个评论好笑，则需要知道当时在古罗马文化圈发生的一场论战。当时的雄辩术大体有两种风格，一种是以霍尔腾西乌斯（Hortensius，参考第 95 首注释 4）等人为代表的亚细亚派，提倡充满雕饰、语言夸张、语气庄严的风格，一种是以卡尔伍斯为代表的阿提卡派，主张语言应当简洁精致。西塞罗的立场居于中间，他在著作中曾批评卡尔伍斯的风格过于简略，仿佛没有血肉的骨架，并说大众不会喜欢。卡图卢斯这首诗中却找了一个说话带方言腔的"乡巴佬"来称赞卡尔伍斯，这有两个效果。一个是喜剧效果，虽然他语言土里土气，却有很高的文学鉴赏力，能体会到阿提卡派的妙处；另一方面，卡图卢斯也用活生生的例子驳斥了西塞罗的观点，证明阿提卡派的风格也能赢得大众的喜欢。Weiss 的推测如果符合历史事实，那么这首五行的小诗就有了更丰富的文化内涵。这里暂时按传统的理解翻译。

151

## LIV[1]

Othonis[2] caput (oppido[3] est pusillum),
Hirri[4] rustica, semilauta crura,
Subtile et leve peditum[5] Libonis[6],
Si non omnia, displicere vellem
5　Tibi et Fuficio[7], seni recocto[8]…
Irascere iterum meis iambis
Inmerentibus, unice imperator.

---

1 本诗格律是十一音节体。根据最后一行 unice imperator（"无双的将军"，参考第 29
首第 11 行）的措辞，这首诗所攻击的四个人应当都是恺撒的党羽。

2 Othonis，Otho（奥托，身份不详）的属格。

3 oppido（主格 oppidum），原意是"城镇、城市"，但 oppido 作为副词在口语中表示绝
对的语气。

## 五十四

奥托小得离谱的脑袋瓜，
乡巴佬希卢斯脏兮兮的腿，
里博狡黠轻忽的屁，恐怕
这些已足够让你和那位
5　返老还童的弗菲奇乌斯伤心……
我无辜的抑扬格诗句又会
惹您生气了，无双的将军！

---

4 Hirri，Hirrus（希卢斯，身份不详）的属格。

5 peditum，"屁"。

6 Libonis，Libo（里博，身份不详）的属格。

7 Fuficio，Fuficius（弗菲奇乌斯，身份不详）的与格。

8 recocto（主格 recoctus），字面意思是"煮第二遍"的。

## LV[1]

Oramus, si forte non molestum est,
Demonstres ubi sint tuae tenebrae.
Te Campo quaesivimus minore[2],
Te in Circo[3], te in omnibus libellis[4],
5    Te in templo summi Iovis sacrato[5].
In Magni simul ambulatione[6]
Femellas[7] omnes, amice, prendi,
Quas vultu vidi tamen sereno.
A vel te sic ipse flagitabam[8],
10    "Camerium[9] mihi, pessimae puellae!"

---

1 本诗格律是十一音节体，但有一半以上的诗行是十二音节，基本倾向是十一音节的诗行与十二音节的诗行交错出现。诗人找不到自己的朋友卡梅里乌斯了，就写了这首诗求他现身。这首诗留下的谜团主要有两个，一是 9-11 行的校勘和理解问题（参考注释 8、9、10、12），二是它和第 58b 首是否组成了同一首诗。两首诗的主题几乎完全一样，Ellis（1876）将两者合并到一起，但觉得结果并不理想。Peachy（1972）以主题、格律、风格为依据，坚持认为它们属于同一首诗（将 58b 插到本诗第 12 行和 13 行之间）。但 Comfort（1935）却认为，这首诗风格比较现代，58b 却纯然古典；这首诗喜剧色彩很浓，58b 却是对悲剧语言的戏拟，因此很可能是彼此独立的，虽然写作时间可能很接近。早期的学者（例如 Ellis 1876；Merrill 1893；Munro 1905）对此诗的评价都不高，Peachy 认为这是因为他们在道德上过于古板，趣味陈腐，事实上这是一首很有情趣的诗，诙谐甚至轻浮的语言仍然表达了严肃的主题——友谊。

2 Campo…minore（主格 campus minor），具体所指不详，大概是供公众游乐的一片广场，从名字看应当比著名的 Campus Martius（战神广场）小。

## 五十五

我求你，如果这不算冒犯你，
告诉我吧，你到底藏在哪里？
我在小广场上找过你，我在
大竞技场、所有书店找过你，
5     我在至高朱庇特的神庙找过你。
在庞培拱廊下，朋友，我还
拽住每一位姑娘，可我发现
她们的表情却那么平静无辜。
为了你，我只好和她们纠缠，
10    "把卡梅里乌斯还给我，妖女！"

---

3 Circo（主格 Circus），显然指 Circus Maximus，古罗马最大的建筑——大赛车场，马车比赛和许多盛大的活动都在此举行，能容纳 40 万观众。

4 libellis（原形 libellus），原意是"书"，这里指书店。

5 templo（原形 templum）…Iovis，朱庇特神庙，在 Capitolium 山上。

6 Magni…ambulatione（主格 ambulatio，"拱廊"），指庞培（Magnus，"伟大"，是他享有的称号）建造的拱廊。奥维德曾说，这里是勾搭女人的好地方（AA.1.67, 3.387）。

7 Femellas，原形 femella，femina（"女人"）的小词形式。这些姑娘很可能都是妓女，所以在第 9 行卡图卢斯才抱怨朋友害得他不得不与她们纠缠。

8 这一行抄本作 avelte，卡图卢斯原文已无从知晓。avelte 显然不是拉丁语的某个词。这里用的是 Schimidt（1887）和 Baehrens（1893）的版本。Merrill（1893）版作 A velte；Owen（1893）版作 'Avelli'；Lee（1991）版作 'a, cette huc'。

9 关于 11 行女孩的怪异回应，Copley（1952）给出了一个出人意料但合乎情理的解释。他认为，卡图卢斯这位朋友卡梅里乌斯（Camerius）的名字变成宾格 Camerium 后，正

"En," inquit quaedam, sinum reducens,[10]

"En hic in roseis latet papillis[11]."

Sed te iam ferre Herculi labos est[12]:

Tanto te in fastu negas, amice?

15    Dic nobis ubi sis futurus, ede

Audacter, committe, crede luci[13].

Nunc te lacteolae tenent puellae?

Si linguam clauso tenes in ore,

Fructus proicies amoris omnes[14]:

20    Verbosa gaudet Venus loquella.

Vel, si vis, licet obseres palatum,

Dum vestri sim particeps amoris[15].

---

好与古希腊语的 camerion 对应，古希腊语的这个词可能来自亚洲，意思相当于拉丁文 zonula（指古罗马妇女用来支撑乳房的胸带）。如果是这样，这位泼辣的妓女实际上玩了一个双关的玩笑。卡图卢斯很不礼貌地说，"把卡梅里乌斯（Camerium）交出来！"她则撩开衣服，指着乳房说，"胸带（camerion）在这儿呢！"Copley 认为，第 13 行也是这位妓女说的话，意思是，"你要从我这儿拿走它（取下胸带），可比海格立斯做的事还难呢！"海格立斯也曾偷过希波吕塔（Hippolyta）的胸带。这种略带情色的俏皮正是卡图卢斯所喜欢的。

10 这一行原文难以确定。这里用的是 Lee（1991）的版本。Schimidt（1887）、Baehrens（1893）、Merrill（1893）版均作 quaedam inquit, nudum reduc…；Owen（1893）版作 quaedam inquit, nudum reducta pectus；Garrison（1989）版作 quaedam inquit, nudum reclusa

　　　"瞧，"其中一位撩起她的上衣：
　　　"瞧，他藏在粉红的乳头中间。"
　　　忍受你已如同海格立斯的苦役，
　　　你就这样拒绝我，这样傲慢？
15　　告诉我，你会在哪里，大胆地
　　　讲出来，嚷出来，别卖关子！
　　　肌肤如牛奶的姑娘们正搂着你？
　　　如果你非把舌头囚禁在嘴里，
　　　你就是抛弃了爱的全部果实：
20　　因为维纳斯最喜欢饶舌的韵事。
　　　或者，如果你愿意，封口也成，
　　　只要让我也能分享你的爱情。

---

pectus.

11 papillis（原形 papilla），"乳头"。

12 Herculi，Hercules（海格立斯，即古希腊神话中的赫拉克勒斯）的属格。

13 这里一连用了四个命令式 dic、ede、committee 和 crede，并且中间不用连词，表达了极度的不耐烦。

14 "抛弃了爱的全部果实"可能有两层意思：一是威胁如果对方还不现身，就要跟他断交；二是风流韵事如果不让人知道，就失去了乐趣。

15 particeps amoris（"分享爱"）也可以有两种理解。因为 amor 在拉丁文中既可以指友谊，也可以指爱情。所以一种理解是分享友谊，另一种理解是在想象中分享朋友在性爱中获得的快乐。

## LVI[1]

O rem ridiculam, Cato[2], et iocosam,
Dignamque auribus et tuo cachinno!
Ride quidquid amas, Cato, Catullum:
Res est ridicula et nimis iocosa.
5    Deprendi modo pupulum[3] puellae
Trusantem[4]: hunc ego, si placet Dionae[5],
Pro telo rigida mea cecidi[6].

---

1 本诗格律是十一音节体。这是格调比较庸俗的一首色情诗。Garrison（1989）觉得，诗的开头有些像古希腊诗人阿尔奇洛科斯（Archilochus）的一篇作品（Fr. 168 West）。

2 根据 Garrison 的注释，学者们认为这里的卡托(Cato)有三种可能：新诗派成员 Valerius Cato，或者是道德家 Cato Uticensis，或者是奥维德提到的一位写色情诗的诗人。

3 pupulum（原形 pupulus），"小男孩"。

4 trusantem（不定式 trusare），字面意思是"推、冲撞"，俚语指男性与人性交。

# 五十六

卡托啊，这事太好玩，太荒唐，
值得你听一听，你一定笑破肚皮！
你怎么笑都行，笑你的卡图卢斯：
这事实在是太好玩，太荒唐。
5  我刚才撞见一个男孩和一个姑娘
在做那事儿：愿维纳斯喜欢，我就用
硬物，长矛一般，向他发起了进攻。

---

5 Dionae（主格 Dione），迪奥娜，据《伊利亚特》，是阿佛洛狄忒（即维纳斯）的母亲。在这里可能是借代，指性爱之神维纳斯。

6 rigida 这里是名词，指"硬物"，即勃起的阴茎。telo（主格 telum），"长矛"。cecidi（不定式 cadere），一方面是表示性交的俚语，一方面也和 telo 一起模拟史诗中的战斗语言。在古罗马，未婚男性和其他未婚男性，尤其是十来岁的男性青少年发生性行为，是社会许可的，并且相当普遍。参考第 61 首。

## LVII[1]

Pulchre convenit improbis cinaedis[2],
Mamurrae[3] pathicoque[4] Caesarique[5].
Nec mirum: maculae pares utrisque,
Urbana[6] altera et illa Formiana[7],
5    Impressae resident nec eluentur:
Morbosi pariter, gemelli[8] utrique,
Uno in lecticulo erudituli[9] ambo,
Non hic quam ille magis vorax[10] adulter[11],
Rivales socii[12] puellularum.
10   Pulchre convenit improbis cinaedis.

---

1 本诗格律是十一音节体。这首诗激烈、辛辣地讽刺了恺撒和他的手下玛穆拉（参考第29 首）。

2 cinaedis（原形 cinaedus），男同性恋中被动的一方，在古罗马性活动中被支配的一方被视为缺乏阳刚。参考第 16 首注释 3）。

3 Mamurrae，Mamurra（玛穆拉）的与格，关于玛穆拉，参考第 29 首、94 首、105 首、114 首和 115 首。

4 pathico（主格 pathicus），也指男同性恋中被动的一方。

5 Caesari，Caesar（恺撒）的与格，关于恺撒，参考第 11 首、29 首、54 首和 93 首。

6 urbana（原形 urbanus），形容词，这里指来自罗马城。

## 五十七

  真是绝配，这一对可耻的冤家：
  玛穆拉，还有喜欢被蹂躏的恺撒。
  没什么奇怪：论污点不相上下，
  管它来自弗尔米埃，还是罗马，
5  都牢牢地印在身上，没法洗刷：
  两人都病怏怏，仿佛孪生一对，
  两人都是才子，在一张床上依偎，
  两人都爱淫乐，谁也不输给谁，
  既是情敌，也分享彼此的宝贝。
10  这一对可耻的冤家，真是绝配。

---

7 Formiana（原形 Formianus），形容词，由 Formiae（弗尔米埃，玛穆拉家乡）变来，参考第 41 首和第 43 首。

8 gemelli（原形 gemellus），geminus（"孪生兄弟"）的小词形式。

9 erudituli（原形 eruditulus），eruditus（"博学"）的小词形式。恺撒的散文在拉丁文学中是经典作品，玛穆拉也喜欢舞文弄墨，参考第 105 首。卡图卢斯用小词形式，表达了对他们的轻蔑。

10 vorax，原意指"贪吃"，这里指淫乱成性。

11 adulter，意为"淫乱的人"。

12 rivales，"对手"；socii，"盟友"。这两个词并列，突出了两人无伦理底线的淫乱。

## LVIII[1]

Caeli[2], Lesbia nostra, Lesbia illa,
Illa Lesbia[3], quam Catullus unam
Plus quam se atque suos amavit omnes[4],
Nunc in quadriviis[5] et angiportis[6]
5    Glubit[7] magnanimi Remi[8] nepotes.

---

1 本诗格律是十一音节体。这首短诗应当作于卡图卢斯与莱斯比娅分手后，充满了失望和愤懑的情绪。诗作的力量在很大程度上来源于最后一行与前面四行的巨大反差，此外，glubit（见注释7）的粗俗意象与 magnanimi Remi nepotes（"高贵雷姆斯的后裔"）的史诗措辞也形成了冲撞。Zetzel（1982）认为，卡图卢斯将个人对莱斯比娅负心的憎恶扩展到了整个罗马社会，暗示罗马人已经从雷姆斯所代表的英雄堕落成沉溺肉欲的庸众。Commager（1965）觉得，卡图卢斯的愤怒在很大程度上不是针对莱斯比娅，而是自己。Fitzgerald（1995）认为，最后一行诗满足了读者"被挑起的性好奇"，也释放了前面几行所延迟的"痛苦的叫喊"。Newlands（1997）指出，雷姆斯的典故暗藏玄机，早在罗马建城之初，罗姆卢斯和雷姆斯就上演手足相残的悲剧，定下了罗马政治的基调。卡图卢斯把自己的情敌们称为"雷姆斯的后裔"，暗示他们和自己一样，也是莱斯比娅的牺牲品。通过这个词，他将帝国政治和性政治融合到一起。另外，值得一提的是，20 世纪俄裔文学家纳博科夫在小说《洛丽塔》中多处影射这一首诗。

## 五十八

凯利啊，我们的莱斯比娅，那位莱斯比娅，
卡图卢斯唯一爱恋的莱斯比娅——他爱她
胜过爱自己，胜过爱自己所有的亲眷——
此刻在十字路口，在僻静的小巷里，她
5  正剥掉高贵雷姆斯的后裔们所有的衣衫。

---

2 Caeli（凯利），Caelius（凯利乌斯）的呼格，有可能是西塞罗曾经辩护过的 M. Caelius Rufus，他曾与 Clodia Metelli（许多学者所认为的莱斯比娅的原型）有染。如果真是如此，nostra 就不是诗歌中以复数代表单数（"我的"）的用法，而真的表示"我们"，卡图卢斯与凯利乌斯同病相怜了。

3 一连三次念叨莱斯比娅的名字，传达了卡图卢斯的愤怒、震惊和不知所措的状态。

4 古罗马文化是一个轻视爱情而高度重视亲情和友谊的文化。卡图卢斯说他爱莱斯比娅胜过爱自己所有的亲人，表明这种爱到了无以复加的程度。

5 quadriviis（原形 quadrivium），"四条路交会处"，即十字路口。

6 angiportis（原形 angiportum），"小巷"，"小街"。

7 glubit（不定式 glubere），原意是"剥掉树皮"，这里明显带有色情意味，甚至有暴力的感觉。与第 11 首等诗所反映的一样，莱斯比娅在性关系中似乎始终处于支配地位。

8 Remi，Remus（雷姆斯）的属格，在争夺王位的过程中，被兄弟罗姆卢斯杀掉。

## LVIIIb[1]

Non custos si fingar ille Cretum[2],
Non si Pegaseo[3] ferar volatu,
Non Ladas[4] ego pinnipesve Perseus[5],
Non Rhesi niveae citaeque bigae[6];
5   Adde huc plumipedas volatilesque,
Ventorumque simul require cursum,
Quos iunctos, Cameri[7], mihi dicares:
Defessus tamen omnibus medullis
Et multis languoribus peresus
10   Essem te mihi, amice, quaeritando.

---

1 本诗格律是十一音节体，但第 1 行和第 9 行是十二个音节。这首诗的主题也是寻找朋友卡梅里乌斯，在《歌集》的主要抄本中都放在第 58 首之后。一些学者认为它是独立的一首诗，一些学者则认为它和第 55 首原本是一首诗，并将这 10 行置于第 55 首的第 12 行和第 13 行之间。Comfort（1935）提出，这首诗是对史诗风格的戏拟。将史诗风格用在一个不起眼的题材（在罗马城搜寻一位朋友）上，自然有戏谑的味道。Comfort 发现，本诗中的不少词汇只出现在卡图卢斯比较"严肃"的长诗里，史诗中常见的复合词现象（例如 pinnipes、plumipedas）也很明显，排比的句式和夸张的语气也强化了庄严的风格。

2 custos…Cretum，"克里特岛的守卫"，指克里特国王米诺斯让火神给他做的青铜巨人塔洛斯（Talos）。

## 五十八（b）

即使我是守卫克里特的青铜机器，
即使我乘着珀加索斯在天空飞驰，
即使我是拉达斯或穿飞鞋的珀尔修斯，
即使我是瑞索斯闪电般的雪白双骥——

5　再加上所有翅膀，所有能飞的东西，
再召集所有迅疾的风汇聚于此，
把它们套上缰绳送给我，卡梅里乌斯，
疲惫仍会钻进我骨髓的每个角落，
倦怠的感觉仍会将我吞没，当我

10　追寻着你，朋友，追寻着你的踪迹。

---

3 Pegaseo（原形 pegaseus），从 Pegasus（珀加索斯）变来的形容词。珀加索斯是古希腊神话中有翅膀的飞马。

4 Ladas（拉达斯），斯巴达人，以善跑闻名，在公元前 5 世纪的奥林匹克运动会获胜后猝死。

5 Perseus（珀尔修斯），古希腊神话中的英雄，杀死了蛇发女妖梅杜萨（Medusa），拯救了埃塞俄比亚公主安德洛墨达（Andromeda）。仙女曾赠给他一双会飞的鞋。

6 Rhesi，Rhesus（瑞索斯）的属格。瑞索斯是色雷斯王子，他有两匹雪白的马，神谕说如果它们吃了特洛伊原野上的草，特洛伊城就永远不能攻下来。但奥德修斯和同伴劫走了这两匹马。

7 Cameri，Camerius（卡梅里乌斯）的呼格。

## LIX[1]

Bononiensis[2] Rufa Rufulum[3] fellat[4],
Uxor Meneni[5], saepe quam in sepulcretis
Vidistis ipso rapere de rogo[6] cenam,
Cum devolutum ex igne prosequens panem
5  Ab semiraso[7] tunderetur[8] ustore.

---

1 本诗格律是 limping iambics。这首诗攻击了一位名叫 Rufa（鲁莰，身份不详）的女人。

2 Bononisensis，从 Bononia（波诺尼亚，今意大利 Bologna）变来，意为"波诺尼亚人"。

3 Rufulum，主格 Rufulus（鲁弗卢斯），Rufus（鲁弗斯）的小词（diminutive）形式。关于鲁弗斯，身份不详。小词形式这里表示轻蔑。

4 fellat（不定式 fellare），指为男性舔性器的行为。

## 五十九

波诺尼亚的鲁茋常用嘴侍候鲁弗卢斯，
她是梅奈尼乌斯之妻，你们在墓地
一定经常见到她在死人的柴堆上觅食，
当她追逐着从火中滚落而下的面包时，
5   胡须匝匝的烧尸工又把她扑倒在地。

---

5 Meneni，Menenius（梅奈尼乌斯）的属格。

6 rogo（主格 rogus），指火葬用的柴堆。在古罗马，按照风俗，人们一般会在柴堆上放
一些食物，和尸体一起烧掉。

7 semiraso，原形是 semirasus，字面意思是"刮了一半胡子/剃掉一半头发"，可能指不
修边幅，也可能指他是逃亡后被抓回的奴隶（剃掉半边脑袋的头发是通行的惩罚）。

## LX[1]

Num te leaena montibus Libystinis[2]
Aut Scylla[3] latrans infima inguinum parte
Tam mente dura procreavit ac taetra,
Ut supplicis vocem in novissimo casu[4]
5　　Contemptam haberes, ah nimis fero corde?

---

1 本诗格律是 limping iambics。这首诗表达了被抛弃的情人/朋友的愤懑，具体背景已不可考，但它显然沿袭了古希腊文学中的传统。Christopher（2003）指出，称铁石心肠的人是野兽或怪物所生，是西方文学一个古老的传统。荷马（*Iliad* 16.31-5）、埃斯库罗斯（*Ag.* 1232）、欧里庇得斯（*Med.* 1342-3）的作品中都有与本诗类似的诗句。Christopher 认为，卡图卢斯故意抽掉了具体人物和事件的指涉，是因为他意识到了这种经验的普遍性，并借这首诗表明，文学和生活是两个彼此独立的领域（参考第 16 首），文学可以通过一些传统的表达程式唤起读者对生活的联想，自身却保持与生活现实的距离。

# 六十

　　难道是游荡在利比亚山间的母狮，
　　或下身发出犬吠的斯库拉造了你，
　　给了你一颗如此冷酷可憎的心？
　　你竟会对危难中向你哀求的声音
5　置之不理，啊，你真的过于残忍！

---

2 Libystinis（原形 Libystinus），形容词，从 Libya（利比亚）变来。

3 Scylla（斯库拉），《奥德赛》中的女性怪物，叫声仿佛小狗。卢克莱修将她描绘成下身缠绕了一圈疯狗的样子，这一形象被卡图卢斯、维吉尔、普洛佩提乌斯和奥维德吸收进作品里。

4 多数学者认为 novissimo（原形 novissimus）在这里的意思是"最极端的"，Christopher 却认为，应当理解为它最常见的意思，即"（时间上）最近的"。卡图卢斯指责情人/朋友一再对自己的声音置之不理。

## LXI[1]

Collis o Heliconii[2]
Cultor, Uraniae[3] genus,
Qui rapis teneram ad virum
virginem, o Hymenaee Hymen,
5　O Hymen Hymenaee[4],

Cinge tempora floribus
Suave olentis amaraci,
Flammeum[5] cape, laetus huc
Huc veni, niveo gerens
10　Luteum pede soccum,

Excitusque hilari die
Nuptialia concinens
Voce carmina tinnula,
Pelle humum pedibus, manu
15　Pineam quate taedam.

---

1 本诗格律是 glyconic and pherecratean 诗节。第 61-68 首是卡图卢斯《歌集》的长诗部分。这首诗是一首婚歌（epithalamium），全面地呈现了古罗马婚礼的风貌，具有很高的文学和民俗学价值，对后世同类诗歌影响很大。

2 第 1-35 行，呼告和赞美婚神许门（Hymen）。Heliconii（原形 Heliconius），从 Helicon（赫利孔山）变来的形容词，九位缪斯神居住的圣山。

3 Uraniae，Urania（乌拉尼娅，掌管天文的缪斯神）的属格。

# 六十一

住在赫利孔山的神啊，
乌拉尼娅的儿子，你将
娇嫩的处女劫到新郎怀里，
许墨奈伊啊，许门，
5 许门啊，许墨奈伊，

在你的鬓角缠上芳香的
墨角兰，蒙上橘红的面纱，
满心喜悦地到这里来，
到这里来，雪白的足
10 踏着你橘红色的鞋，

被这快乐的日子唤醒，
你洪亮的嗓音唱起了
祝福的婚曲，用你的足
踩出节拍吧，用你的手
15 挥舞松木的火炬。

---

4 婚神许门（Hymen，希腊文 Humen）又称许墨奈俄斯（Hymenaeus，希腊文 Humenaios），这里的 Hymenaee（许墨奈伊）是呼格。古罗马人常将这两个名字连用。o Hymenaee Hymen, o Hymen Hymenaee 是婚礼中固定的祈神说法。

5 Flammeum，指新娘蒙在脸上的面纱，因为颜色橘红，仿佛火焰（flamma）而得名，这里提到的墨角兰、面纱和橘红色的鞋都是古罗马新娘的传统装扮，婚神的装扮与新娘相同。

Namque Iunia Manlio[6],
Qualis Idalium[7] colens
Venit ad Phrygium Venus
Iudicem[8], bona cum bona
20   Nubet alite[9] virgo,

Floridis velut enitens
Myrtus Asia ramulis,
Quos hamadryades deae
Ludicrum sibi roscido
25   Nutriunt umore.

Quare age, huc aditum ferens
Perge linquere Thespiae[10]
Rupis Aonios specus[11],
Nympha quos super irrigat
30   Frigerans Aganippe[12],

---

6 Iunia（尤尼娅），新娘的姓；Manlio（主格 Manlius，曼里乌斯），新郎的姓。这首诗的曼里乌斯可能是 L. Manlius Torquatus，曾于公元前 49 年任行政官（praetor）。

7 Idalium（伊达良），塞浦路斯的一座城市，是维纳斯的圣地之一。

8 Phrygium…iudicem（主格 Phrygius iudex，佛里吉亚的裁判），指帕里斯（Paris）王子，他是小亚细亚的佛里吉亚人，曾在诸女神的选美比赛中担任裁判，将最美之神的头衔给了维纳斯。

9 bona…alite（主格 bona ales），字面意思是"好鸟"，指飞鸟的兆象吉祥。以飞鸟占卜

飞鸟送吉兆，今天尤尼娅
就要做曼里乌斯的新娘。
她就像伊达良的维纳斯，
动人的容貌也能倾倒
20　裁判的帕里斯王子。

她像亚细亚的桃金娘，
摇曳的花枝闪闪发亮：
树神在上面缀满了露珠，
细心滋养它们，也给自己
25　带来轻松的欢愉。

所以神啊，赶快来吧，
快离开泰斯比埃的山崖、
奥尼亚的岩洞（阿伽尼佩
从上面浇灌着它们，
30　用她清冽的泉水），

---

在古罗马很流行。

10 Thespiae...rupis（主格 Thespia rupis），字面意思是"泰斯比埃岩石"，指赫利孔山（因为泰斯比埃城位于赫利孔山脚）。

11 Aonios specus 指位于赫利孔山的奥尼亚（Aonia）地区的洞穴。在向神呼告时，列举他们经常出没的地方是一种程式。

12 Aganippe（阿伽尼佩）既指第 29 行提到的仙女（nympha），也指以她的名字命名的山泉。

173

Ac domum dominam voca
Coniugis cupidam novi,
Mentem amore revinciens
Ut tenax hedera huc et huc
35    Arborem implicat errans.

Vosque item simul, integrae[13]
Virgines, quibus advenit
Par dies, agite in modum
Dicite, "O Hymenaee Hymen,
40    O Hymen Hymenaee,"

Ut libentius, audiens
Se citarier[14] ad suum
Munus, huc aditum ferat
Dux bonae Veneris, boni
45    Coniugator amoris.

Quis deus magis anxiis[15]
Est petendus amantibus?
Quem colent homines magis
Caelitum? O Hymenaee Hymen,

---

13 第36-45行，对女傧相的催促。

14 citarier（=citari，"呼唤、催促"），这种较旧的不定式被动态形式赋予诗句一种历史

　　　　唤她入新家，那渴盼情郎的
　　　　女主人，用爱将她的心
　　　　紧紧缠绕，犹如常春藤
　　　　延伸到这里，那里，
35　　将它的树搂入怀中。

　　　　还有你们，纯洁的少女，
　　　　同样的一天也会为你们来临，
　　　　和我一起说吧，合着拍子，
　　　　　"许墨奈伊啊，许门，
40　　许门啊，许墨奈伊"，

　　　　这样，神听见我们唤他
　　　　履行职司的声音，
　　　　就能更欣悦地前来，
　　　　美善的维纳斯的使者，
45　　美好姻缘的良媒。

　　　　在恋爱中煎熬的情人
　　　　除了你，向哪位神吁求？
　　　　天上谁受人的敬拜超过你？
　　　　许墨奈伊啊，许门，

---

感和怀旧感。

15　第46-75行，对婚神大能的颂赞。

50    O Hymen Hymenaee.

Te suis[16] tremulus parens
Invocat, tibi virgines
Zonula soluunt sinus[17],
Te timens cupida novos[18]
55    Captat aure maritus.

Tu fero iuveni in manus
Floridam ipse puellulam
Dedis a gremio suae
Matris[19], o Hymenaee Hymen,
60    O Hymen Hymenaee.

Nil potest sine te Venus
Fama quod bona comprobet
Commodi capere: at potest
Te volente. Quis huic deo
65    Compararier[20] ausit?

Nulla quit sine te domus
Liberos dare, nec parens

---

16 suis，suus 的复数与格，这里指"为他们的（孩子）"。

17 soluunt（"解开"）是 solvunt 较旧的形式。zonula…sinus 在古罗马指女孩缠在胸部支撑乳房的带子，解开带子意味着结束处女状态。

50　　许门啊，许墨奈伊。

　　　颤抖的父母为孩子祷告，
　　　是奉你的名，处女们
　　　解开胸带，是为你的缘故，
　　　忐忑的新郎急切地聆听，
55　　也是等待你的脚步。

　　　是你把蓓蕾初开的姑娘
　　　从母亲的怀中，交到
　　　鲁莽的年轻人手里。
　　　许墨奈伊啊，许门，
60　　许门啊，许墨奈伊。

　　　没有你，维纳斯就无法
　　　撷取美好名声所许可的
　　　任何果实：但如果你愿意，
　　　她就能够。有哪位神
65　　敢与你婚神相比？

　　　没有你，任何家庭都不能
　　　繁衍兴盛，父母也没儿女

---

18 novos，novus 较旧的形式。

19 出嫁女儿和母亲的别离是婚礼中最令人伤感的部分。

20 compararier（=comparari，"比较"），较旧的不定式被动形式。

Stirpe nitier[21]: ac potest
Te volente. Quis huic deo
70    Compararier ausit?

Quae tuis careat sacris,
Non queat dare praesides
Terra finibus: at queat
Te volente. Quis huic deo
75    Compararier ausit?

Claustra pandite ianuae[22],
Virgo adest. Viden ut faces
Splendidas quatiunt comas?
[At moraris in intimis[23]
80    Aedibus, nova nupta.

Iam adest maritus pia
Prosequens prece ne diu]
Tardet ingenuus pudor:
Quem tamen magis audiens
85    Flet quod ire necesse est.

---

21 nitier（=niti，"依靠"），较旧的不定式被动形式。

22 第 76-120 行（关于行数问题，参考注释 23 和 26），催促新娘出门去新郎家。

23 第 79-82 行原文缺失，这里是按 Owen（1893）版补充的。Owen 和 Merrill（1893）

　　　可以依靠：但如果你愿意，
　　　他们就能够。哪位神
70　敢与你婚神相比？

　　　如果不敬拜你，任何土地
　　　都无法生养保卫边界的
　　　战士：但如果你愿意，
　　　它们就能够。哪位神
75　敢与你婚神相比？

　　　移去门闩，把门敞开，
　　　新娘就在那里。你没看到
　　　火炬怎样甩动明亮的头发？
　　　可你还在深幽的房间里
80　耽搁，出嫁的新娘啊。

　　　新郎已经到了，他在
　　　虔诚地请求，求她别因
　　　天生的羞涩而迟疑不决：
　　　她更愿听它的召唤，却只能
85　哭泣，为必需的离别。

---

将缺失的行数也算在这首诗的总行数之内，但多数学者都不这样处理，而把这里的 83
行算作第 79 行，这样在引用此诗第 83-111 行时，通行的做法是将行数减 4，也就是 79-107
行。

Flere desine. Non tibi Au-
Runculeia[24] periculum est
Ne qua femina pulcrior
Clarum ab Oceano diem
90    Viderit venientem.

Talis in vario solet
Divitis domini hortulo
Stare flos hyacinthinus.
Sed moraris, abit dies:
95    Prodeas, nova nupta.

Prodeas, nova nupta, si
Iam videtur, et audias
Nostra verba. Vide ut faces
Aureas quatiunt comas:
100    Prodeas, nova nupta.

Non tuus levis in mala
Deditus vir adultera
Probra turpia persequens
A tuis teneris volet
105    Secubare papillis[25],

---

24 Aurunculeia（奥伦库雷娅），呼格。奥伦库雷娅和尤尼娅一样，也是新娘的姓，可能是她母亲家族的姓。

　　　　别哭泣，奥伦库雷娅，
　　　　你不用担心，不会有
　　　　比你更美的姑娘
　　　　见过从大海里升起的
90　　明亮夺目的晨光。

　　　　你就像风信子，虽然
　　　　富豪的园圃中繁花似锦，
　　　　你却最能吸引目光。
　　　　可是别耽搁，时间飞逝：
95　　快出来吧，新娘。

　　　　出来吧，新娘，如果你
　　　　愿意，请听我们的恳求。
　　　　你没看到火炬怎样甩动
　　　　它们金黄的头发？
100　快出来吧，新娘。

　　　　你的新郎不轻浮，
　　　　不会走那淫邪的路，
　　　　追逐令人羞耻的快乐，
　　　　你这双娇嫩的乳房
105　他绝不会抛舍。

---

25 secubare，cubare 是"睡觉"的意思，前缀 se-和第 104 行的介词 a 一起表示离开新娘身边。papillis（原形 papilla）常指乳头，这里指乳房。

Lenta sed velut adsitas
Vitis implicat arbores,
Implicabitur in tuum
Complexum. Sed abit dies:
110　Prodeas, nova nupta.

O cubile, quod omnibus
\* \* \* \* \* \* \*[26]
\* \* \* \* \* \* \*
\* \* \* \* \* \* \*
115　Candido pede lecti,

Quae tuo veniunt ero[27],
Quanta gaudia, quae vaga
Nocte, quae medio die
Gaudeat! Sed abit dies:
120　Prodeas, nova nupta.

Tollite, o pueri, faces[28]:
Flammeum video venire.
Ite concinite in modum
"O Hymen Hymenaee io,

---

26 第 112-114 行原文缺失。Owen 版和 Merrill 版中这 3 行都记入诗歌的行数，但在多数版本中，第 115-235 行都标为 108-228 行。

相反，就像葡萄藤
会缠住种在旁边的树，
你的拥抱也会将新郎
缠绕。可是时间飞逝：

110　快出来吧，新娘。

啊，床，所有人
＊＊＊＊＊＊＊＊
＊＊＊＊＊＊＊＊
＊＊＊＊＊＊＊＊

115　白色的床脚，

啊，怎样的快乐等着
你的新郎，在短暂的夜，
在明亮的白昼，他会怎样
欣喜！可是时间飞逝：

120　快出来吧，新娘。

男孩们，举起火炬：
我已经看见新娘的面纱。
一起唱吧，合着拍子：
"许墨奈伊啊，许门，

---

27 tuo ero（主格 tuus erus，"你的主人"），指新郎（古罗马是一个男权社会）。

28　第 121-165 行，新娘出门，随送亲队伍去新郎家。

125 O Hymen Hymenaee."

Ne diu taceat procax
Fescennina iocatio[29],
Nec nuces pueris neget
Desertum domini audiens
130 Concubinus[30] amorem.

Da nuces pueris, iners
Concubine: satis diu
Lusisti nucibus: lubet
Iam servire Talasio[31].
135 Concubine, nuces da.

Sordebant tibi villicae[32],
Concubine, hodie atque heri:
Nunc tuum cinerarius
Tondet os. Miser ah miser
140 Concubine, nuces da.

---

29 Fecennina iocatio 指婚礼上的黄色笑话，可能因为源于 Fescennium 地区而得名，也可能与 fascinum（"邪恶眼睛"）有关。古罗马人相信，粗俗的笑话可以将处于幸福状态的人拉回普通状态，从而避免"邪恶眼睛"的嫉妒和伤害。

30 concubinus，字面意思是"一起睡觉的男性"。古罗马男子在婚前有养娈童的习俗，但婚后从道德上说则不再许可，所以这里卡图卢斯说娈童"将要失宠"。

125　许门啊，许墨奈伊。"

　　别让猥亵的笑话中间
　　有长久的冷场，也别让
　　主人的娈童因为从此
　　将要失宠，不肯把坚果
130　发给周围的孩子。

　　懒惰的娈童，把坚果
　　分给孩子们：这些果子
　　你玩得够久啦。此刻
　　你必须为婚礼帮忙。
135　娈童，快发坚果。

　　今天和昨天，娈童，
　　你还瞧不上那些农妇：
　　现在理发师却要剃光
　　你的胡子。可怜啊可怜，
140　快发坚果，娈童。

---

31 Talasio，古罗马送亲队伍在去新郎家的路上，要呼喊 Talasio（原形 Talasius，可能是某个罗马男子的名字），起源已不可考，参考李维《罗马史》（I.9.12）。

32 villicae（原形 villica），原指 villicus（"替人看管农场的人"）的妻子。Garrison（1989）认为，这里指的是趁丈夫不在与人偷情的农妇。娈童在以前受男主人宠爱时，不屑与她们有染。现在年龄太大（需要剃胡子了），不再受宠，因而失去了在她们面前的优越感。

Diceris male te a tuis
Unguentate glabris[33] marite
Abstinere: sed abstine.
O Hymen Hymenaee io[34],
145　O Hymen Hymenaee.

Scimus haec tibi quae licent
Sola cognita: sed marito
Ista non eadem licent.
O Hymen Hymenaee io,
150　O Hymen Hymenaee.

Nupta, tu quoque quae tuus
Vir petet cave ne neges,
Ni petitum aliunde eat.
O Hymen Hymenaee io,
155　O Hymen Hymenaee.

En tibi domus ut potens
Et beata viri tui:
Quae tibi sine serviat
(O Hymen Hymenaee io,
160　O Hymen Hymenaee)

---

33 glabris（原形 glaber），"没有毛，光滑"，因娈童一般是十来岁的男孩。

抹上香膏的新郎，听说你
难以舍弃皮肤光滑的
娈童们：可你必须舍弃。
许墨奈伊啊，许门，
145　许门啊，许墨奈伊。


我们知道，你只体验过
这些未被禁止的快乐，
但结了婚就不再可以。
许墨奈伊啊，许门，
150　许门啊，许墨奈伊。


还有你，新娘，一定不要
拒绝你丈夫的欲求，
以免他在别处寻求甜蜜。
许墨奈伊啊，许门，
155　许门啊，许墨奈伊。


看，这就是你丈夫的家，
多么富丽，多么喜庆：
请允许它做你的仆役
　（许墨奈伊啊，许门，
160　许门啊，许墨奈伊），

---

34 io，叹词，在仪式中常表示欢庆。

Usque dum tremulum movens
Cana tempus anilitas[35]
Omnia omnibus annuit.
O Hymen Hymenaee io,
165   O Hymen Hymenaee.

Transfer omine cum bono[36]
Limen aureolos[37] pedes,
Rasilemque subi forem.
O Hymen Hymenaee io,
170   O Hymen Hymenaee.

Aspice intus ut accubans
Vir tuus Tyrio[38] in toro
Totus immineat tibi.
O Hymen Hymenaee io,
175   O Hymen Hymenaee.

Illi non minus ac tibi
Pectore uritur intimo
Flamma, sed penite magis.
O Hymen Hymenaee io,

---

35 anilitas，专指女性的老年。

36 第 166-235 行，正式的婚歌，新娘进入新家，宾客庆祝婚礼，祝愿新人享受爱情，早日生育。

直到白发苍苍的老年，
你颤巍巍地点头，和大家
一起称许每一件物事。
许墨奈伊啊，许门，
165　许门啊，许墨奈伊。

伴着吉祥的征兆，抬起你
金色的小脚，跨过门槛，
从鲜亮的门扉间进去。
许墨奈伊啊，许门，
170　许门啊，许墨奈伊。

往里看，你的新郎躺在
挂着紫色帷幕的床上，
多么急切地望着你。
许墨奈伊啊，许门，
175　许门啊，许墨奈伊。

他的内心深处，也有
和你一样炽烈的火焰
燃烧，可是你，再往里。
许墨奈伊啊，许门，

37 aureolos（原形 aureolus），aureus（"金色的"）的小词（diminutive）形式，描绘新娘脚的小巧。
38 Tyrio…toro（主格 Tyrius torus），饰有紫色帷幕的床。

180    O Hymen Hymenaee.

    Mitte brachiolum teres,
    Praetextate[39], puellulae[40],
    Iam cubile adeat viri.
    O Hymen Hymenaee io,
185    O Hymen Hymenaee.

    Vos bonae senibus viris
    Cognitae bene feminae,
    Collocate puellulam.
    O Hymen Hymenaee io,
190    O Hymen Hymenaee.

    Iam licet venias, marite:
    Uxor in thalamo[41] tibi est,
    Ore floridulo nitens,
    Alba parthenice velut
195    Luteumve papaver.

    At, marite, (ita me iuvent
    Caelites) nihilo minus
    Pulcher es, neque te Venus

---

39 praetextate，praetextus（"穿带有紫色镶边托加袍的人"，指少年）的呼格，这里指三位陪伴新娘的小男孩中的一位，由他带领新娘进入洞房，将她交给布置婚床的已婚妇女。

180　许门啊，许墨奈伊。

　　小男孩，松开小新娘
　　柔嫩的手臂，时辰到了，
　　她要到新郎的床上休息。
　　许墨奈伊啊，许门，
185　许门啊，许墨奈伊。

　　和丈夫白头偕老的
　　淳朴妇人们，让新娘
　　躺下，将她悉心安置。
　　许墨奈伊啊，许门，
190　许门啊，许墨奈伊。

　　现在你可以来了，新郎：
　　你的妻子已等在洞房里，
　　娇美的脸泛着光泽，
　　仿佛白色的雏菊，
195　又像橘红的罂粟朵。

　　可是你，新郎，（诸神
　　保佑我，）你的容貌
　　丝毫不逊于她，维纳斯

---

40 puellulae（主格 puellula），puella（"姑娘"）的小词形式，指新娘。

41 thalamo（主格 thalamus），"洞房"，所以婚歌称为 epithalamium（"在洞房旁边唱的歌"）。

      Neglegit. Sed abit dies:
200    Perge, ne remorare.

      Non diu remoratus es:
      Iam venis. Bona te Venus
      Iuverit, quoniam palam
      Quod cupis cupis et bonum
205    Non abscondis amorem.

      Ille pulveris Africi
      Siderumque micantium
      Subducat numerum prius[42],
      Qui vestri numerare volt
210    Multa milia ludi[43].

      Ludite ut lubet, et brevi
      Liberos date. Non decet
      Tam vetus sine liberis
      Nomen esse, sed indidem
215    Semper ingenerari.

      Torquatus[44] volo parvulus
      Matris e gremio suae

---

42 这里形容"多"的比喻与第 7 首相同。

43 ludi（原形 ludus），"游戏"，这里明显指性爱的花样。

也没忽略你。可是时间飞逝：
200　开始吧，别再迟疑。

你没再迟疑，你已经
来了。愿美善的维纳斯
赐福于你，因你的欲望
是坦荡的，你也未曾
205　将自己诚实的爱隐藏。

你们的性爱游戏
变化无穷，谁若想数清，
就让他先去数尽
阿非利加的沙粒
210　和天上闪烁的繁星。

尽情地游戏吧，赶快
育出子女。如此古老的
姓氏不应没有后代，
而应像恒久的山泉
215　活水源源而来。

我愿见到一位小小的
托尔夸图斯，从母亲怀中

---

44 Torquatus（托尔夸图斯）也是新郎 Manlius（氏族姓）的姓（家族姓），其先祖 T. Manlius 因曾单独杀死一位高卢巨人，抢来他的项链（torques）而获得此绰号。

Porrigens teneras manus
Dulce rideat ad patrem
220　Semihiante labello.

Sit suo similis patri
Manlio et facile insciis
Noscitetur ab omnibus
Et pudicitiam suae
225　Matris indicet ore[45].

Talis illius a bona
Matre laus genus approbet
Qualis unica ab optima
Matre Telemacho[46] manet
230　Fama Penelopeo[47].

Claudite ostia, virgines:
Lusimus satis. At, boni
Coniuges, bene vivite et
Munere[48] assiduo valentem
235　Exercete iuventam.

---

45 ore（主格 os，"嘴"或者"脸"），学者们通常认为此处指小托尔卡图斯的面部特征，但 Harrison（1996）认为，如果是这样，意思显然与 221-223 行重复。他提出，ore 最好理解为嘴，引申为口才。西塞罗很敬重 L. Manlius Torquatus，并曾提到其演说的庄重优雅，所以卡图卢斯此处可能是祝愿 Torquatus 的儿子能继承父亲的口才。

伸出稚嫩的手臂，
半启双唇，甜美的笑
220　向他的父亲漾起。

愿他长得像曼里乌斯，
所有初次见他的人
都能轻易地辨认，
愿他滔滔不绝的口才
225　见证母亲的忠贞。

愿人们对他的赞颂
映射纯洁母亲的血统，
就如同最好的母亲
珀涅罗珀为特雷马科斯
230　赢得了永久的声名。

关上大门，少女们：
我们已经尽兴。可是你们，
善良的新人，幸福地生活吧，
履行你们的义务，享受
235　丰盛的青春年华。

---

46 Telemacho（原形 Telemachus），特雷马科斯，奥德修斯的儿子。

47 Penelopeo（原形 Penelopeus），形容词，从 Penelope（珀涅罗珀）变来，珀涅罗珀是奥德修斯的妻子，常被视为忠贞的典型。

48 munere（主格 munus），在古罗马，婚内性行为首先是一种繁衍后代的义务。

## LXII[1]

Vesper[2] adest: iuvenes, consurgite: Vesper Olympo[3]
Exspectata diu vix tandem lumina tollit.
Surgere iam tempus, iam pinguis linquere mensas;
Iam veniet virgo, iam dicetur hymenaeus.
5    Hymen o Hymenaee, Hymen ades o Hymenaee.

Cernitis, innuptae[4], iuvenes? Consurgite contra:
Nimirum Oetaeos[5] ostendit Noctifer[6] ignes.
Sic certe est: viden ut perniciter exsiluere?
Non temere exsiluere; canent quod vincere par est.
10    Hymen o Hymenaee, Hymen ades o Hymenaee.

Non facilis nobis, aequales, palma parata est: [7]
Aspicite, innuptae secum ut meditata requirunt.
Non frustra meditantur: habent memorabile quod sit.
Nec mirum, penitus quae tota mente laborant.
15    Nos alio mentes, alio divisimus aures:

---

1 本诗格律是扬抑格六音步。这首诗也是婚歌，但风格和写作手法与第 61 首明显不一样。它的一些措辞受到了萨福婚歌的影响，对歌的结构方式和叠句有忒奥克里托斯（Theocritus）的影子，总的来说有更多的希腊风味。但 Maas（1916）提出，不应过分强调萨福的影响，事实上这首诗在古希腊罗马文学中自成一体。Wilamowitz（1924）提出，这首诗带有理想的虚构色彩，没有明显的地域标志，也与任何具体的婚礼无关。
2 Vesper（"晚星"，即金星）。第 1-5 行由一群男孩唱。整首诗都以男孩和女孩对唱的形

## 六十二

晚星已升起，小伙们，起身吧：奥林匹斯山上
晚星终于升起来了，射出我们期待已久的光。
时辰到了，快起身，快离开摆满佳肴的桌子。
新娘就要来了，许墨奈俄斯的歌声就要响起。
5　许门，许墨奈伊，来吧，许门，许墨奈伊。

姑娘们，看见小伙们了吗？你们也赶快起身：
晚星已经向我们展现出来自埃塔山的火焰。
这至少是真的：你看他们多么迅疾地站了起来！
他们站起来是要唱歌，让我们和他们一起比赛。
10　许门，许墨奈伊，来吧，许门，许墨奈伊。

伙伴们，我们要取走胜利的棕榈并不容易：
看啊，姑娘们正在记忆里搜寻学过的东西。
她们的努力没白费，她们的表演令人佩服，
这毫不奇怪，既然她们都如此全神贯注。
15　我们却分了身，一边用脑子，一边用耳朵，

式写成，分别表达了男女双方对婚姻的看法。
3 Fraenkel（1955）指出，在古希腊罗马文学中，奥林匹斯山常常代表天。
4 innuptae，指未婚的少女。第 6-10 行由她们唱。
5 Oetaeos（原形 Oetaeus），由 Oeta（埃塔山）变来。Oetaeus 常用来形容晚星。
6 Noctifer，字面意思是"带来夜的东西"，指晚星。
7 第 11-19 行由男孩们唱。

Iure igitur vincemur; amat victoria curam.

Quare nunc animos saltem convertite vestros:

Dicere iam incipient, iam respondere decebit.

Hymen o Hymenaee, Hymen ades o Hymenaee.

20    Hespere, quis caelo fertur crudelior ignis?[8]

Qui natam possis complexu avellere matris,

Complexu matris retinentem avellere natam,

Et iuveni ardenti castam donare puellam.

Quid faciunt hostes capta crudelius urbe?

25    Hymen o Hymenaee, Hymen ades o Hymenaee.

Hespere, quis caelo lucet iucundior ignis?[9]

Qui desponsa tua firmes conubia flamma,

Quae pepigere viri, pepigerunt ante parentes,

Nec iunxere prius quam se tuus extulit ardor.

30    Quid datur a divis felici optatius hora?

Hymen o Hymenaee, Hymen ades o Hymenaee.

Hesperus e nobis, aequales, abstulit unam[10].

＊ ＊ ＊ ＊ ＊ ＊ ＊ ＊

Namque tuo adventu vigilat custodia semper[11].

---

8 第 20-25 行由女孩们唱。

9 第 26-31 行由男孩们唱。

如果输也是应当的，胜利需要辛勤的求索。
所以，快收回你们的思绪，别再心猿意马：
她们已经开始唱了，我们必须立刻回答。
许门，许墨奈伊，来吧，许门，许墨奈伊。

20    晚星啊，苍穹里运行的火有谁比你更残酷？
你竟忍心从母亲的怀抱中劫走她的爱女，
虽然可怜的女儿与母亲如此难舍难分，
又把贞洁的姑娘送给被情欲灼烧的年轻人。
攻陷城市的敌人可曾做过比这更残酷的事？

25    许门，许墨奈伊，来吧，许门，许墨奈伊。

晚星啊，苍穹里闪烁的火有谁让人更欢愉？
你的火焰让婚约变得圆满，虽然双方的父母
早已承诺，未婚夫也已承诺，但如果你不曾
举起火焰，新人们就无法结合成新的生命。

30    神的礼物中，可曾有比这良辰更幸福的东西？
许门，许墨奈伊，来吧，许门，许墨奈伊。

伙伴们，晚星已经夺走了我们中的一位。
＊＊＊＊＊＊＊＊

因为你出现的时候，守卫就要开始巡视。

10 第32行和33行之间有几行诗缺失，由女孩们唱，"夺走的一位"指新娘。
11 第33-38行由男孩们唱。

Nocte latent fures, quos idem saepe revertens,
35    Hespere, mutato comprendis nomine Eous[12]
At libet innuptis ficto te carpere questu.
Quid tum, si carpunt, tacita quem mente requirunt?
Hymen o Hymenaee, Hymen ades o Hymenaee.

Ut flos in saeptis secretus nascitur hortis[13],
40    Ignotus pecori, nullo convolsus aratro,
Quem mulcent aurae, firmat sol, educat imber,
Multi illum pueri, multae optavere puellae;
Idem cum tenui carptus defloruit ungui,
Nulli illum pueri, nullae optavere puellae:
45    Sic virgo, dum intacta manet, dum cara suis est[14];
Cum castum amisit polluto corpore florem,
Nec pueris iucunda manet, nec cara puellis.
Hymen o Hymenaee, Hymen ades o Hymenaee.

Ut vidua in nudo vitis quae nascitur arvo[15]
50    Numquam se extollit, numquam mitem educat uvam,
Sed tenerum prono deflectens pondere corpus
Iam iam contingit summum radice flagellum,
Hanc nulli agricolae, nulli coluere iuvenci;
At si forte eadem est ulmo coniuncta marito,

---

12 Eous（"晨星"，即金星），金星有时在傍晚升起，有时在早晨升起。

13 39-48 行由女孩们唱。

35　盗贼可以在夜里藏匿，可是晚星啊，你
　　常常会回来，抓住他们，这时的你叫晨星，
　　少女们总喜欢指责你，可是她们言不由衷，
　　抱怨有什么用，既然她们心里默默盼着你？
　　许门，许墨奈伊，来吧，许门，许墨奈伊。

　　就像一朵花，独自长在被篱笆隔开的花园里，
40　没有绵羊来碰它，也没有犁铧为它翻泥，
　　微风爱抚它，阳光温暖它，雨水滋润它，
　　许多男孩，许多女孩，都会爱恋这样的花；
　　可如果它被尖利的指甲掐了，凋落了，
　　就不会有男孩，不会有女孩，再喜欢它：
45　少女也一样，保持处子之身，家人就会珍爱；
　　一旦身体被玷污，贞洁的花朵枯败，
　　她就不再有男孩喜欢，不再有女孩痴迷。
　　许门，许墨奈伊，来吧，许门，许墨奈伊。

　　就像孤独的葡萄藤，生长在荒芜的田里，
50　永远无法攀高，永远无法结出成熟的果实，
　　只能让柔弱的躯体因重量弯折，下沉，
　　顶端的卷须几乎已碰到了地下的根，
　　不会有农夫，不会有耕牛，来看顾它；
　　同样是它，如果有幸和一株榆树成了家，

14 Ellis（1876）、Merrill（1893）等人认为，这里的 dum…dum 是简单的并列关系。
15 第 49-58 行由男孩们唱。

55     Multi illam agricolae, multi coluere iuvenci:
        Sic virgo dum intacta manet, dum inculta senescit;
        Cum par conubium maturo tempore adepta est,
        Cara viro magis et minus est invisa parenti.

        Et tu ne pugna cum tali coniuge, virgo[16].
60     Non aequum est pugnare, pater cui tradidit ipse,
        Ipse pater cum matre, quibus parere necesse est.
        Virginitas non tota tua est, ex parte parentum est:
        Tertia pars patri, pars est data tertia matri,
        Tertia sola tua est. Noli pugnare duobus,
65     Qui genero suo iura simul cum dote dederunt[17].
        Hymen o Hymenaee, Hymen ades o Hymenaee.

---

16 第 59-66 行可能由男孩们唱，也可能是叙述者劝告新娘的话，因为前面男孩的合唱中，并未专门针对新娘一人。

55　　许多农夫，许多耕牛，都会把它看顾：
　　　少女也一样，保持处子之身，就会一直荒芜；
　　　可如果在合适的时候缔结合适的姻缘，
　　　就会更让男人珍爱，也不再让父亲厌烦。

　　　新娘啊，你也不要和这样的新郎争斗。
60　　和他争斗是不应当的，是你父亲亲手——
　　　是你父母一起——把你交给他的，你必须
　　　服从他。童贞不只属于你，也属于父母：
　　　父亲有三分之一，母亲有三分之一，
　　　只有三分之一归你。别与他们两人为敌，
65　　他们的权利已和嫁妆一起交到女婿手里。
　　　许门，许墨奈伊，来吧，许门，许墨奈伊。

---

17 这一节诗体现了古罗马男权社会的贞操观和婚姻观。值得注意的是，这里的劝服方式有法律语言的色彩。

LXIII[1]

Super alta vectus Attis celeri rate maria[2]

Phrygium[3] ut nemus citato[4] cupide pede tetigit

Adiitque opaca silvis redimita loca deae,

---

1 本诗格律是 galliambic，这种格律包含了较多的短音节，更适合古希腊语，但卡图卢斯在诗中非常成功地驾驭了它。galliambic 的诗行前半段以长音为主，后半段以短音为主，两部分之间有一个停顿，节奏急促，适合表现急剧变化的情节和激烈的情绪。这首诗讲述的是一个名叫阿蒂斯（Attis）的希腊男子在强烈的宗教狂热驱使下，离开故国，来到女神库柏勒（Cybele，参考第 35 首注释 9 和 12）所在的佛里吉亚（Phrygia）。为了追随女神，他阉割了自己，但清醒后又后悔了，想返回故乡。库柏勒放出狮子，把他逐回了自己的圣地，终生做自己的婢女。库柏勒崇拜在小亚细亚由来已久，并于公元前204 年传到了罗马城，那里也有她的神庙，祭司都是阉割的男子，称为 Galli。在最初的神话中，阿蒂斯是库柏勒的配偶，在后来的版本中，他只是女神的一个希腊情人，因为有不忠行为，阉割了自己，决心不再犯错。卡图卢斯把这个神话改造成了一个富有戏剧性和阐释潜能的故事。卡图卢斯在罗马城应当见过库柏勒的神庙，在比提尼亚行省（包含了佛里吉亚）任职期间，也应当见过当地的崇拜仪式，对库柏勒的题材产生了兴趣。此外，在泛希腊时期的亚历山大诗歌中，据说也有不少与库柏勒有关的诗，或许这能解释为什么新诗派诗人似乎都钟爱这个题材（第 35 首中凯奇利乌斯的作品就是写库柏勒的，第 95 首中钦纳的《斯密尔纳》也可能与库柏勒有关）。这首诗或许是卡图卢斯艺术成就最高的一首诗（虽然分量可能不如第 64 首），甚至是整个古罗马文学中最完美的一首诗。Merrill（1893）说，作品"紧张的力量和剧烈震荡的情感在拉丁文学中无与伦比"。Elder（1947）也称，这首诗具备了伟大作品的特征：深刻重要的主题，精湛的技艺，精确、富于感染力的表达。虽然 Wilamowitz（1879）和 Fordyce（1961）等人怀疑这首诗可能译自泛希腊时期的某篇作品，Quinn（1970）却断然地宣称：现存的所有希腊文

## 六十三

一叶轻舟载着阿蒂斯在茫茫深海上飞驰，
当他迅疾的足热切地踏入佛里吉亚的林子，
女神的地界，那里，在树木笼罩的幽暗中，

---

学作品中都没有与之相似的东西。这首诗精炼准确的措辞、生动的意象和充沛的气势早已被学者公认。Elder 意识到，作品中有大量词语的重复，而且重复的词语往往位于格律的同一位置，这既映射出一种疯狂的心理状态，也迫使读者一再返回诗歌的一些重要主题。Traill（1981）在 Schäfer（1966）的研究基础上，分析了这首诗的环形结构。A（1-11 行）：迷狂状态开始；B（12-26 行）：阿蒂斯鼓动同伴；C（27-37 行）：狂热中登上伊达山，疲惫入睡；D（39-43 行）：太阳驱散黑暗和睡眠；c（44-49 行）清醒后下山到海边；b（50-73 行）：阿蒂斯面向故国的哀叹；c（74-90 行）：重新回到迷狂状态。最后三行是卡图卢斯直接对库柏勒神的呼告。关于这首诗的主题，学者们探讨得更多。Sandy（1968）发现诗中有大量引发动物联想的意象，因此认为作品反映了狂热状态的非人效应。Forsyth（1970）认为，这首诗和第 64 首诗一样，都以婚姻为主题，阿蒂斯离开故国侍奉库柏勒女神从某种意义上也可看成婚姻，他和第 64 首中的阿里阿德涅一样，都是激情的牺牲品。Elder 觉得这首诗主要探索了人的两种极端心理状态：狂热的奉献与清醒后的幻灭。这首诗的核心情节——阉割——以及相伴而来的性别角色的变化吸引了不少学者的注意。Skinner（1993）从这首诗中读出了罗马共和国晚期身处内战漩涡中的男性的身份焦虑。Panoussi（2003）从诗中女性角色的建构和酒神狂女（Maenad）形象的塑造中看到了危及古罗马婚姻制度和性秩序的颠覆因素。

2 这行诗有图画效果，alta...maria（"深海"）将 Attis（阿蒂斯）和 celeri rate（"轻舟"）包围在中间。

3 Phrygium（原形 Phrygius），形容词，从 Phrygia（佛里吉亚，库柏勒圣地）变来。

4 Sandy 指出，citato（原形 citatus）一般用于形容动物。

Stimulatus[5] ibi furente rabie, vagus animis,

Devolsit ili acuto sibi pondera silice[6],

Itaque ut relicta sensit sibi membra sine viro,

Etiam recente terrae sola sanguine maculans

Niveis[7] citata[8] cepit manibus leve typanum[9],

Typanum tuum, Cybebe[10], tua, mater, initia,

10    Quatiensque terga tauri teneris cava digitis

Canere haec suis adorta est tremebunda comitibus.

"Agite ite ad alta, Gallae[11], Cybeles nemora simul,

Simul ite, Dindymenae dominae[12] vaga pecora[13],

---

5 stimulatus 也常用于形容动物。

6 这一行 ili 原文不明，这里依据的是 Merrill（1893）的版本。Currie（1996）认为，让 ili 充当 ile（"阴部"）的属格不符合拉丁语规则，因为 ile 是第三类名词，其单复数属格分别是 ilis 和 ilium；此外，补充 ili 没有必要，他引用 Lucilius（534-6）、Martial（7.35.3-4）、Petronius（92.9）等古罗马作家的例子说明，pondera（原意是"重量、重物"）单用就可以指男性生殖器。他提出用 ipse（"自己"）替换 ili 更为合理，也更有力量。而且他认为，第 5 行中的 pondera 理解成"重负"的原意比较好，此时阿蒂斯还未意识到阉割的后果，仅仅觉得男性身份是累赘。Wray（2001）指出，拉丁文中指睾丸，可以用 pondus（单数），而不能用 pondera（复数），另外，从风格上讲，拉丁文中所有表示睾丸的词在这里都不适合，因为整首诗的语汇都是高贵的古典风格。他认为，pondera 是织布的术语，指吊在经线上、控制经线位置的一对重物，当经线纺到织机顶端时，就需要将吊着一对重物的线剪断，让它们掉在地上。亚理士多德在《论动物繁殖》（787b-788a）中也曾将睾丸比作压经线的重物，并描绘了阉割后动物在第二性征方面的变化（与阿蒂斯的某些变化非常相似）。Wray 还指出，在古典文学中，织布是最重要、最典型的女性工作，因此借用这个比喻，卡图卢斯也让阿蒂斯作为男性的最后一个行为变成了作为女性

他顿时心思恍惚，一种狂野炽烈的冲动
5　　驱使他用锋利的燧石割掉了腿间的重负。
然后，当她感觉自己的肢体已将雄性祛除，
（片刻以前的血已染红地上的泥土，）
便迫不及待地用雪白的手拾起轻巧的鼓，
（你的手鼓，神母库柏勒，你的接纳仪式，）
10　　用柔嫩的手指敲击着鼓面空荡的牛皮。
浑身颤抖着，她开始对同伴们如此歌唱：
"快去，加拉们，快去库柏勒的树林游荡，
一起去吧，丁蒂姆斯山女主人迷途的羔羊，

---

的第一个行为。

7 niveis…manibus，"雪白的手"。阉割之后，雄性动物会出现雌性的某些第二性征。下文的 teneris digitis（"柔嫩的手指"）与此类似。

8 citata，citatus（"迅速"）的阴性形式。下文的 adorta、tremebunda（11 行）、vaga（31行）、comitata（32）等词也都是阴性。卡图卢斯用词语的性别变化反映阿蒂斯在阉割之后的性别变化，"他"变成了"她"。

9 typanum，"手鼓"，边缘缀有圆形金属片，库柏勒崇拜中常见的乐器。

10 Cybebe，Cybele（库柏勒）的另一种拼写。Typanum tuum, Cybebe 用的是 Garrison（1989）的版本，Merrill（1893）版作 Typanum, tubam Cybelles。

11 Gallae（加拉），库柏勒的祭司通常称 Gallus（加卢斯，复数 Galli），这里阿蒂斯用 Gallae 称呼他们，突出了他们的女性身份。

12 Dindymenae（原形 Dindymenu，从 Dindymus 变来） dominae，"丁蒂穆斯山的女主人"，指库柏勒，参考第 35 首注释 9。

13 pecora（原形 pecus，"羊"），这里阿蒂斯把同伴称为羊群，也间接反映出卡图卢斯对宗教狂热的批判态度。

Aliena quae petentes velut exules loca

15 Sectam meam exsecutae duce me mihi comites

Rapidum salum tulistis truculentaque pelagi

Et corpus evirastis[14] Veneris[15] nimio odio,

Hilarate erae citatis erroribus animum.

Mora tarda mente cedat; simul ite, sequimini

20 Phrygiam ad domum Cybeles, Phrygia ad nemora deae,

Ubi cymbalum sonat vox, ubi tympana reboant,

Tibicen ubi canit Phryx[16] curvo grave calamo,

Ubi capita Maenades[17] vi iaciunt hederigerae,

Ubi sacra sancta acutis ululatibus agitant,

25 Ubi suevit illa divae volitare vaga cohors,

Quo nos decet citatis celerare tripudiis[18]."

Simul haec comitibus Attis cecinit notha mulier[19],

Thiasus[20] repente linguis trepidantibus ululat,

Leve tympanum remugit, cava cymbala recrepant,

30 Viridem citus adit Idam[21] properante pede chorus.

Furibunda simul anhelans vaga vadit animam agens

---

14 evirastis（不定式 evirare），"去掉雄性特征"，即阉割。

15 Veneris（主格 Venus，维纳斯），阿蒂斯和许多信仰宗教的人一样，憎恶性行为（维纳斯是性爱的代名词），认为性行为与宗教虔诚不相容，这也解释了他阉割自己的原因。

16 tibicen（"吹芦笛的人"）…Phryx（Phrygia，佛里吉亚的形容词），包括芦笛在内的一些古希腊乐器是从小亚细亚的佛里吉亚传入的。

17 Maenades（原形 Maenas），指崇拜酒神狄俄尼索斯（也称巴克斯）的女人。酒神崇拜与库柏勒崇拜有许多相似之处，比如参加者只能是女性，仪式常在荒野举行，充满神

208

你们仿佛流亡者，追寻遥远的异国他乡，
15 你们一路与我为伴，追随我的理想，
你们忍受了湍急的险滩，狂暴的海浪，
你们还因为憎恶维纳斯，抛却了阳刚。
为了让女主人欢心，快到山林间游荡！
别再迟疑不决：跟着我，一起走吧，
20 去佛里吉亚的树林，库柏勒女神的家。
那里钹声铿锵，那里鼓声回响，那里
笛手用弯曲的芦管吹出深沉的旋律，
那里缠着常春藤的狂女猛烈地甩头，
那里尖利的叫声将神圣的仪式穿透，
25 那里女神流浪的崇拜者常来回奔逐，
我们应该赶紧去那里，跳着轻快的舞。"
一半是女人的阿蒂斯话音刚落，同伴
颤抖的舌头就突然发出了疯乱的叫喊，
轻盈的手鼓舞动，空洞的钹声喧哗，
30 他们齐唱着歌，朝青翠的伊达山进发。
阿蒂斯气喘吁吁，仿佛灵魂出了躯壳，

秘、狂欢和暴力色彩。这首诗中的许多描写都有酒神崇拜仪式的明显特征。Kraemer
（1979）认为，这类仪式体现了对城市和男性秩序的拒绝。
18 tripudiis（原形 tripudium），原指敬拜战神马尔斯的仪式中跳的一种"三步舞"，这里
借指宗教舞蹈。
19 notha mulier，字面意思是"假的女人"。
20 thiasus 指宗教仪式中一种疯狂的舞蹈，这里指跳这种舞蹈的人。
21 Idam（原形 Ida，伊达山），佛里吉亚附近的山脉。

Comitata tympano Attis per opaca nemora dux,
Veluti iuvenca vitans onus indomita iugi[22];
Rapidae ducem sequuntur Gallae properipedem.

35　Itaque, ut domum Cybebes tetigere lassulae,
Nimio e labore somnum capiunt sine Cerere[23].
Piger his labante languore oculos sopor operit:
Abit in quiete molli rabidus furor animi.
Sed ubi oris aurei Sol radiantibus oculis

40　Lustravit aethera album, sola dura, mare ferum,
Pepulitque noctis umbras vegetis sonipedibus,
Ibi Somnus[24] excitam Attin[25] fugiens citus abiit:
Trepidante eum recepit dea Pasithea[26] sinu.
Ita de quiete molli rapida sine rabie,

45　Simul ipsa pectore Attis sua facta recoluit,
Liquidaque mente vidit sine quis ubique foret,
Animo aestuante rusum reditum ad vada tetulit.
Ibi maria vasta visens lacrimantibus oculis
Patriam allocuta maesta est ita voce miseriter:

50　"Patria o mei creatrix, patria o mea genetrix,[27]
Ego quam miser relinquens, dominos ut erifugae
Famuli solent, ad Idae tetuli nemora pedem,

---

22 Shipton（1986）指出，这里母牛躲避轭的意象一方面模仿了酒神狂女最常见的甩头动作，也暗示追随库柏勒是一种桎梏和奴役。

23 Cerere（主格 Ceres，刻瑞斯），谷物女神，这里借指食物（尤其是面包）。

24 Somnus（索姆努斯），睡神。

伴着鼓声，领着大家没入林间的暮色，
犹如一头凶悍的母牛正躲开沉重的轭：
加拉们在后面飞奔，跟随捷足的引路者。

35　当他们到达库柏勒的家，已疲惫不堪，
旅途的劳顿与饥饿让他们沉入了睡眠。
倦怠的睡意落下来，蒙住了他们的双眼：
狂乱的情绪在恬静的休憩中渐渐消散。
可是当金面明眸的太阳用它的光芒洗净

40　清朗的天空、坚实的大地和狂野的海洋，
又用矫健英武的骏马驱走了夜的影子，
睡眠也从醒来的阿蒂斯身边迅速逃逸，
重新投入女神帕斯蒂娅颤抖的怀中。
在宁谧的休息后，不再有疯狂的冲动，

45　阿蒂斯回顾自己的所作所为，澄明之心
忽然看清自己失去了什么，此时又置身
何处，不禁心血激荡，重新冲回岸边。
她泪水涌满眼眶，在那里眺望茫茫海天，
凄惶黯然，用酸楚的声音向着故国倾诉：

50　"故土啊，生我的故土，养我的故土，
可怜的我就这样离开了你，就像奴隶
从主人家里逃走，来到伊达山的林地，

---

25 Attin，Attis（阿蒂斯）的宾格（按照古希腊语变化）。

26 Pasithea（帕斯提亚），睡神的妻子。

27 这段面向大海的哀叹所抒发的情感非常像古代远嫁他乡的新娘的感受。从这个角度
说，阿蒂斯在心理上也已经女性化了。

Ut apud nivem et ferarum gelida stabula forem

Et earum omnia adirem furibunda latibula,

55    Ubinam aut quibus locis te positam, patria, reor?

Cupit ipsa pupula ad te sibi derigere aciem,

Rabie fera carens dum breve tempus animus est.

Egone a mea remota haec ferar in nemora domo?

Patria, bonis, amicis, genitoribus abero?

60    Abero foro, palaestra, stadio et gyminasiis?[28]

Miser ah miser, querendum est etiam atque etiam, anime.

Quod enim genus figurae est, ego non quod obierim?

Ego mulier, ego adulescens, ego ephebus[29], ego puer,

Ego gymnasi fui flos, ego eram decus olei[30]:

65    Mihi ianuae frequentes, mihi limina tepida,

Mihi floridis corollis redimita domus erat,

Linquendum ubi esset orto mihi sole cubiculum.

Ego nunc deum[31] ministra et Cybeles famula ferar?

Ego Maenas[32], ego mei pars, ego vir sterilis ero?

70    Ego viridis algida Idae nive amicta loca colam?

Ego vitam agam sub altis Phrygiae[33] columinibus,

Ubi cerva silvicultrix, ubi aper nemorivagus?

Iam iam dolet quod egi, iam iamque paenitet."

---

28 这里所勾勒的是典型的古希腊的城市生活。

29 ephebus，希腊年轻人（一般在 18-20 岁之间）。

30 olei（主格 oleum，"油"），古希腊的运动员在锻炼后常在身上抹油，以让身体发出光泽。这里借指摔跤场。

　　却要栖身于雪域和野兽的冰冷洞穴间，
　　在狂乱的浪游中造访它们阴暗的家园，
55　故土啊，我究竟把你放在什么位置？
　　我眸子的锋芒多么不由自主地转向你！
　　只有此刻，我的心才暂时恢复了清明，
　　我，难道要从家乡奔向这遥远的森林？
　　难道要抛下故土、产业、挚友和爹娘？
60　抛下广场、摔跤场、赛马场和竞技场？
　　可怜、可怜的心，你只能一遍遍哀叹，
　　因为什么样的形象我不曾让自己承担？
　　我，一个女人，一个男孩，青春年少，
　　我曾是竞技场的明珠，摔跤场的骄傲：
65　我的大门宾客如织，厅堂盛宴如春，
　　我深幽的居所有多少美丽的花环映衬，
　　在太阳升起的时候，当我离开卧室！
　　现在，我是神的侍女，库柏勒的奴婢？
　　我是酒神狂女，残缺的、荒芜的男人？
70　我将在冰天雪地的伊达山森林里安身？
　　我将在佛里吉亚的层峦叠嶂之下度日，
　　与林间的鹿、灌木中的野猪共享领地？
　　我所做的，已经让我懊悔，让我痛苦。"

---

31 deum（＝deorum），deus（"神"）的复数属格。

32 Maenas，"酒神狂女"，参考注释 17。值得注意的是，阿蒂斯用这个词形容自己，确认了自己的女性和信徒的双重身份。

33 Phrygiae（Phrygia，佛里吉亚）的属格。

Roseis ut huic labellis sonitus citus abiit

75    Geminas deorum ad aures nova nuntia referens,

Ibi iuncta iuga resolvens Cybele leonibus

Laevumque pecoris hostem[34] stimulans ita loquitur.

"Agedum," inquit, "age ferox i, fac ut hunc[35] furor agitet,

Fac uti furoris ictu reditum in nemora ferat,

80    Mea libere nimis qui fugere imperia cupit.

Age caede terga cauda, tua verbera patere,

Fac cuncta mugienti fremitu loca retonent,

Rutilam ferox torosa cervice quate iubam."

Ait haec minax Cybebe religatque iuga manu.

85    Ferus ipse sese adhortans rapidum incitat animo,

Vadit, fremit, refringit virgulta pede vago.

At ubi umida albicantis loca litoris adiit

Teneramque[36] vidit Attin prope marmora pelagi,

Facit impetum: ille demens fugit in nemora fera:

90    Ibi semper omne vitae spatium famula fuit.

Dea, magna dea, Cybebe, dea domina Dindymi[37],

Procul a mea tuos sit furor omnis, era, domo:

Alios age incitatos, alios age rabidos.

---

34 pecoris hostem，"羊群的敌人"，指狮子，也呼应第 13 行 vaga pecora 的说法。

35 hunc，hic（"这个人"，"他"）的宾格。女神库柏勒仍用阳性代词称呼阿蒂斯，表明她认为他仍转变得不彻底。

当这些话从他玫瑰般的嘴唇间涌出，
75　把新的消息捎给了远处神的耳朵，
　　库柏勒立刻松开了狮群身上的轭，
　　用棍子戳着左边那个羊的敌人，说，
　　"快去，凶悍地冲过去，让他着魔，
　　让疯狂的情绪穿透他，逼他回树林。
80　他如此放肆，竟想逃离我的掌心。
　　用尾巴抽你的背，忍受自己的鞭刑，
　　让每个角落响彻你的哀号与呻吟，
　　晃动脖子，舞起鬃毛，像燃烧的火！"
　　库柏勒一边松开轭，一边发出威胁。
85　狮子唤起自己的勇气，猛冲到前面，
　　咆哮着，树枝在它奔驰的爪下崩断，
　　当它到达浪花飞卷的湿漉漉的崖岸，
　　看见温婉的阿蒂斯站在汹涌的海边，
　　立刻朝她扑过去，将她赶回了森林：
90　在那里，她一直到死都侍奉着女神。
　　伟大的库柏勒神，丁蒂姆斯山的主人，
　　求你千万让我的门庭远离你的疯狂：
　　求你让别人为你疯，让别人为你狂。

---

36 teneram（主格 tenera），表示"温柔、柔顺"的阴性形容词，这里形容阿蒂斯。

37 domina Dindymi，"丁蒂穆斯山的女主人"，指库柏勒。最后三行是卡图卢斯的感叹和对女神的祷告。

# LXIV[1]

## Peliaco[2] quondam prognatae vertice pinus

1 本诗格律是古希腊史诗的经典格律——扬抑格六音步。这是《歌集》中最长的一篇作品，代表了新诗派微型神话史诗（epyllion）的最高成就，在风格的高贵和主题的复杂上，它足以与传统的史诗匹敌，但在规模上要小许多，结构上更细腻精致。这首诗常被称为《佩琉斯和忒提斯的婚礼》，因为它表面上的主题是描绘神话中这场著名的婚礼。佩琉斯（Peleus）是参与阿尔戈号远征的一位希腊英雄。忒提斯（Thetis）是位海洋女神，大洋河神俄刻阿诺斯的外孙女，据说宙斯曾追求过她，她因为赫拉对自己有养育之恩，拒绝了宙斯。作为报复，宙斯命令她只能嫁给凡人。这段神人之缘的结晶就是大名鼎鼎的阿喀琉斯。这首诗的主线是佩琉斯和忒提斯的婚礼，但卡图卢斯却将它置于黄金时代终结的苍茫背景中，赋予其一种深沉的历史感。与此同时，占据诗歌主要位置的并不是婚礼，而是装饰婚床的绣毯上的一幅画的内容——阿里阿德涅（Ariadne）与忒修斯（Theseus），而在阿里阿德涅和忒修斯的故事中，又隐隐浮现着伊阿宋（Jason）和美狄亚（Medea）的故事。这首诗的结构和主题都异常复杂，可能是古罗马文学中最令人困惑的一首诗。Traill（1981）认为这首诗和第 63 首一样，也呈环形结构。A（1-21 行）：序曲；B（22-30 行）：赞辞；C（31-42 行）：凡间宾客到来；D（43-51 行）：绣毯的描绘；E（52-70 行）：阿里阿德涅在海滩；F（71-123 行）：回忆（忒修斯在克里特岛）；G（124-201 行）：阿里阿德涅的哀叹与诅咒；H（202-211 行）：朱庇特允诺阿里阿德涅的诅咒；g（212-237 行）：埃勾斯的哀叹与命令；f（238-248 行）：前瞻（忒修斯回到雅典）；e（249-264 行）：阿里阿德涅在海滩；d（265-266 行）：绣毯的描绘；c（267-302 行）：凡间宾客离开；b（303-381 行）：赞辞；a（382-408 行）：终曲。Warden（1998）提出，这首诗有两个内部结构平行的乐章组成。1-277 行为第一乐章，278-408 行为第二乐章。Weber 和（1974）许多研究者注意到，诗作中有明显的时空倒错的例子。卡图卢斯在开篇将阿尔戈号称为世界上的第一艘船，但在描写佩琉斯的婚床绣毯时，却提到"古代"

## 六十四

### 生长在佩里昂山顶上的松树，据说

（相对佩琉斯的时代而言）的忒修斯"乘船"远去。然而，根据古希腊神话的各种版本，忒修斯的故事都发生在阿尔戈号寻找金羊毛的远航之后。我觉得，与诗中其他因素综合起来考虑，卡图卢斯刻意创造的是一个杂糅的虚幻时空，正如阿里阿德涅也是一个杂糅的形象（既有忒提斯的影子，也有美狄亚的影子）。Laird（1993）发现，虽然在诗歌中描写图画的技法古已有之，卡图卢斯却罕见地让画中人物阿里阿德涅直接说话，而对画本身的物理面貌几乎没有着墨，似乎也是故意呈现文字世界的虚幻性。关于这首诗的主题，学者们众说纷纭。一个常见的观点是，阿里阿德涅的故事对诗歌对婚姻和爱情的表面称颂起到了反讽和颠覆作用。Knopp（1976）认为，在英雄时代的伦理中，阿里阿德涅和忒修斯的行为都没有错，诗歌反映的是爱与英雄行为之间的内在冲突。Harkins（1959）相信，这部作品是一篇自我寓言，是卡图卢斯以神话的方式抒发自己对莱斯比娅的感情。从这样的角度看，阿里阿德涅和忒修斯分别代表了卡图卢斯和莱斯比娅。Townend（1983）认为，诗歌真正的高潮并未以文字体现，根据传统，纷争神厄里斯（Eris）正是在这次婚宴上出现，并以不和的苹果诱发了诸神的纷争，揭开了特洛伊战争的序曲。Gaisser（1995）等学者则提出，这首诗的一个基本特点是多重声音和多重视角并存，其结构与意义都如同一座迷宫，没有任何一种解读不会受到来自文本内部的挑战。多重声音和视角既来自故事情节中的不同角色和叙述声音，也来自神话的不同版本、前人同类题材的多部作品之间的对话与冲撞。这首诗明显融合了荷马的《伊利亚特》、欧里庇得斯的《美狄亚》、阿波罗尼俄斯的《阿尔戈号的远航》和卡里马科斯的《赫卡勒》等作品的诸多因素。它也对后来的古罗马作家，尤其是维吉尔，有很大的启发。

2 第 1-21 行主要描绘了阿尔戈号出发的情景。以伊阿宋为首的五十位希腊英雄从科尔基斯出发寻找金羊毛的故事是古希腊神话中最著名的传说之一。Peliaco（原形 Peliacus），Pelion（佩里昂山，在科尔基斯附近）的形容词。

Dicuntur liquidas Neptuni[3] nasse per undas
Phasidos[4] ad fluctus et fines Aeeteos[5],
Cum lecti iuvenes, Argivae[6] robora pubis,

5 Auratam optantes Colchis[7] avertere pellem
Ausi sunt vada salsa cita decurrere puppi,
Caerula verrentes abiegnis aequora palmis.
Diva[8] quibus retinens in summis urbibus arces
Ipsa levi fecit volitantem flamine currum[9]

10 Pinea coniungens inflexae texta carinae.
Illa rudem cursu prima imbuit Amphitriten[10].
Quae simul ac rostro ventosum proscidit aequor
Tortaque remigio spumis incanuit unda,
Emersere freti candenti e gurgite vultus

15 Aequoreae monstrum Nereides[11] admirantes.
Illa, atque haud alia, viderunt luce marinas
Mortales oculis nudato corpore nymphas[12]
Nutricum tenus exstantes e gurgite cano.
Tum Thetidis[13] Peleus incensus fertur amore,

---

3 Neptun，Neptunus（海神尼普顿）的属格。

4 Phasidos，Phasis（帕西斯河，在科尔基斯境内）的属格。

5 Aeeteos（原形 Aeeteus），Aeetes（埃厄特斯）变来的形容词，埃厄特斯是科尔基斯的
国王，美狄亚的父亲。

6 Argivae（原形 Argivus），"属于希腊的"。

7 Colchis，科尔基斯，黑海东南的一座城市。

8 diva（"女神"），这里指雅典娜（即罗马神话中的密涅瓦）。

昔日曾遨游过尼普顿的透明水波，
进入帕西斯河和埃厄特斯王的国境，
当那些青年的翘楚，希腊的精英，
5 怀着从科尔基斯取走金羊毛的渴望，
乘着如飞的轻舟，勇敢地远渡重洋，
用枞木的桨叶扫过蔚蓝浩瀚的海水。
女神为他们在城市之巅守卫堡垒，
又将缠绕的松木与弯曲的龙骨接合，
10 亲手造了一辆可以御风飞驰的战车，
它用处女航开了安皮特里忒的眼界，
当船头在风中将汹涌的海面撕裂，
翻飞的桨叶卷起浪花如雪，一些脸庞
从闪烁的水波里浮出来，惊讶地凝望
15 眼前的奇景，那是涅柔斯的女儿们。
仅仅在那天的日光下，凡人才曾有幸
亲眼看见了传说中海洋仙女的模样，
她们站在明亮的波浪里，赤裸着乳房。
然后（据说）佩琉斯爱上了忒提斯，

9 卡图卢斯这里称（"据说"）阿尔戈号是维纳斯造的第一艘船。但后面出场的普罗米修斯据说也是船的发明者。

10 Amphitriten，Amphitrite（安皮特里忒）的宾格。海神尼普顿的妻子，这里借指海。

11 Nereides，原形 Nereis，古希腊神话中的水中仙女，原专指 Nereus（涅柔斯）的女儿。

12 nymphas，原形 nympha，古希腊神话中遍布自然界的仙女，语义比 Nereis 广。

13 Thetidis，Thetis（忒提斯）的属格。根据传统，忒提斯嫁给佩琉斯并非情愿，是宙斯（朱庇特）所迫，卡图卢斯并未遵循这一传统。

20  Tum Thetis humanos non despexit hymenaeos[14],
    Tum Thetidi pater ipse iugandum Pelea sensit[15].
    O nimis optato saeclorum tempore nati[16]
    Heroes[17], salvete, deum genus! O bona matrum

23b Progenies, salvete iter[um mihi formosarum!][18]
    Vos ego saepe, meo vos carmine compellabo,

25  Teque adeo eximie taedis felicibus aucte,
    Thessaliae[19] columen Peleu, cui Iuppiter ipse,
    Ipse suos divum genitor concessit amores.
    Tene Thetis tenuit pulcerrima Nereine?
    Tene suam Tethys[20] concessit ducere neptem

30  Oceanusque[21], mari totum qui amplectitur orbem?
    Quae simul optatae finito tempore luces[22]
    Advenere, domum conventu tota frequentat
    Thessalia, oppletur laetanti regia coetu:
    Dona ferunt prae se, declarant gaudia vultu.

35  Deseritur Cieros[23], linquunt Phthiotica[24] Tempe[25]

---

14 hymenaeos（参考第 61 首注释 4），这里借指婚姻。

15 普罗米修斯曾预言，忒提斯生下的孩子将比他父亲强大，朱庇特（pater ipse）因此放弃了对忒修斯的企图，允许她嫁给佩琉斯（Pelea，Peleus 的宾格）。

16 第 22-30 行，对希腊英雄（参考注释 17）的呼告。

17 heroes（原形 heros），在神话中特指人神结合生下的儿子。

18 这一行不在抄本中，是后来学者们根据古代的一本维吉尔作品注释添上的，括号中的部分是 Peerlkamp 猜测的。

19 Thessaliae（主格 Thessalia），泰萨利（希腊东部的一处平原），今译塞萨利。

20  然后忒提斯也没有鄙薄凡人的婚礼，
　　然后众神之父也同意了他们的亲事。
　　啊，你们生在多么幸福的世纪！
　　英雄们，向你们致敬，神的后裔！

23b  致敬，秀丽的母亲结出的美好果实！
　　我会经常在诗歌里呼唤你们的名字。

25  尤其是你，被婚礼的火把祝福的你，
　　塞萨利的擎天支柱佩琉斯，因为你
　　从众神之父朱庇特那里赢得了爱侣。
　　难道最美的海仙忒提斯没被你征服？
　　难道特狄斯没允许你娶她的外孙女，

30  还有用海水环抱世界的俄刻阿诺斯？
　　当约定的良辰吉日终于姗姗来临，
　　整个塞萨利都急切地涌向你的家门，
　　欢庆的人群溢满了王宫的每个角落：
　　他们手捧着礼物，脸上漾动着快乐。

35  奇埃洛斯成了空城，大家离开坦佩，

---

20 Tethys（特狄斯），忒提斯的外祖母。

21 Oceanus（俄刻阿诺斯），忒提斯的外祖父。

22 第 31-42 行叙述婚礼宾客（凡人）的到来。

23 Cieros（奇埃洛斯），又名 Cierium，塞萨利的一座城市。

24 Phthiotica（原形 Phthioticus），Phthia（普提亚，阿喀琉斯出生地）的形容词。严格地说，普提亚在塞萨利最南端，坦佩山谷（见注释 25）并不在那里。

25 Tempe（坦佩），位于塞萨利北部的山谷，以风景秀丽著称，许多古典文学作品都提到它。

Crannonisque[26] domos ac moenia Larisaea[27],

Pharsalum[28] coeunt, Pharsalia tecta frequentant.

Rura colit nemo, mollescunt colla iuvencis,

Non humilis curvis purgatur vinea rastris,

40    Non glebam prono convellit vomere taurus,

Non falx attenuat frondatorum arboris umbram,

Squalida desertis rubigo infertur aratris.

Ipsius at sedes, quacumque opulenta recessit[29]

Regia, fulgenti splendent auro atque argento.

45    Candet ebur soliis, collucent pocula mensae,

Tota domus gaudet regali splendida gaza.

Pulvinar[30] vero divae geniale locatur

Sedibus in mediis, Indo quod dente politum

Tincta tegit roseo conchyli purpura fuco.

50    Haec vestis priscis hominum variata figuris[31]

Heroum mira virtutes indicat arte.

Namque fluentisono prospectans litore Diae[32]

Thesea cedentem celeri cum classe tuetur

Indomitos in corde gerens Ariadna[33] furores,

55    Necdum etiam sese quae visit visere credit,

---

26 Crannonis（主格 Cranno，克拉农），塞萨利城市。

27 Larisaea（原形 Larisaeus），从 Larisa（拉里萨），塞萨利城市。

28 Pharsalum，原形 Pharsalus（帕萨卢斯），塞萨利城市。

29 第 43-49 行，描绘宫殿和婚床。

30 pulvinar，"带软垫的床"，通常用来供奉神像，因为忒提斯自己是神，所以婚床有如

离开克拉农的街衢，拉里萨的城隈，
一齐汇聚到帕萨卢斯城的屋宇下。
没人看管农场，牛的脖子变得柔滑，
也没弯耙除去在低处蔓延的葡萄藤，
40 也没公牛拽着犁铧将土壤深深翻耕，
也没有树木的浓荫因修枝剪而消瘦，
被遗弃的犁也覆上了一层肮脏的锈。
可是佩琉斯的居所、豪华的王宫
却处处闪着金银的光泽，深幽无穷。
45 宝座上象牙熠熠，餐桌上杯盏晶莹，
整座宫殿在珍宝的映照下分外喜庆。
国王为女神准备的婚床摆在大厅
中央，是用印度的象牙打磨而成，
覆盖的紫色绣毯泛着贝类的蔷薇色。
50 这件织物上面绘着古代人物的传说，
栩栩如生的艺术呈现出英雄的勇敢。
阿里阿德涅在波声回荡的迪亚岛海岸，
凝望着忒修斯的船迅速消失在远方，
心里燃烧着一种不能遏制的疯狂，
55 她还无法相信自己亲眼所见的场面，

此的规格。古罗马婚礼上习惯在大厅展示婚床，就寝前才搬回洞房。

31 第50-70行描绘被子上的图画。

32 Diae，主格 Dia（迪亚岛，克里特以北的一个岛）。

33 Ariadna（＝Ariadne），阿里阿德涅，克里特国王米诺斯之女，因为爱上忒修斯背叛了
父亲，后被忒修斯抛弃。

Utpote fallaci quae tum primum excita somno

Desertam in sola miseram se cernat harena.

Immemor[34] at iuvenis fugiens pellit vada remis,

Irrita ventosae linquens promissa procellae.

60　Quem procul ex alga maestis Minois[35] ocellis,

Saxea ut effigies[36] bacchantis[37] prospicit, eheu,

Prospicit et magnis curarum fluctuat undis,

Non flavo retinens subtilem vertice mitram,

Non contecta levi velatum pectus amictu,

65　Non tereti strophio lactentis vincta papillas[38],

Omnia quae toto delapsa e corpore passim

Ipsius ante pedes fluctus salis alludebant.

Sed neque tum mitrae neque tum fluitantis amictus

Illa vicem curans toto ex te pectore, Theseu[39],

70　Toto animo, tota pendebat perdita mente.

Ah misera, adsiduis quam luctibus externavit[40]

Spinosas Erycina[41] serens in pectore curas

Illa tempestate, ferox quo ex tempore Theseus

Egressus curvis e litoribus Piraei[42]

---

34 immemor（"忘记"），遗忘与背叛的关系是这首诗的一个重要主题。

35 Minois，字面意思"米诺斯（Minos）的女儿"，指阿里阿德涅。

36 effigies，"雕像"，用另一种空间艺术形式来描绘图画，打破了图画空间的自足性。

37 baccantis（主格 baccans），从动词 baccari 变来，指敬拜酒神巴克斯（Bacchus）的狂女。用这个词至少有两个原因，首先，阿里阿德涅的疯狂状态很像酒神狂女；其次，后来酒神将她据为己有，她成了真正意义上的酒神狂女。

　　　　因为刚从欺骗的睡眠中醒来，便发现
　　　　自己被孤零零地抛弃在荒凉的沙滩上。
　　　　而那个负心的青年已逃走，奋力划桨，
　　　　将空洞的诺言抛给无边的疾风与怒涛。

60　　米诺斯的女儿，用哀伤的眼睛远眺
　　　　天际的他，犹如一尊酒神狂女的石像，
　　　　远眺，啊，她在痛苦的巨浪里跌宕！
　　　　不再让精致的头饰束住金色的发卷，
　　　　不再让轻柔的衣衫遮住裸露的双肩，

65　　不再让光滑的带子缠住洁白的乳房，
　　　　所有这些衣物，一件件从她的身上
　　　　滑落到脚前，成为海水嬉戏的玩物。
　　　　她丝毫不关心头饰和来回漂荡的衣服，
　　　　她的全部情感、全部心思和全部灵魂

70　　都牵绕于你，忒修斯，牵绕于你一身。
　　　　可怜的少女，无止尽的伤悲折磨着你，
　　　　维纳斯早已在你心里种下痛苦的荆棘，
　　　　就在那时——当忒修斯凭着少年的热血，
　　　　告别了蜿蜒的庇拉欧斯海岸，告别

---

38 这里阿里阿德涅赤裸身体的画面容易让读者联想起前面忒提斯初识佩琉斯的描写。

39 Theseu, Theseus（忒修斯）的呼格。忒修斯是雅典国王埃勾斯（Aegeus）之子，为了拯救献祭给牛头怪（Minotaur）的童男女，他到克里特岛的迷宫里杀死了牛头怪。

40 第 71-75 行，向忒修斯的故事过渡。

41 Erycina，指维纳斯，因为在 Eryx（埃利克斯山）有供奉维纳斯的神庙。

42 Piraei，主格 Piraeus（庇拉欧斯），雅典的港口。

75     Attigit iniusti regis Gortynia[43] tecta.

Nam perhibent olim crudeli peste coactam[44]

Androgeoneae[45] poenas exsolvere caedis

Electos iuvenes simul et decus innuptarum

Cecropiam[46] solitam esse dapem dare Minotauro[47].

80     Quis angusta malis cum moenia vexarentur,

Ipse suum Theseus pro caris corpus Athenis[48]

Proicere optavit potius quam talia Cretam[49]

Funera Cecropiae nec funera portarentur.

Atque ita nave levi nitens ac lenibus auris

85     Magnanimum ad Minoa[50] venit sedesque superbas.

Hunc simul ac cupido conspexit lumine virgo

Regia, quam suavis exspirans castus odores

Lectulus in molli complexu matris alebat,

Quales Eurotae[51] praecingunt flumina myrtos

90     Aurave distinctos educit verna colores,

Non prius ex illo flagrantia declinavit

---

43 Gortynia（原形 Gortynius），形容词，从 Gortyna（格尔提纳）变来。格尔提纳在著名的克诺索斯宫殿东北，这里借指整个克里特岛。

44 第 76-115 行回顾忒修斯杀死牛头怪的经过。

45 Androgeoneae（原形 Androgeoneus），形容词，从 Androgeos（安德罗杰俄斯）变来。安德罗杰俄斯是克里特国王米诺斯的儿子，著名的摔跤手，被雅典国王埃勾斯所害。雅典因此招致了瘟疫的惩罚，为了避免厄运，雅典人每年选出七位童男童女，奉献给克里特迷宫里的牛头怪作祭品。

46 Cecropiam，主格 Cecropia（科克罗庇亚），指雅典，因为统治阿提卡半岛的第一位国

75　家乡，到达格尔提纳不义国王的宫殿。
　　他们说，杀死安德罗杰俄斯的罪愆
　　曾给科克罗庇亚人招来可怕的瘟疫，
　　人们只好定期向米诺陶献上赎罪礼，
　　让最美的童男童女成为他的盛宴。
80　当逼仄的雅典城陷入厄运的深渊，
　　忒修斯挺身而出，决心以自己的生命
　　拯救同胞，不再容许科克罗庇亚人
　　像活的尸体一般，被运往克里特岛。
　　于是他借着和风，乘着轻舟，来到
85　高贵米诺斯的都城和威严的王宫。
　　公主热切的目光一落到他的身上，
　　（她，仍未脱离母亲柔软的怀抱，
　　贞洁的床仍然守护着她，幽香萦绕；
　　她，就像簇拥着欧罗塔斯河的桃金娘，
90　或是春天的气息引出的缤纷幻梦，）
　　就再舍不得挪开自己燃烧的眸子，

王 Cecrops（科克罗普斯）而得名。

47 Minotauro，主格 Minotaurus（弥诺陶，牛头怪），牛头人身的怪兽，米诺斯之妻帕斯帕厄（Pasiphae）与一头公牛结合所生，被米诺斯关在一座迷宫里。

48 Athenis，主格 Athenae（雅典）。

49 Cretam，主格 Creta（克里特岛），当时是一个强盛的国家。

50 Minoa，主格 Minos（米诺斯），克里特国王，宙斯（朱庇特）和欧罗巴的儿子，死后成为冥府的法官。

51 Eurotae，主格 Eurotas（欧罗塔斯河），斯巴达附近的一条河。

Lumina quam cuncto concepit corpore flammam

Funditus atque imis exarsit tota medullis.

Heu misere exagitans immiti corde furores,

95   Sancte puer[52], curis hominum qui gaudia misces,

Quaeque[53] regis Golgos[54] quaeque Idalium[55] frondosum,

Qualibus incensam iactastis mente puellam

Fluctibus in flavo saepe hospite suspirantem!

Quantos illa tulit languenti corde timores,

100   Quanto saepe magis fulgore expallvit auri,

Cum saevum cupiens contra contendere monstrum

Aut mortem appeteret Theseus aut praemia laudis.

Non ingrata tamen frustra munuscula divis

Promittens tacito succendit vota labello.

105   Nam velut in summo quatientem brachia Tauro

Quercum aut conigeram sudanti cortice pinum

Indomitus turbo contorquens flamine robur

Eruit (illa procul radicitus exturbata[56]

Prona cadit, lateque cum eius obvia frangens),

110   Sic domito saevum prostravit corpore Theseus

Nequiquam vanis iactantem cornua ventis.

---

52 sancte puer，"神圣的男孩"，指小爱神丘比特。

53 quae，阴性关系代词，指爱神维纳斯。

54 Golgos，主格（Golgi，戈尔基），塞浦路斯城市，有崇拜维纳斯的传统。

55 Idalium（伊达良），塞浦路斯城市，维纳斯的圣地之一。

56 exturbata（不定式 exturbare，"卷走"）这个词与 turbo（"旋风"）有关。Debrohun（1999）

直到那两朵火焰点着了整个身体，
直到骨髓深处都发出了熊熊的火光。
啊，你无情的心勾起了残酷的疯狂，
95　　神圣的男孩，你让欢乐与痛苦为邻，
还有你，统治戈尔基和伊达良的女神，
你们让痴情的少女在怎样的浪涛间
翻滚，怎样为金发的异乡人长叹！
怎样的恐惧将她几乎晕厥的心摧残！
100　　她的脸色变得比金子的光泽还惨淡，
当忒修斯决意要与凶猛的怪兽搏斗，
宁可在死亡的危险中追逐声名的不朽。
她在沉默中向神献祭，她允诺的礼物
并非没有回报，却没带来完美的结局。
105　　就像一棵橡树或者淌着汗水的松树，
枝条在陶鲁斯山之巅狂乱地飞舞，
当不可抗拒的旋风扭曲着它的枝干，
把它连根拔起，在气流之上飞卷，
跌落到地面，砸碎一切触及之物，
110　　忒修斯也是以如此的力量将怪兽降伏，
让它向着空荡的风徒然晃动犄角。

---

指出，这个词三次出现的意义各不相同。这里忒修斯像"旋风"一样杀死了牛头怪，是一种英雄形象；在第 149 行，阿里阿德涅说自己将忒修斯从死亡的"旋风"中救出来，突出了忒修斯的无助和冷酷的背叛；在第 314 行中，turbo 一词则指命运女神纺车上的飞轮。因此，这个词浓缩了多重视角，而且通过它，阿里阿德涅也与命运女神发生了关联（她给忒修斯一个线轴，帮他走出迷宫，忒修斯父亲的死亡也是她的诅咒造成的）。

Inde pedem sospes multa cum laude reflexit

Errabunda regens tenui vestigia filo[57],

Ne labyrintheis[58] e flexibus egredientem

115 Tecti frustraretur inobservabilis error.

Sed quid ego a primo digressus carmine plura[59]

Commemorem, ut linquens genitoris filia vultum,

Ut consanguineae complexum, ut denique matris,

Quae misera in gnata deperdita laetabatur,

120 Omnibus his Thesei dulcem praeoptarit amorem,

Aut ut vecta rati spumosa ad litora Diae

Venerit, aut ut eam devinctam lumina somno

Liquerit immemori discedens pectore coniunx?

Saepe illam perhibent ardenti corde furentem

125 Clarisonas imo fudisse e pectore voces,

Ac tum praeruptos tristem conscendere montes

Unde aciem pelagi vastos protenderet aestus,

Tum tremuli salis adversas procurrere in undas

Mollia nudatae tollentem tegmina surae,

130 Atque haec extremis maestam dixisse querelis,

Frigidulos udo singultus ore cientem:

"Sicine me patriis avectam, perfide, ab aris[60],

---

57 filo，主格 filum（"线"）是这首诗的一个核心意象。

58 labyrintheis（原形 labyritheus），形容词，从 labyrinthus（米诺斯囚禁牛头怪的地下迷宫，著名巧匠代达洛斯所建）。

59 第 116-131 行回顾忒修斯遗弃阿里阿德涅的经过。

他循原路返回，安然无恙，载满荣耀，
用纤细的线引导自己曲折的脚步，
以免从盘绕的迷宫出来时，那座建筑
115　无法揣测的分岔让他绝望、无助。
可我为什么要离开最初的话题，继续
讲述这位少女如何逃离父亲的视线，
如何抛下姐姐的拥抱，母亲的挂念，
　（可怜的女儿，她多么炽烈地爱你！）
120　一心沉醉于她对忒修斯的柔情蜜意；
如何乘船来到浪花飞溅的迪亚海滩，
或者当沉沉的睡意锁住她的双眼，
伴侣如何遗弃她，丝毫不顾念信义？
他们说激愤的情绪让她无法自持，
125　从胸膛的深处涌出声嘶力竭的叫喊，
她时而神色凄惶地登上陡峭的山，
从那里极目眺望浩瀚起伏的海面，
时而冲进海里，任波浪在身边翻卷。
她托起柔软的衣边，露出她的膝，
130　满脸泪水，一边令人心碎地啜泣，
一边悲痛欲绝地发出如此的哀叹：
　"你就这样让我远离了祖先的家园，

---

60 第132-201 行，阿里阿德涅的哀叹，这是全诗最动人、对后世影响最大的部分，它上
承欧里庇得斯的《美狄亚》（165ff.; 670ff）、阿波罗尼俄斯的《阿尔戈号的远航》（4.355ff）、
下启维吉尔的《埃涅阿斯记》（4.305ff）、奥维德的《女杰书简》（Heroides 10）等作品。
在这段哀叹里，有浓重的美狄亚色彩。

Perfide[61], deserto liquisti in litore, Theseu?

Sicine discedens neglecto numine divum,

135 Immemor ah devota domum periuria portas?

Nullane res potuit crudelis flectere mentis

Consilium? Tibi nulla fuit clementia praesto

Immite ut nostri vellet miserescere pectus?

At non haec quondam blanda promissa dedisti

140 Voce mihi, non haec miserae sperare iubebas,

Sed conubia laeta, sed optatos hymenaeos:

Quae cuncta aereii discerpunt irrita venti.

Nunc iam nulla viro iuranti femina credat[62],

Nulla viri speret sermones esse fideles:

145 Quis dum aliquid cupiens animus praegestit apisci,

Nil metuunt iurare, nihil promittere parcunt:

Sed simul ac cupidae mentis satiata libido est,

Dicta nihil metuere, nihil periuria curant.

Certe ego te in medio versantem turbine leti

150 Eripui, et potius germanum[63] amittere crevi

Quam tibi fallaci supremo in tempore dessem:

Pro quo dilaceranda feris dabor alitibusque[64]

---

61 perfide，perfidus（"欺骗，无信义"）的呼格。阿里阿德涅和美狄亚一样，为了爱情（后者爱上伊阿宋）背叛了父亲，杀害了兄弟（参考注释 63），最后却落得被遗弃的下场。忒修斯则和伊阿宋相仿，都因为英雄气概赢得了爱情，最终却都背叛了恋人。

62 对比这句话和第 70 首可以知道，卡图卢斯并非一个贬低女性之人（misogynist）。

63 germanum，主格（germanus，"兄弟"），指牛头怪。阿里阿德涅与牛头怪是同母异父

将我弃于荒岛，无信无义的忒修斯？

你就这样离开了，蔑视神的意志，

135　不知道背信的诅咒正随你一起返家？

难道没什么能让你冷酷的心改变计划？

难道世上竟没有一种仁慈的力量

软化你残忍的灵魂，怜悯我的哀伤？

当你用温柔的声音向我做出承诺时，

140　你绝不想让我预见到这些悲惨的事，

而是憧憬幸福的结合，美好的姻缘！

所有那些空言都已被天上的风吹散，

以后任何女人都别再相信男人的誓言，

都别再指望男人的话不包含着欺骗：

145　当他们的心热切地渴望得到什么，

他们什么誓都敢发，什么话都可以说；

可是一旦他们贪婪的欲望得到满足，

他们就不怕言而无信，不怕翻云覆雨。

当你在死亡的旋风中挣扎，无疑是我

150　救了你，宁肯失去同胞兄弟，也舍不得

在危难的时刻辜负你，花言巧语的你！

因你的缘故，我将被野兽和猛禽分食，

---

的兄妹。germanus 通常指同胞兄弟，阿里阿德涅用这个词，表明了深切的懊悔。当初
在她眼中，忒修斯是英雄，牛头怪只是怪物，现在被忒修斯遗弃，她觉得自己做了错误
的选择，不该为爱情背叛亲情。

64　如果阿里阿德涅不曾帮助忒修斯，忒修斯很可能沦为牛头怪的食物。现在忒修斯将
阿里阿德涅遗弃荒岛，让她面临被禽兽分食的命运。因此，忒修斯比牛头怪更残忍。

Praeda neque iniacta tumulabor mortua terra.

Quaenam te genuit sola sub rupe leaena[65],

155　Quod mare conceptum spumantibus exspuit undis,

Quae Syrtis[66], quae Scylla[67] rapax, quae vasta Charybdis[68],

Talia qui reddis pro dulci praemia vita?

Si tibi non cordi fuerant conubia nostra,

Saeva quod horrebas prisci praecepta parentis[69],

160　Attamen in vestras potuisti ducere sedes,

Quae tibi iucundo famularer serva labore,

Candida permulcens liquidis vestigia lymphis

Purpureave tuum consternens veste cubile.

Sed quid ego ignaris nequiquam conquerar auris

165　Externata malo, quae nullis sensibus auctae

Nec missas audire queunt nec reddere voces?

Ille autem prope iam mediis versatur in undis,

Nec quisquam apparet vacua mortalis in alga.

Sic nimis insultans extremo tempore saeva

170　Fors etiam nostris invidit questibus auris.

---

65 第 154-157 行，参考第 60 首。这里阿里阿德涅的确是把忒修斯视为怪物，所以追问他母亲是什么样的怪物。值得玩味的是，这段话与欧里庇得斯的《美狄亚》（1342-3）里伊阿宋谴责美狄亚的话非常接近，而且忒修斯的后母正是美狄亚（她离开伊阿宋后到雅典，与忒修斯之父埃勾斯结婚），所以阿里阿德涅暂时与伊阿宋的身份融合了。但另一方面，阿里阿德涅所做之事却与美狄亚非常相似。

66 Syrtis（叙尔提斯），地中海靠近北非的一片险滩。

67 Scylla，见第 60 首注释 3。

尸体没有泥土遮盖，也没有坟安息！
什么样的母狮在荒凉的岩石下产了你，
155 什么样的海怀了你，随浪花吐出你，
什么样的险滩，什么样的崖岸生了你，
你竟会用如此的报酬换取甜蜜的生活？
如果你不曾奢望此生与我一起度过，
是因为害怕你严苛父亲的可怕命令，
160 至少你可以带我回你的家，我甘心
作一名女奴，快乐地照料你的起居，
用清亮的水轻轻揉搓你洁白的双足，
用紫色的毯子覆盖你的床。可是，
受尽折磨的我为何要向无知的空气、
165 没任何感觉的空气徒劳地诉说？
它既听不见，也不能用声音回答我？
他此时已然远去，颠簸在浪涛间，
这布满海藻的荒凉崖岸却没人出现。
残酷的命运也如此鄙夷不屑，在我
170 落难之时都不肯给我倾听的耳朵。

---

68 Charybdis（卡里布底斯）。Scylla 和 Charybdis 是墨西拿海峡两岸的两块巨岩，在《奥德赛》里被塑造成两个怪物。Charybdis 每天三次将大量海水吞入腹中，又三次吐出来。
69 prisci praecepta parentis，字面意思是"年老父亲的命令"，学者们一直对此感到困惑。埃勾斯如何会预见到忒修斯和阿里阿德涅的恋情，又为何要反对？Richardson（1963）认为，这里的 parentis 更可能指忒修斯的外祖父庇透斯（Pittheus）。古希腊诗人赫希俄德曾引用庇透斯的诗句，而赫希俄德比较讨厌女性，庇透斯或许也持类似的态度。或者埃勾斯曾表示过反对忒修斯与异国女子结婚。

Iuppiter omnipotens, utinam ne tempore primo

Gnosia[70] Cecropiae tetigissent litora puppes,

Indomito nec dira ferens stipendia tauro

Perfidus in Cretam religasset navita funem,

175 Nec malus hic celans dulci crudelia forma

Consilia in nostris requiesset sedibus hospes!

Nam quo me referam? Quali spe perdita nitor?

Idaeosne[71] petam montes? Ah, gurgite lato

Discernens ponti truculentum dividit aequor.

180 An patris auxilium sperem, quemne ipsa reliqui

Respersum iuvenem fraterna caede secuta?

Coniugis an fido consoler memet amore,

Quine fugit lentos incurvans gurgite remos?

Praeterea nullo colitur, sola insula, tecto,

185 Nec patet egressus pelagi cingentibus undis:

Nulla fugae ratio, nulla spes: omnia muta,

Omnia sunt deserta, ostentant omnia letum.

Non tamen ante mihi languescent lumina morte,

Nec prius a fesso secedent corpore sensus

190 Quam iustam a divis exposcam prodita multam

Caelestumque fidem postrema comprecer hora.

Quare, facta virum multantes vindice poena

Eumenides[72], quibus anguino redimita capillo

---

70 Gnosia（原形 Gnosius），形容词，从 Gnossos（克诺索斯，克里特首都）变来。

71 Idaeos（原形 Idaeus），形容词，从 Ida（伊达山，在克里特岛中部）变来。

大能的朱庇特啊，愿科克罗庇亚的船
从来不曾触碰过克诺索斯的海滩，
那个虚伪的水手也不曾在克里特登陆，
带着向凶残的公牛进贡的恐怖礼物，

175　那个英俊外表下藏着可怕诡计的恶棍
也不曾被我殷勤地接待，在我家栖身！
我该去哪儿？沦落的我能有什么希望？
去伊达山吗？啊，多么辽阔的海洋，
多么险恶的浪涛隔开了我和我的家！

180　或者父亲会帮我？可我自己抛下了他，
跟随一个沾满我兄弟之血的年轻人。
或者我该安慰自己，相信爱的忠贞，
可他不正划着柔顺的桨，舍我而去？
而且这是一座孤岛，没有任何人居住，

185　没有可以脱身的路，被波浪重重包裹，
没有逃生的办法和希望：一切静默，
一切荒凉，一切都透着死亡的气息。
可是我的眼睛不能就这样转向凝滞，
疲惫的身体不能就这样丧失知觉，

190　我要向诸神寻求背叛者的公正惩罚
在最后的时刻祈祷上天为忠诚作证。
所以，复仇女神啊，让那个男人
遭到可怕的报应，（你们的前额

---

72 Eumenides，原本是丰饶之神，但从埃斯库洛斯开始就与复仇女神（Erinyes）相混了。复仇女神（三位）的头发上有许多蛇盘绕。

Frons exspirantis praeportat pectoris iras,

195 Huc huc adventate, meas audite querellas,

Quas ego, vae miserae, extremis proferre medullis

Cogor inops, ardens, amenti caeca furore[73].

Quae quoniam verae nascuntur pectore ab imo,

Vos nolite pati nostrum vanescere luctum,

200 Sed quali solam Theseus me mente reliquit,

Tali mente, deae, funestet seque suosque."[74]

Has postquam maesto profudit pectore voces,[75]

Supplicium saevis exposcens anxia factis.

Adnuit invicto caelestum numine rector[76],

205 Quo motu tellus atque horrida contremuerunt

Aequora concussitque micantia sidera mundus.

Ipse autem caeca mentem caligine Theseus

Consitus oblito dimisit pectore cuncta

Quae mandata prius constanti mente tenebat,

210 Dulcia nec maesto sustollens signa parenti

Sospitem Erechtheum[77] se ostendit visere portum.

Namque ferunt olim, classi cum moenia divae[78]

Linquentem gnatum ventis concrederet Aegeus,

Talia complexum iuveni mandata dedisse:

---

73 furore（主格 furor，"疯狂状态"）也是第 63 首的主要驱动力。

74 卡图卢斯可能是第一个将埃勾斯之死归因于阿里阿德涅的诅咒的人。这样处理，既突出了情绪之疯狂，也让阿里阿德涅的形象更接近美狄亚。

75 第 202-214 行，阿里阿德涅的诅咒得到朱庇特的认可。

蛇发缠绕，昭示着你们胸中的怒火，）

195 来吧，快到这里来吧，听我的哀诉，

可怜的我被迫从骨髓深处把它掏出，

我无助，激愤，让疯狂蒙住了双目，

既然这是源自我心底的真实的痛苦，

你们千万别让它无声无息地湮没。

200 既然忒修斯这样狠心地遗弃了我，

女神啊，请同样狠心地诅咒他全家。"

从她悲伤的胸中涌出这些怨毒的话，

急切地要求报复野蛮的背叛行径。

诸神之王以至高的权威表示应允，

205 他一点头，大地和风暴肆虐的海洋

就晃动起来，苍穹摇撼，群星惊惶。

可是忒修斯却让自己的心沦入了

茫茫黑暗中，让所有曾铭记于心的

命令在浑然不觉中被彻底地抛掷——

210 他没有为哀伤的父亲升起报喜的旗帜，

宣告自己平安返回厄列克透斯的港湾。

他们说，当他乘船离开女神的城垣，

当埃勾斯无奈地将儿子托付给风浪，

他曾搂着忒修斯，发出这样的命令：

---

76 caelestum…rector，"天上诸神的统治者"，指朱庇特。

77 Erechtheum…portum 指雅典的庇拉欧斯港，Erechtheus（厄列克透斯）曾是雅典国王，所以荷马曾用这个词称呼雅典人。

78 divae（主格 diva），女神，指雅典娜（密涅瓦），雅典城的庇护神。

215    "Gnate mihi longa iucundior unice vita,[79]
      Gnate, ego quem in dubios cogor dimittere casus,
      Reddite in extrema nuper mihi fine senectae[80],
      Quandoquidem fortuna mea ac tua fervida virtus
      Eripit invito mihi te, cui languida nondum
220   Lumina sunt gnati cara saturata figura,
      Non ego te gaudens laetanti pectore mittam,
      Nec te ferre sinam fortunae signa secundae,
      Sed primum multas expromam mente querellas
      Canitiem terra atque infuso pulvere foedans,
225   Inde infecta vago suspendam lintea malo,
      Nostros ut luctus nostraeque incendia mentis
      Carbasus obscurata dicet ferrugine Hibera[81].
      Quod tibi si sancti concesserit incola Itoni[82],
      Quae nostrum genus ac sedes defendere Erechthei[83]
230   Annuit, ut tauri respergas sanguine dextram,
      Tum vero facito ut memori tibi condita corde
      Haec vigeant mandata, nec ulla oblitteret aetas,
      Ut simul ac nostros invisent lumina collis,
      Funestam antennae deponant undique vestem
235   Candidaque intorti sustollant vela rudentes,
      Quam primum cernens ut laeta gaudia mente

---

79　第 215-237 行，回顾埃勾斯与忒修斯的告别场景。

80　忒修斯在外祖父庇透斯统治的特洛曾（Troezen）长大，后来才回到雅典，与埃勾斯相认不久，便出发去杀牛头怪了。

215　　　"我的独子，比我漫长生命还宝贵的
　　　　儿子，在我的风烛残年你刚失而复得，
　　　　现在我却又要将你交给未知的危险。
　　　　既然我的宿命和你热血沸腾的勇敢
　　　　让你违拗我的意志离开，我昏花的眼
220　　　也还不曾有时间让你亲爱的形象填满，
　　　　我不会满心喜悦地看着你舍我而去，
　　　　也不允许你带着吉祥的标记踏上旅途，
　　　　而要先将心里的许多哀怨倾倒出来，
　　　　让我灰白的头发覆满泥土和尘埃，
225　　　我还要把染色的帆悬于游荡的桅杆，
　　　　这样伊比利亚的深蓝染料就能呈现
　　　　我内心苦痛的挣扎和这燃烧的火，
　　　　但住在伊托诺斯圣山的女神曾经承诺
　　　　保卫我们民族和厄列克透斯的居所，
230　　　倘若你的右手果真能让那头牛喋血，
　　　　那么一定要把我的命令在你的心田
　　　　牢牢扎根，永远不要在时光中腐烂，
　　　　一旦家乡的这些山峦映入你的双目，
　　　　就要立刻从船顶降下丧礼颜色的布，
235　　　拉动盘绕的绳索，升起吉祥的白帆，
　　　　好让我望见了便知道你依然平安，

---

81 Hibera（原形 Hiberus），形容词，从 Hiberia（伊比利亚半岛）变来。

82 Itoni，主格 Itonus（伊托诺斯），希腊中部的一座城市，有雅典娜的神庙。

83 sedes…Erechthei，"厄列克透斯（Erechtheus）的居所"，指雅典。

Agnoscam, cum te reducem aetas prospera sistet."

Haec mandata prius constanti mente tenentem[84]

Thesea ceu pulsae ventorum flamine nubes

240    Aereum nivei montis liquere cacumen.

At pater, ut summa prospectum ex arce petebat,

Anxia in assiduos absumens lumina fletus,

Cum primum infecti conspexit lintea veli,

Praecipitem sese scopulorum e vertice iecit,

245    Amissum credens immiti Thesea fato.

Sic funesta domus ingressus tecta paterna

Morte ferox Theseus, qualem Minoidi[85] luctum

Obtulerat mente immemori, talem ipse recepit.

Quae tum prospectans cedentem maesta carinam

250    Multiplices animo volvebat saucia curas.

At parte ex alia florens volitabat Iacchus[86]

Cum thiaso Satyrorum[87] et Nysigenis Silenis[88]

Te quaerens, Ariadna, tuoque incensus amore.

---

84　第238-250行，阿里阿德涅的诅咒应验了。

85　Minoidi，Minois（米诺斯女儿，指阿里阿德涅）的与格。

86　第251-266行，描绘绣毯的另一部分——酒神巴克斯（Iacchus 雅库斯是他的另外一个名字）与他的追随者。巴克斯的引入使得诗歌的主题更加暧昧。根据传统，巴克斯拯救了被遗弃在迪亚岛的阿里阿德涅，与她结婚，并且有许多孩子。从形式上看，巴克斯和阿里阿德涅的婚姻（男神与女人）恰好与佩琉斯和忒提斯（男人与女神）的婚姻构成了对称，但奇怪的是，卡图卢斯对这个故事只是轻描淡写。巴克斯的引入也使得忒修斯的伦理责任变得模棱两可：他离开阿里阿德涅，或许不是无情的遗弃，而是出于命运的

242

幸福的时辰已经将你送回了家园。"
这些嘱咐忒修斯最初的确铭记心间，
然而，就像云被风驱散，离开了
240　白雪皑皑的山顶，它们也渐渐淡漠。
可是当他的父亲从塔顶向远处眺望，
（渴盼的眼因长久的哭泣几乎变盲，）
一瞥见船顶悬挂的仍是深蓝色的帆，
便从岩石之巅径直跳入了海的深渊，
245　以为无情的命运已夺走了他的儿子。
于是当勇猛的忒修斯回到因父亲之死
而被黑暗笼罩的家，他也感受到了
健忘的自己带给米诺斯女儿的折磨。
而她，此时正黯然凝望远去的帆影，
250　受伤的心里旋转着种种忧虑的图景。
画面的另一部分，巴克斯青春倜傥，
正和牧神和尼萨的西莱诺斯一起游荡，
找寻你，阿里阿德涅，他也痴迷于你。

---

安排成全一段人与神的姻缘？此外，暗示酒神与阿里阿德涅的结合，也让她前面的狂女形象有了呼应和结局。

87 Satyrorum，原形 Satyrus，古希腊神话中追随酒神的一些山林之神，他们长着人的身体，山羊的耳朵、角、蹄子和尾巴。后来逐渐与 Fauni（意大利本土的牧神）混同了。

88 Nysigenis（原形 Nysigenus），意为"出生在 Nysa（尼萨）"，根据古代作家的说法，尼萨是城市名或山名，在印度、阿拉伯或者色雷斯境内。阿波罗尼俄斯称巴克斯为"尼萨王子"。Silenis，原形 Silenus（西莱诺斯），赫耳墨斯或者潘神的儿子，酒神的同伴，总是带着酒袋。这里卡图卢斯用复数，泛指陪伴他的次等神。

Quae tum alacres passim lymphata mente furebant[89]

255 Euhoe bacchantes, euhoe[90] capita inflectentes[91].

Harum pars tecta quatiebant cuspide thyrsos[92],

Pars e divolso iactabant membra iuvenco,

Pars sese tortis serpentibus incingebant,

Pars obscura cavis celebrabant orgia cistis,

260 Orgia quae frustra cupiunt audire profani,

Plangebant aliae proceris tympana palmis

Aut tereti tenuis tinnitus aere ciebant;

Multis raucisonos efflabant cornua bombos

Barbaraque[93] horribili stridebat tibia cantu.

265 Talibus amplifice vestis decorata figuris

Pulvinar complexa suo velabat amictu.

Quae postquam cupide spectando Thessala pubes[94]

Expleta est, sanctis coepit decedere divis.

Hic, qualis flatu placidum mare matutino

270 Horrificans Zephyrus[95] proclivas incitat undas

Aurora[96] exoriente vagi sub limina solis,

Quae tarde primum clementi flamine pulsae

Procedunt, leviterque sonant plangore cachinni,

---

89 第 252 行中都是男性，从第 254 行开始描绘的却是酒神狂女（代词 harum 也为阴性）的行为，因此有学者认为第 253 行和 254 行之间丢了一行诗。另外，这里的第 254 行是 Merrill（1893）的版本，Garrison（1989）版 Quae tum alacres passim 作 Cui Thyades passim。

90 euhoe，酒神狂女们的喊叫声。

91 第 255-264 行所描绘的是酒神崇拜仪式的典型特征。

遍布各处的酒神信徒们狂乱不能自已，

255　　"嗷嗻！"她们甩头，"嗷嗻！"她们喧嚷，

有些挥舞着尖端被松果覆盖的权杖，

有些随意抛掷着已经宰割的牛的肢体，

有些用盘曲的群蛇做自己腰身的装饰。

有些端着篮子，里面盛着神秘的圣物，

260　　外人渴盼知悉玄奥却无从知悉的圣物，

有些高举手掌，猛力拍打着手鼓，

或者让清脆的撞击声从铜钹间飞出，

还有许多吹着喇叭，声音低沉沙哑，

或者蛮族的芦管，声音尖厉可怕。

265　　织锦上描绘的就是这些丰富的形象，

它密密的褶拥抱着、覆盖着国王的床。

当塞萨利的年轻人欣赏完了织锦，

心满意足，就开始离开，让位给神。

这时，犹如西风吹皱了平静的海面，

270　　用它早晨的呼吸将起伏的波涛驱赶，

当黎明女神来到漫游的太阳的门前：

开始，海浪缓缓升起，被和风掀卷，

一边往前涌，一边发出轻柔的笑声，

---

92 thyrsos（原形 thyrsus），酒神权杖，顶端覆盖着松果或葡萄叶子，信徒们也用它。

93 古希腊（古罗马）的蛮族指一切非希腊（非罗马）的民族。

94 第 267-277 行描写凡间宾客的离场。

95 Zephyrus，西风神。

96 Aurora，黎明女神。

Post vento crescente magis magis increbescunt

275  Purpureaque procul nantes ab luce refulgent,

Sic tum vestibuli linquentes regia tecta

Ad se quisque vago passim pede discedebant.

Quorum post abitum princeps e vertice Pelei[97]

Advenit Chiron[98] portans silvestria dona:

280  Nam quoscumque ferunt campi, quos Thessala magnis

Montibus ora creat, quos propter fluminis undas

Aura parit flores tepidi fecunda Favoni[99],

Hos indistinctis plexos tulit ipse corollis,

Quo permulsa domus iucundo risit odore.

285  Confestim Penios[100] adest, viridantia Tempe,

Tempe, quae silvae cingunt super impendentes,

Naiasin linquens caris celebranda choreis[101],

Non vacuos: namque ille tulit radicitus altas

Fagos ac recto proceras stipite laurus,

290  Non sine nutanti platano lentaque sorore

Flammati Phaethontis[102] et aerea cupressu.

Haec circum sedes late contexta locavit,

---

97 第 278-302 行，天上宾客的到来。Pelei，Peleus（佩琉斯）的属格。

98 Chiron（刻伊隆），半人半马的神，住在佩里昂山上，伊阿宋和阿喀琉斯都是他的学生。

99 Favoni，Favonius（Zephyrus 的拉丁名字，参考注释 95）的属格。

100 Penios（佩尼俄斯河），流经奥林匹斯山和奥萨山之间，注入爱琴海，这里指这条河的河神。

　　　　然后，风愈来愈劲，它们越来越强，

275　　游向远处，只留下一片反射的霞光。
　　　　客人们离开王宫入口时也是这样，
　　　　四下散去，沿不同的方向各自返程。
　　　　他们离开后，刻伊隆从佩里昂山顶
　　　　领着大家来了，带着山林的的馈赠：

280　　因为塞萨利的原野和海滨的崇山峻岭
　　　　孕育的所有花朵，蜿蜒的溪流之湄
　　　　被温煦丰饶的西风催开的所有蓓蕾，
　　　　他都带来了，织成五彩缤纷的花环。
　　　　沉醉在它们的芳香里，王宫笑意盎然。

285　　紧随其后的是佩尼俄斯河的守护神，
　　　　他离开了绿树夹岸的坦佩山谷，任凭
　　　　仙女们在林间尽情跳起钟爱的舞步。
　　　　他并非空手而来，顾长的山毛榉，
　　　　挺拔的月桂，仿佛在点头的梧桐树，

290　　法厄同被焚后妹妹化身的柔韧杨树，
　　　　还有高耸的杉树，都被他连根拔起，
　　　　种在宫殿周围，织出错落有致的绿意，

---

101 这一行原文难以确定。这里采用的是 Schimdt（1887）的版本。Naiasin 和 caris 在
Owen（1893）版中作 Haemonisin 和 doris；在 Baehrens（1893）版中作 Naisasin 和 doris；
在 Garrison（1989）版中作 Minosim 和 doris；在 Lee（1990）版中作 Haemonisin 和 Dryasin。
102 sorore…Phaethontis（主格 Phaethon），"帕厄同的妹妹"，指杨树。帕厄同是太阳神
赫里俄斯（Helios）之子，驾驶父亲的马车差点烧毁大地，被宙斯用闪电击毙，他死后
妹妹们整日悲泣，变成了杨树。

Vestibulum ut molli velatum fronde vireret.

Post hunc consequitur sollerti corde Prometheus[103]

295  Extenuata gerens veteris vestigia poenae[104]

Quam quondam silici restrictus membra catena

Persolvit pendens e verticibus praeruptis.

Inde pater divum sancta cum coniuge natisque

Advenit caelo, te solum, Phoebe[105], relinquens

300  Unigenamque[106] simul cultricem montibus Idri[107]:

Pelea nam tecum pariter soror aspernata est,

Nec Thetidis[108] taedas voluit celebrare iugalis.

Qui postquam niveis flexerunt sedibus artus[109],

Large multiplici constructae sunt dape mensae,

305  Cum interea infirmo quatientes corpora motu

Veridicos Parcae[110] coeperunt edere cantus.

His corpus tremulum complectens undique vestis

Candida purpurea talos incinxerat ora,

At roseae niveo residebant vertice vittae,

310  Aeternumque manus carpebant rite laborem.

---

103 Prometheus（普罗米修斯）的出场让作品的主题更加复杂。普罗米修斯因为替人类盗取天火，被宙斯下令捆在高加索的山崖上，让老鹰反复啄食他的肝脏。他与宙斯和解则与忒提斯有关，他警告追求忒提斯的宙斯说，忒提斯将生下比父亲强大的儿子。与从黄金时代到黑铁时代的退化历史观相反，普罗米修斯所代表的是人类通过智慧逐步改进社会的形象，他的儿子丢卡利翁（Deucalion）还是大洪水之后新一代人类的始祖。因此，他所暗示的东西与诗歌中对黄金时代的歌颂与惋惜很不协调。

104 veteris poenae（主格 vetus poena），"旧的惩罚"，见注释 103。

好让入口处掩映在温柔的树荫里。

他后面跟着智慧超群的普罗米修斯，

295　昔日刑罚留下的伤痕还依稀可辨。

他曾被铁链缚住四肢，绑在岩石间，

挂在陡峭的崖壁上，作为罪的代价。

然后众神的父亲和他高贵的室家

自天上降临，只留下你，福波斯，

300　和居住在伊德里亚斯的妹妹一起：

因她和你同样对佩琉斯充满不屑，

也不肯屈尊为忒提斯的婚礼增色。

当众神在雪白的长椅上伸展开肢体，

丰盛的菜肴便端上了桌，充满珍奇；

305　与此同时，仿佛中风般地颤抖着，

命运女神们唱起了预言未来的歌。

白色的长袍裹着她们衰朽的身体，

暗红的衣边遮住了她们的脚踝，

玫瑰色的丝带映着头上的霜雪，

310　她们的手则履行着亘古不变的职责。

---

105 Phoebe, Phoebus（福波斯），即太阳神阿波罗（Apollo）。

106 unigenam（主格 unigena），指阿波罗的同胞妹妹月神戴安娜（阿忒弥斯）。

107 Idri，可能指 Idrias（伊德里亚斯），当地崇拜赫卡特（Hecate，常与阿忒弥斯混同）。

108 Thetidis，Thetis（忒提斯）的属格。

109 第 303-322 行，命运三女神（Parcae）出场。

110 Parcae（拉丁语，古希腊语为 Moirai），命运女神。按照传统，在这次婚礼上唱歌的是刻伊隆或缪斯，卡图卢斯让命运女神出场，在结构和主题方面都有特别的用意。

Laeva colum molli lana retinebat amictum,

Dextera tum leviter deducens fila supinis

Formabat digitis, tum prono in pollice torquens

Libratum tereti versabat turbine fusum,

315    Atque ita decerpens aequabat semper opus dens,

Laneaque aridulis haerebant morsa labellis

Quae prius in levi fuerant exstantia filo.

Ante pedes autem candentis mollia lanae

Vellera virgati custodibant calathisci.

320    Haec tum clarisona pellentes vellera voce

Talia divino fuderunt carmine fata,

Carmine, perfidiae quod post nulla arguet aetas:

"O decus eximium magnis virtutibus augens,[111]

Emathiae[112] tutamen opis, clarissime nato,

325    Accipe, quod laeta tibi pandunt luce sorores,

Veridicum oraclum. Sed vos, quae fata secuntur,

Currite ducentes subtegmina, currite, fusi.

Adveniet tibi iam portans optata maritis

Hesperus[113], adveniet fausto cum sidere coniunx,

330    Quae tibi flexanimo mentem perfundat amore

Languidulosque paret tecum coniungere somnos

Levia substernens robusto bracchia collo.

---

111 第 323-381 行，命运女神所唱的赞歌。从结构上说，它与前面对英雄时代的称赞以及阿里阿德涅的哀叹都相呼应。从主题上说，它让这首诗变得更加复杂。命运纺线的形象映射了诗作本身的秘密，赞歌里血腥的画面让婚礼蒙上了阴影，也让诗末今不如古的

左手握着柔软羊毛覆盖的纺纱杆，
右手时而轻轻扯出线，手指向上，
让它们成形，时而拇指向下推，
转动平衡在圆形小飞轮上的纺锤，
315 一边用牙齿咬着线，让它们均匀。
剔除的毛渣贴着女神枯干的嘴唇，
没了它们，纺出的线就变得光滑。
柳条编成的篮子躺在她们脚下，
守卫着洁白耀眼的羊毛。然后，
320 她们纺着羊毛，展开嘹亮的歌喉，
用神圣的吟唱倾泻出命运的秘密，
时光如何变迁，都无法挑战其真实。
　"啊，以超群的勇敢赢得殊荣的人，
埃马提亚王国的护卫者，你的声名
325 将因儿子远播，接受我们在这良辰
揭示的神谕吧！可是追随命运的你们，
纺锤们，继续转动，编织经线纬线。
晚星很快就会到来，带着新郎期盼
已久的礼物，你的新娘会和他同来，
330 在你的心里注满让灵魂安宁的爱，
准备和你一起进入慵倦的睡梦，
用光滑的手臂搂住你强壮的脖颈。

---

的慨叹显得言不由衷。

112 Emathiae，主格 Emathia（埃玛提亚），塞萨利的一部分，借指塞萨利。

113 Hesperus（晚星）是婚礼的吉祥星，预示着新婚夫妇结合的快乐。

Currite ducentes subtegmina, currite, fusi.
Nulla domus tales umquam contexit amores,
335 Nullus amor tali coniunxit foedere amantes
Qualis adest Thetidi, qualis concordia Peleo.
Currite ducentes subtegmina, currite, fusi.
Nascetur vobis expers terroris Achilles[114],
Hostibus haud tergo, sed forti pectore notus,
340 Qui persaepe vago victor certamine cursus
Flammea praevertet celeris vestigia cervae.
Currite ducentes subtegmina, currite, fusi.
Non illi quisquam bello se conferet heros,
Cum Phrygii[115] Teucro[116] manabunt sanguine campi
345 Troicaque obsidens longinquo moenia bello
Periuri Pelopis[117] vastabit tertius heres[118].
Currite ducentes subtegmina, currite, fusi.
Illius egregias virtutes claraque facta
Saepe fatebuntur gnatorum in funere matres,
350 Cum incultum cano solvent a vertice crinem

---

114 Achilles，阿喀琉斯，佩琉斯和忒提斯之子，特洛伊战争中希腊联军的著名将领，战死在特洛伊。

115 Phrygii（原形 Phrygius），从 Phrygia（佛里吉亚，借指特洛伊）变来的形容词。

116 Teucro（原形 Teucrus），从 Teucer（古希腊语 Teukros，条克罗斯）变来的形容词。条克罗斯是特洛伊人的一位祖先，这里借指特洛伊人。

117 Pelopis，Pelops（伯罗普斯）的属格。伯罗普斯是阿喀琉斯的曾祖父，他曾以半个王国的允诺为交换，说服国王俄诺马俄斯（Oenomaus）的马车手米尔提罗斯（Myrtilus）

纺锤们，继续转动，编织经线纬线。

没有一个家曾珍藏过如此的爱恋，

335　没有一对恋人曾有过如此的忠贞，

像忒提斯与佩琉斯一样默契同心。

纺锤们，继续转动，编织经线纬线。

你们的儿子阿喀琉斯将与恐惧绝缘，

他将因勇敢而不是怯懦闻名敌阵，

340　他将是长跑比赛中的常胜将军，

快如火焰的飞鹿都会落在他后面。

纺锤们，继续转动，编织经线纬线。

战争中没有一位英雄堪与他对决，

当佛里吉亚原野淌满条克罗斯的血，

345　当背信的伯罗普斯的第三代后裔

在漫长的围困中毁灭特洛伊的城池。

纺锤们，继续转动，编织经线纬线。

他的功业如此卓越，勇气如此非凡，

母亲们在儿子的葬礼上将一再承认；

350　乱发披散下来，自她们花白的头顶，

---

在国王的马车上做手脚，好让自己在与国王的马车比赛中胜出，从而获得与公主希波达米娅（Hippodamia）结婚的权利。结果国王在比赛中被马车抛出摔死，伯罗普斯得以和公主成亲，并继承王位，但他却食言，不仅没将王国分一半给米尔提罗斯，反而将他推入海中淹死，从此神的诅咒一直伴随着这个家族。

118 tertius heres，"（伯罗普斯）的第三代继承人"，指阿伽门农（Agamemnon），特洛伊战争中希腊联军的统帅。根据荷马《伊利亚特》（Il. 105ff），伯罗普斯的下三代依次是阿特柔斯（Atreus）、提埃斯忒斯（Thyestes）和阿伽门农（Agamemnon）。

Putridaque infirmis variabunt pectora palmis[119].
Currite ducentes subtegmina, currite, fusi.
Namque velut densas praecerpens messor aristas
Sole sub ardenti flaventia demetit arva,
355 Troiugenum[120] infesto prosternet corpora ferro.
Currite ducentes subtegmina, currite, fusi.
Testis erit magnis virtutibus unda Scamandri[121],
Quae passim rapido diffunditur Hellesponto[122],
Cuius iter caesis angustans corporum acervis
360 Alta tepefaciet permixta flumina caede.
Currite ducentes subtegmina, currite, fusi.
Denique testis erit morti quoque reddita praeda,
Cum teres excelso coacervatum aggere bustum
Excipiet niveos perculsae virginis[123] artus.
365 Currite ducentes subtegmina, currite, fusi.
Nam simul ac fessis dederit fors copiam Achivis[124]
Urbis Dardaniae[125] Neptunia[126] solvere vincla,
Alta Polyxenia madefient caede sepulcra;

---

119 从这里开始，命运女神歌曲中的意象越来越血腥，越来越悲惨。

120 Troiugenum，"特洛伊所生的"，指特洛伊人。

121 Scamandri，Scamander（斯卡曼德河，流经特洛伊）的属格。这里的屠杀场景是对"英雄精神"的反讽。

122 Hellesponto，原形 Hellespontus（赫勒斯庞图斯），现在的达达尼尔海峡。

123 virginis，virgo（"处女"）的属格，"处女"指第 368 行的波吕克塞娜（Polyxena，Polyxenia 是其阴性形容词）。波吕克塞娜是特洛伊国王普里安之女，在希腊联军围城之

衰弱的手在枯萎的乳房上抓出血斑。
纺锤们，继续转动，编织经线纬线。
因为就像农夫将饱满的谷穗收割，
在炎炎烈日下劳作于金色的田野，

355 他也会收割特洛伊人，用敌意的剑。
纺锤们，继续转动，编织经线纬线。
斯卡曼德河将见证他的英勇无畏，
涌向凶险的赫勒斯庞图斯的河水
将无路可通，屠杀的尸体堆积如山，
深深的激流因为与血混合而变暖。
纺锤们，继续转动，编织经线纬线。
最后，祭献的战利品将见证他的终点
——高高隆起的圆形坟丘上的尘泥
将拥抱被斩杀的少女雪白的尸体。

365 纺锤们，继续转动，编织经线纬线。
一旦命运把力量赐给疲惫的希腊军团，
冲溃尼普顿建造的达达尼尔的城堞，
他的高坟就会浸透波吕克塞娜的血，

时，特洛伊人假装讲和，让波吕克塞娜与阿喀琉斯订婚。城破之后，阿喀琉斯的鬼魂要
求将她作为人牲在自己的坟前杀死。Skinner（1976）指出，卡图卢斯特别强调她"处
女"的状态，"雪白的肢体"也让读者联想起前面对婚床上忒提斯的描写，说明卡图卢
斯有意把波吕克塞娜的献祭礼视为婚礼，这让诗歌的婚姻主题更加晦暗。
124 Achivis，原形 Achivus（希腊人）。
125 Dardaniae，Dardania（达达尼尔海峡）的属格。
126 Neptunia（原形 Neptunius），Neptunus（尼普顿，据说他造了特洛伊）的形容词。

Quae, velut ancipiti succumbens victima ferro,
370 Proiciet truncum summisso poplite corpus.
Currite ducentes subtegmina, currite, fusi.
Quare agite optatos animi coniungite amores.
Accipiat coniunx felici foedere divam[127],
Dedatur cupido iam dudum nupta marito.
375 Currite ducentes subtegmina, currite, fusi.
Non illam nutrix orienti luce revisens
Hesterno collum poterit circumdare filo[128],
(Currite ducentes subtegmina, currite, fusi)[129],
Anxia nec mater discordis maesta puellae
380 Secubitu caros mittet sperare nepotes.
Currite ducentes subtegmina, currite, fusi."
Talia praefantes quondam felicia Pelei[130]
Carmina divino cecinerunt pectore Parcae.
Praesentes namque ante domos invisere castas
385 Heroum, et sese mortali ostendere coetu
Caelicolae nondum spreta pietate solebant.
Saepe pater divum templo in fulgente revisens,
Annua cum festis venissent sacra diebus,
Conspexit terra centum procumbere tauros.
390 Saepe vagus Liber Parnasi[131] vertice summo

---

127 divam，主格 diva（"女神"），指忒提斯。
128 古代欧洲一个广为流传的说法是： 如果新婚日刚好能环绕新娘脖子一圈的线第二天不能再绕上她脖子一圈，就说明圆房成功，她不再是处女了。

256

她将像在双刃剑下丧命的牺牲一般，
370　失去头颅的躯干将屈膝，栽向地面。
纺锤们，继续转动，编织经线纬线。
所以，赶紧连接起你们憧憬的爱恋，
让丈夫在幸福的盟约中拥女神入怀，
让新娘立刻就融化于丈夫热切的爱。
375　纺锤们，继续转动，编织经线纬线。
当乳母在晨光中重新见到她的面，
昨夜的线将再不能绕她脖子一圈。
（纺锤们，继续转动，编织经线纬线。）
曾与女儿不和的母亲因她离去而惆怅，
380　却也因此有了得到可爱孙儿的盼望。
纺锤们，继续转动，编织经线纬线。”
洞悉天机的命运女神曾经如此预言，
向佩琉斯吟唱他将拥有的种种福分。
因为昔日她们时常显形，造访英雄们
385　纯洁的家，那时虔敬的美德仍受尊崇，
她们愿意置身于敬畏天神的凡人之中。
众神之父时常回到金碧辉煌的神庙里，
当人们在一年一度的节日庆祝、献祭，
他看见一百头作牺牲的牛倒在地上。
390　巴克斯时常在帕纳索斯的峰顶游荡，

---

129　虽然这一行标为第378行，但显然是多余的。

130　第382-408行，叙述者感叹人类已经堕落，英雄时代不再。

131　Liber，酒神巴克斯。Parnasi，Parnasus（帕纳索斯山）的属格。

Thyiadas[132] effusis evantis crinibus egit,

Cum Delphi[133] tota certatim ex urbe ruentes

Acciperent laeti divum fumantibus aris.

Saepe in letifero belli certamine Mavors[134]

395 Aut rapidi Tritonis era[135] aut Rhamnusia virgo[136]

Armatas hominum est praesens hortata catervas.

Sed postquam tellus scelere est imbuta nefando,

Iustitiamque omnes cupida de mente fugarunt,

Perfudere manus fraterno sanguine fratres,

400 Destitit extinctos gnatus lugere parentes,

Optavit genitor primaevi funera nati

Liber ut innuptae poteretur flore novercae[137],

Ignaro mater substernens se impia nato

Impia non verita est divos scelerare penates,

405 Omnia fanda nefanda malo permixta furore[138]

Iustificam nobis mentem avertere deorum.

Quare nec talis dignantur visere coetus,

Nec se contingi patiuntur lumine claro.

---

132 Thyiadas（原形 Thyias），参加酒神崇拜仪式的妇女。她们每年一度在德尔斐（见注释 133）附近的帕纳索斯山举行庆祝活动。

133 Delphi，德尔斐，位于希腊中部，因为阿波罗的神谕闻名于古代世界。

134 Mavors，战神 Mars（马尔斯）较老的称呼。

135 rapidi Tritonis era，字面意思是"迅疾的特里通河的女主人"，指雅典娜（密涅瓦）。特里通河（Triton，Tritonis 是其属格）流经希腊中部。

136 Rhamnusia virgo，字面意思是"朗努索斯（Rhamnusus）的处女"，指奈米西斯女

　　　　驱赶着长发飘扬、兴奋呼喊的女信徒，
　　　　当德尔斐人从全城争先恐后地涌出，
　　　　点燃祭坛的火，欣悦地向酒神致礼。
　　　　在战争血肉横飞的搏杀中，马尔斯、

395　　特里通河的女主人和朗努索斯的处女
　　　　也经常现身，激励披坚执锐的队伍。
　　　　可是后来，可憎的罪行充斥了大地，
　　　　所有人从贪婪的灵魂里放逐了正义：
　　　　兄弟的双手浸泡在兄弟的血泊中，

400　　儿子不再为亡故的父母哀悼送终，
　　　　父亲渴盼正值青春的儿子早日夭亡，
　　　　好让自己无碍地享受花朵般的新娘，
　　　　无廉耻的母亲和不更事的儿子交欢，
　　　　丝毫不害怕亵渎家神，侮辱祖先。

405　　邪恶的疯狂中，善与恶已无法区分，
　　　　让神正义的意志彻底厌弃了我们。
　　　　所以他们以拜访这样的群氓为耻，
　　　　也不能忍受白昼的天光触到自己。

---

神（见第 50 首注释 13）。朗努索斯位于希腊阿提卡半岛。

137 innuptae...novercae，"未婚的继母"，比较费解。Merrill 的解释是，父亲提前杀死了儿子，在他完婚前霸占了新娘，从而使儿子的媳妇变成了儿子的继母。Hubbard（1984）认为，将第 400 行和第 401 行对调，更容易理解：父亲想娶一位年轻女子，儿子却看上了未婚的"继母"，所以盼着父亲快死，好把她据为己有。

138 这里列出的种种罪恶在古希腊传说的英雄时代无疑都有，甚至可以说比比皆是，所以这里的感叹未必代表了卡图卢斯的观点。

# LXV[1]

Etsi me assiduo confectum cura dolore
 Sevocat a doctis, Ortale[2], virginibus[3],
Nec potis est dulcis Musarum[4] expromere fetus
 Mens animi: tantis fluctuat ipsa malis, —
5 Namque mei nuper Lethaeo[5] in gurgite fratris[6]
 Pallidulum manans alluit unda pedem,
Troia[7] Rhoeteo[8] quem subter litore tellus
 Ereptum nostris obterit ex oculis.
[Alloquar, audiero nunquam te voce loquentem,][9]
10 Numquam ego te, vita frater amabilior,
Aspiciam posthac: at certe semper amabo,
 Semper maesta tua carmina morte canam,
Qualia sub densis ramorum concinit umbris

---

1 本诗格律是哀歌双行体（elegiac couplets）。《歌集》从这首起到最后一首都是同一种格律，所以有学者认为，很可能这些作品最初构成了一部诗集，这首诗和第 116 首都用了 carmina Battiadae 的说法（其他诗中均没有），或许也暗示它们是这部诗集的首尾。van Sickle（1968）指出，这首诗在拉丁语哀歌体成型过程中起到了重要的探索作用。古罗马爱情哀歌体的一种经典句式就密集地出现在这篇作品里：修饰词出现在行首或行中主要停顿之前，而被修饰词出现在行尾。24 行诗中有 19 行都遵循这一模式。后来的普洛佩提乌斯和奥维德都继承并发展了这一传统。从内容上看，这首诗构成了第 66 首的序，两首诗的关系很像第 68 首的 AB 两部分的关系。

2 Ortale（= Hortale），Hortalus（霍尔塔卢斯）的呼格。学者们一般认为，霍尔塔卢斯指当时著名的演说家、律师 Q. Hortensius Hortalus。

## 六十五

霍尔塔卢斯，虽然持久的痛苦令我疲惫，
　　让我被迫远离了博学的处女缪斯，
我的思想也无法结出诗歌的甜美果实，
　　它颠簸起伏，被汹涌的不幸包围——
5　就在不久前，从列特河漫过来的洪水
　　旋转着，淹没了我哥哥苍白的双足，
特洛伊的土地将他从我的视线中夺去，
　　又在罗特乌姆的海岸下碾得粉碎。
[从此以后，我再也听不到你的声音，]
10　也再也见不到你的面，哥哥，你比
生命还宝贵：可至少我会永远爱你，
　　永远把因你之死而黯然的诗句低吟，
就像在枝叶的浓荫下，多里斯的燕子

---

3 doctis…virginibus（主格 doctae virgines），"博学的处女"，指九位缪斯神。

4 Musarum（主格 Musae），九位缪斯神，这里借指诗歌。

5 Lethaeo（原形 Lethaeus），从 Lethe（列特河）变来的形容词。列特河又称忘川，是古希腊神话中冥府的一条河，据说死人喝了河中的水，便会忘记过去的事。

6 卡图卢斯的哥哥死得很早，葬在远离罗马和家乡维罗纳的特洛伊。卡图卢斯对他有很深的感情，参考第 68 首和第 101 首。

7 Troia（原形 Troius），Troia（特洛伊）的形容词。

8 Rhoeteo（原形 Rhoteus），Rhoeteum（罗特乌姆）的形容词，罗特乌姆是特洛伊的代称。

9 这一行原文缺失，是根据 Owen（1893）的版本补上的。

Daulias, absumpti fata gemens Ityli[10], —
15 Sed tamen in tantis maeroribus, Ortale, mitto
Haec expressa tibi carmina Battiadae[11],
Ne tua dicta vagis nequiquam credita ventis
Effluxisse meo forte putes animo,
Ut missum sponsi furtivo munere malum
20 Procurrit casto virginis e gremio,
Quod miserae oblitae molli sub veste locatum,
Dum adventu matris prosilit, excutitur;
Atque illud prono praeceps agitur decursu,
Huic manat tristi conscius ore rubor[12].

---

10 Daulias，指菲洛梅拉（Philomela），因为她住在多里斯（Daulis）城，所以有此称呼。
她姐姐普罗克涅（Procne）是特柔斯（Tereus）的妻子，并生有一子伊提卢斯（Itylus）。
特柔斯垂涎菲洛梅拉的美貌，就把普罗克涅藏在乡间，谎称她已死了，然后强奸了菲洛
梅拉，并割掉了她的舌头。菲洛梅拉很快得知真相，将自己的遭遇缝在一件给姐姐的衣
服里。普罗克涅杀死了伊提卢斯，做成食物让特柔斯吃。姐妹俩一起出逃，复仇心切的
特柔斯提着斧头在后面追赶，神可怜她们，就把菲洛梅拉变成了夜莺，普罗克涅变成了
燕子（一说两人都变成了燕子）。

为逝去的伊提卢斯的命运哀悼——

15　可是，霍尔塔卢斯，伤痛虽将我环绕，
　　我仍要将巴提亚蒂斯的诗赠给你，
　　以免你觉得自己的话全是徒劳，就像
　　　抛给流浪的风，从我心头一飘而过；
　　犹如情郎私下赠给少女的一只苹果，
20　　从她纯洁的膝间坠落，可怜的姑娘
　　忘了它藏在柔软的衣襟里，当母亲
　　　突然出现，而她悚然跃起，它便
　　滑下来，径直往前滚去，越滚越远，
　　她忧郁的脸上浮起一抹愧疚的红晕。

---

11 Battiadae, Battiades（巴提亚蒂斯，希腊语"巴图斯之子"）的属格，巴提亚蒂斯指泛希腊时期著名诗人卡里马科斯(Callimachus)，他曾在诗中如此自称。carmina Battiadae指卡图卢斯翻译的卡里马科斯诗集（参考第 66 首）。

12 第 19 到 24 行的比喻令不少学者困惑。Petrini（1997）分析说，这个情节寄寓了从纯真童年进入成人期的伤痛。童年期母女之间的信任由于女儿爱情的萌动而掺入了欺骗（furtivo munere，"秘密的礼物"），无忧的状态也随之终结（tristi…ore，"哀伤的表情"）。在这首诗的语境中，卡图卢斯是想表明，他不会欺骗霍尔塔卢斯，忘记自己的承诺。

## LXVI[1]

Ominia qui[2] magni dispexit lumina mundi,

    Qui stellarum ortus comperit atque obitus,

Flammeus ut rapidi solis nitor obscuretur,

    Ut cedant certis sidera temporibus,

5    Ut Triviam[3] furtim sub Latmia[4] saxa relegans

    Dulcis amor gyro devocet aereo,

Idem me ille Conon caelesti in lumine vidit

    E Bereniceo[5] vertice caesariem

Fulgentem clare, quam multis illa dearum

10    Levia protendens brachia pollicita est,

Qua rex tempestate novo auctus hymenaeo

    Vastatum finis iverat Assyrios[6],

Dulcia nocturnae portans vestigia rixae

    Quam de virgineis gesserat exuviis[7].

15    Estne novis nuptis odio Venus[8]? Anne parentum

---

1 本诗格律是哀歌双行体。这首诗很可能是第 65 首中提到的卡里马科斯诗集的一篇译作。卡里马科斯原诗已佚失，20 世纪发现的两个片段表明卡图卢斯在翻译一些晦涩部分时比较随意。卡里马科斯是公元前 3 世纪亚历山大著名的诗人。当时埃及由托勒密（Ptolemaeus）王朝统治。为感谢神让国王欧埃尔盖特斯（Euergetes）从远征亚述的军事行动中平安归来，王后贝莱尼克（Berenice）履行承诺，将自己的一绺头发奉献给神。但不久这绺头发就从神庙中消失了。宫廷天象官科农声称发现了一个新的星座（后发座），就是王后的头发变的，避免了皇室的尴尬。卡里马科斯以此为题材，写了这首诗。

2 qui，指第 7 行提到的天象官科农（Conon）。

## 六十六

　　他巡阅过浩瀚宇宙中所有的光体，

　　　　他探求过星辰升起与降落的规则，

　　迅疾的太阳那灿烂的火焰何时藏匿，

　　　　诸星座如何在特定的季节里隐没，

5　　甜蜜的爱如何让月亮离开天上的轨道，

　　　　并将她悄悄放逐到拉特墨斯山下——

　　正是他，科农，看见我璀璨地闪耀

　　　　（我，贝莱尼克王后的一绺头发）

　　在苍穹的微光里，因为她曾伸出

10　　　光滑的手臂，将我允诺给诸女神。

　　那时，国王正沉浸于新婚的欢愉，

　　　　却要跋山涉水，去亚述国远征，

　　他身上犹留着夜晚战斗的甜蜜印痕，

　　　　美妙的战利品就是处女的贞节。

15　　新娘真的憎恨维纳斯？或者她们

---

3 Triviam，主格 Trivia（特里维娅），指月神戴安娜，参考第 34 首注释 3。

4 Latmia（原形 Latmius），从 Latmus（拉特墨斯山）变来的形容词。月神塞莱娜（Selene，古老的月神，后与阿忒弥斯/戴安娜混同）常在拉特墨斯山与美少年恩狄米昂（Endymion）幽会。

5 Bereniceo（原形 Bereniceus），从 Berenice（贝莱尼克）变来的形容词。

6 Assyrios（原形 Assyrius），从 Assyria（亚述国，在小亚细亚）变来的形容词。

7 这里把性爱比作战斗，把贞操比作战利品。

8 关于新娘憎恶维纳斯女神（指性行为）的说法，参考第 62 首第 39-48 行。

Frustrantur falsis gaudia lacrimulis

Ubertim thalami quas intra limina fundunt?

Non, ita me divi, vera gemunt, iuerint.

Id mea me multis docuit regina querellis

20      Invisente novo proelia torva viro.

At tu non orbum luxti deserta cubile,

Sed fratris[9] cari flebile discidium?

Quam penitus maestas exedit cura medullas!

Ut tibi tunc toto pectore sollicitae

25    Sensibus ereptis mens excidit! At te ego certe

Cognoram a parva virgine magnanimam.

Anne bonum oblita es facinus[10], quo regium adepta es

Coniugium, quod non fortior ausit alis?

Sed tum maesta virum mittens quae verba locuta es!

30      Iuppiter, ut tristi lumina saepe manu!

Quis te mutavit tantus deus? An quod amantes

Non longe a caro corpore abesse volunt?

Atque ibi me cunctis pro dulci coniuge divis

Non sine taurino sanguine pollicita es,

35    Si reditum tetulisset. Is haud in tempore longo

Captam Asiam[11] Aegypti[12] finibus addiderat.

---

9 贝莱尼克和欧埃尔盖特斯只是表兄妹，但埃及人习惯把国王夫妇称为兄妹，王室也有亲兄妹结婚的传统。

10 贝莱尼克的妈妈反对她与托勒密三世（欧埃尔盖特斯）结婚，想把她嫁给马其顿国王的弟弟德梅特里俄斯（Demetrius），然而他却与贝莱尼克的妈妈私通。于是贝莱尼克

在洞房的门槛内让泪水流成河，
只是为了冲毁父母本当有的欢喜？
神啊，她们的怨诉其实言不由衷。
我明白真相，是因为王后哀叹不已，
20　当她的新郎即将投入残忍的战争。
可是被抛下的你不是为空床伤悲，
而是为了你至亲兄弟黯然的离别？
忧虑多么深地咬进你痛苦的骨髓！
你多么凄惶，失去了一切知觉，
25　仿佛心都掉了出来！可是我了解你，
你还是小女孩时就已经镇定自若。
难道你不记得为了与国王结为伉俪
而采取的勇敢之举，谁比你更果决？
可是送别丈夫时，你的话多么抑郁！
30　朱庇特啊，你怎样一再擦拭泪水！
哪位大神改变了你？还是因为情侣
不能忍受长久与爱人的身体相违？
为了亲爱的丈夫，你向所有神许愿，
如果他能平安归来，你就会献上我
35　（你以公牛的血为证）。没过多少时间
他就攻占了亚细亚，添了埃及的边界。

---

找人刺死了他，扫除了与欧埃尔盖特斯成婚的障碍。这里是用她的果决来反衬她离别的伤情。

11 Asiam，主格 Asia（小亚细亚）。

12 Aegypti，主格 Aegyptus（埃及）。

Quis ego pro factis caelesti reddita coetu

    Pristina vota novo munere dissolvo.

Invita, o regina, tuo de vertice cessi[13],

40    Invita: adiuro teque tuumque caput:

Digna ferat quod si quis inaniter adiurarit:

    Sed qui se ferro postulet esse parem?

Ille quoque eversus mons est quem maximum in oris

    Progenies Thiae[14] clara supervehitur,

45  Cum Medi[15] peperere novum mare, cumque iuventus

    Per medium classi barbara navit Athon.

Quid facient crines, cum ferro talia cedant?

    Iuppiter, ut Chalybon[16] omne genus pereat,

Et qui principio sub terra quaerere venas

50    Institit ac ferri stringere duritiem!

Abiunctae paulo ante comae mea fata sorores

    Lugebant, cum se Memnonis Aethiopis

---

13 维吉尔在《埃涅阿斯记》中描绘埃涅阿斯向狄多女王告别时（6. 460）几乎原样引用了这行诗。Fordyce（1961）等学者认为，维吉尔在庄严的史诗中不会有意使用这样戏仿史诗的轻佻句子，Griffith（1995）却认为，卡图卢斯这首诗只是借用了卡里马科斯作品的躯壳，其实暗藏玄机，它真正的范本是《伊利亚特》中埋葬帕特罗克勒斯（Patroclus）的片断（23.140-51）。佩琉斯（参考第 64 首）发誓说，如果阿喀琉斯从特洛伊平安归来，他就将儿子的头发献祭给斯珀尔克伊俄斯河（Spercheius）。然而，在帕特罗克勒斯的葬礼上，阿喀琉斯却剪下头发，放在亡友的手里，暗示自己永远不可能回到故乡。Griffith 特别指出，如果贝莱尼克仅仅是献头发，是没有必要用血祭的（第 34 行）。考虑到第 65 首与第 66 首的密切关系，卡图卢斯未必没有影射自己的失兄之痛。以荷马为师的维

如今事已成，我当向天上的诸神

　　替你还昔日的愿，和新祭品一起。

啊，王后，我离开你是多么不甘心，

40　　不甘心：我敢以你和你的头起誓：

　　谁敢妄发这样的誓，让他遭到报应：

　　　可是谁能声称自己堪与铁匹敌？

甚至海滨最宏伟的那座山都被铲平，

　　（提亚灿烂的儿子曾经翻越那里，）

45　当波斯人开辟出新海，蛮族的年轻人

　　乘着兵舰从阿托斯山的心脏穿过。

连它们都屈服于铁，头发怎能抗衡？

　　朱庇特，愿卡吕贝斯部落彻底灭绝，

愿第一个在地下寻找矿藏、第一个

50　打造出坚硬铁器的人死无全尸！

　　刚才与我分开的姐妹头发，哀哭着

　　　我的命运，当衣索匹亚门农的兄弟、

---

吉尔应当意识到了卡图卢斯作品中的《伊利亚特》的潜文本。此外，Tatum（1984）发现，《埃涅阿斯记》中狄多也曾剪下头发（4.700-5），但其目的是为了让灵魂从身体中解脱。狄多背叛了自己的丈夫，贝莱尼克却忠于自己的丈夫，也形成隐含的对照。

14 Progenies Thiae（主格 Thia），指太阳。据赫希俄德《神谱》（371），Thia（提亚）和 Hyperion（海佩里昂）生下了太阳神 Helios（赫利俄斯）和月神 Selene（塞莱娜）。

15 Medi，梅迪亚（Media，古代里海南岸的一个国家）人，这里借指波斯人。波斯国王薛西斯率军远征希腊时，曾凿穿阿托斯山（Athos，宾格 Athon），开辟了一条运河。

16 Chalybon，Chalybes（黑海地区的一个以矿工和铁匠为主的著名部落）的希腊语复数属格。

Unigena[17] impellens nutantibus aera pennis

    Obtulit, Arsinoes Locridos ales equus[18],

55  Isque per aetherias me tollens avolat umbras

    Et Veneris[19] casto collocat in gremio.

Ipsa suum Zephyritis[20] eo famulum legarat

    Graia Canopiis incola litoribus[21].

Inde Venus vario ne solum in lumine caeli

60    Ex Ariadnaeis aurea temporibus

Fixa corona foret, sed nos quoque fulgeremus

    Devotae flavi verticis exuviae,

Uvidulam a fluctu cedentem ad templa deum me

    Sidus in antiquis diva novum posuit:

65  Virginis et saevi contingens namque Leonis[22]

    Lumina, Callisto iuncta Lycaoniae[23],

Vertor in occasum, tardum dux ante Booten[24],

    Qui vix sero alto mergitur Oceano[25].

Sed quamquam me nocte premunt vestigia divum,

70    Lux autem canae Tethyi[26] restituit

---

17 Memnonis Aethiopis unigena,"衣索匹亚门农（Memnon）的兄弟"，指西风神 Zephyrus。Memnon 在特洛伊战死。卡图卢斯以这种方式称呼西风是有用意的。

18 Arsinoes Locridos ales equus, "洛克里斯（Locris，Zephyrus 的家乡）的阿尔西诺厄（Arsinoe，托勒密二世的王后）的飞马"，指 Zephyrus。因 Arsinoe 死后被供为神，其庙在 Zephyrion（泽弗里昂），所以与 Zephyrus 有了关联。

19 Veneris，Venus（维纳斯）的属格。

20 Zephyritis，指维纳斯，阿尔西诺厄被奉为神后，与维纳斯混同了，参考注释 18。

阿尔西诺厄王后的飞马拍打翼翅，
　　催动气流，出现在我的身边，

55　并且托举着我，掠过天空的阴翳，
　　将我安放在维纳斯纯洁的胸前。
　　是泽弗里昂的女神——卡诺普斯的
　　　希腊王后亲自派这位仆人前来。
　　然后，维纳斯为了不让阿里阿德涅

60　双鬓的金冠在天穹里独放异彩，
　　为了让我，从金黄头顶收获的供品，
　　　也能在纷繁的星光中熠熠生辉，
　　将我化成新的星座，与诸旧星为邻，
　　　虽然我在去神庙途中浸满了泪水：

65　我在处女座和凶猛的狮子座之间，
　　　挨着卡利斯托——吕卡翁的女儿，
　　沉落之时，我走在迟缓的牧夫座前，
　　　他很晚才在深深的大洋中隐没。
　　虽然夜里众神的脚迹会经过我身边，

70　而晨光也会将我送回泛白的海中，

---

21 Graia Canopiis incola litoribus，"卡诺普斯（Canopus，在埃及亚历山大城附近，距阿尔西诺厄神庙不远）海岸的希腊居住者"，指维纳斯（阿尔西诺厄是希腊人）。

22 Virginis，Virgo（处女座）的属格。Leonis，Leo（狮子座）的属格。

23 Callisto（卡利斯托），阿卡迪亚国王吕卡翁（Lycaon）的女儿，被宙斯变成大熊星座。

24 Booten，Bootes 的宾格，牧夫座。

25 Oceano，主格 Oceanus（俄刻阿诺斯），大洋河神，这里借指海。

26 Tethyi（主格 Tethys，特狄斯），俄刻阿诺斯的妻子，这里也借指海。

(Pace tua fari hic liceat, Rhamnusia virgo[27]:

Namque ego non ullo vera timore tegam,

Nec si me infestis discerpent sidera dictis,

Condita quin veri pectoris evoluam),

75　Non his tam laetor rebus, quam me afore semper,

Afore me a dominae vertice discrucior,

Quicum ego, dum virgo quondam fuit, omnibus expers

Unguentis, una milia multa bibi.

Nunc vos, optato quas iunxit lumine taeda,

80　　Non prius unanimis corpora coniugibus

Tradite nudantes reiecta veste papillas,

Quam iucunda mihi munera libet onyx,

Vester onyx, casto colitis quae iura cubili.

Sed quae se impuro dedit adulterio,

85　Illius a mala dona levis bibat irrita pulvis:

Namque ego ab indignis praemia nulla peto.

Sed magis, o nuptae, semper concordia vestras,

Semper amor sedes incolat assiduus.

Tu vero, regina, tuens cum sidera divam

90　　Placabis festis luminibus Venerem,

Unguinis expertem non siris esse tuam me,

Sed potius largis adfice muneribus.

Sidera corruerint utinam! Coma regia fiam,

Proximus Hydrochoi fulgeret Oarion[28]!

---

27 Rhamnusia virgo，"朗努索斯的处女"，指奈米西斯女神（见第 64 首注释 136）。

（朗努索斯的处女啊，请恕我直言，
　　因我不会让任何恐惧将真相囚笼；
即使星座们用愤怒的言辞讨伐我，
　　我也要把胸中的秘密公之于众。）
75　我并不喜欢现在的处境，反而感觉
　　是折磨，因我永别了女主人的头顶，
以前和她一起在闺中，我曾经遍尝
　　数千种香膏，如今却再没此福分。
啊你们，婚礼火炬光亮中的新娘，
80　虔诚守护着贞洁床榻的女人们，
在把你们的身体交给同心的郎君，
　　解开衣襟，袒露你们的乳房之前，
别忘献给我盛着可爱礼物的玛瑙瓶。
　　但如果谁自甘陷入淫乱的泥潭，
85　且让轻浮的尘土饮干她徒劳的贿赂，
　　我不向无德之人寻求任何报答。
可是纯洁的新娘，愿更甜美的和睦、
　　更丰盛的爱永远住在你们的家。
还有你，王后，当你凝望满天星辰，
90　用节庆的灯火取悦神圣的维纳斯，
不要对我，昔日的婢女，吝惜供品，
　　请让我重新沉醉于无边的香气。
愿众星全坠落！愿我还在王后头上，
　　愿猎户座在宝瓶座的旁边发光！

---

28 Hydrochoi，即 Aquarius（宝瓶座）；Oarion，即 Orion（猎户座）。

# LXVII[1]

O dulci iucunda viro, iucunda parenti,
　　Salve, teque bona Iuppiter auctet ope,
Ianua, quam Balbo[2] dicunt servisse benigne
　　Olim, cum sedes ipse senex tenuit,
5　Quamque ferunt rursus gnato servisse maligne,
　　Postquam es porrecto facta marita sene.
Dic agedum nobis, quare mutata feraris
　　In dominum veterem deseruisse fidem.
"Non (ita Caecilio[3] placeam, cui tradita nunc sum)
10　Culpa mea est, quamquam dicitur esse mea,
Nec peccatum a me quisquam pote dicere quicquam:
　　Verum est ius populi: ianua quicque facit,
Qui, quacumque aliquid reperitur non bene factum,
　　Ad me omnes clamant, 'Ianua, culpa tua est.'"
15　Non istuc satis est uno te dicere verbo,
　　Sed facere ut quivis sentiat et videat.
"Qui possum? Nemo quaerit nec scire laborat."
　　Nos volumus; nobis dicere ne dubita.
"Primum igitur, virgo quod fertur tradita nobis,
20　Falsum est. Non illam vir prior attigerit,
Languidior tenera cui pendens sicula beta

---

1 本诗格律是哀歌双行体。第 66 首是头发的独白，第 67 首却是叙述者与一扇门之间的对话。这首诗融合了古罗马民间色情流言和舞台喜剧的传统。

## 六十七

　　啊，一位温柔的男子和他父亲的慰藉，
　　　　你好，愿朱庇特以神的善意保佑你，
　　门，他们说你曾尽心为巴尔布斯工作，
　　　　当时是那位老人掌管着整座房子；
5　　他们说，自从老人进棺材，儿子成家，
　　　　你对少主人的态度却远远不够恭敬。
　　快告诉我们，你为什么有这样的变化，
　　　　为什么背弃了你往日对主人的忠心。
　　"这不是我的错（愿我能让现在的主人
10　　凯奇里乌斯满意），虽然大家都这么说，
　　　　任何人都没法在我身上挑出任何毛病。
　　可这是人们的权利：把坏事全推给我。
　　不管他们发现什么事情做得不太好，
　　　　所有人都会冲我嚷，'门，是你的错。'"
15　　这么简单几句话，我们还是不甚明了，
　　　　再解释一下，好让大家知道真相如何。
　　"怎么可能？没人问我，也没人肯调查。"
　　　　我们肯，别犹豫，把实情告诉我们。
20　　"那我就讲啦。一开始他们说的就是谎话，
　　　　她不是处女，先碰她的也不是她男人。
　　他的小匕首吊在那儿，简直比甜菜还软，

---

2 Balbo，主格 Balbus（巴尔布斯），这对父子中父亲的名字。

3 Caecilio，主格 Caecilius（凯奇利乌斯），这对父子中儿子的名字。

Numquam se mediam sustulit ad tunicam:

Sed pater illius gnati violasse cubile

Dicitur et miseram conscelerasse domum,

25    Sive quod impia mens caeco flagrabat amore,

Seu quod iners sterili semine natus erat

Ut quaerendus is unde foret nervosius illud,

Quod posset zonam solvere virgineam."

Egregium narras mira pietate parentem,

30    Qui ipse sui gnati minxerit in gremium.

"Atqui non solum hoc dicit se cognitum habere

Brixia[4] Cycneae[5] supposita speculae,

Flavus quam molli praecurrit flumine Mella[6],

Brixia, Veronae mater amata meae,

35    Sed de Postumio[7] et Corneli[8] narrat amore,

Cum quibus illa malum fecit adulterium.

Dixerit hic aliquis, 'Quid? Tu istaec, ianua, nosti,

Cui numquam domini limine abesse licet,

Nec populum auscultare, sed hic suffixa tigillo

40    Tantum operire soles aut aperire domum?'

Saepe illam audivi furtiva voce loquentem

Solam cum ancillis haec sua flagitia,

---

4 Brixia（布里克西亚，今 Brescia），意大利北部的一个城市。

5 Cycneae（原形 Cycneus），从 Cycnus（齐克努斯）变来的形容词。齐克努斯是里古利亚（Liguria）的国王，后来变成了天鹅。"齐克努斯瞭望塔"，所指不详。这句话原文难以确定，此处采用的是 Garrison（1989）的版本。Merrill（1893）版作 Brixia chinea

从头到尾就没有顶起过腰间的衣服：
可是儿子的床据说却让父亲占了先，
　他的罪让这个可怜的家装满了烂污。
25　或者是因为盲目的欲望在淫邪的心里
　　燃烧，或者是因为儿子种不出后代，
无计可施，只好找人替自己履行职司，
　借他更强壮的物事解开处女的腰带。"
你所讲的真是最令人称奇的家庭情分，
30　　最杰出的父亲，竟尿在儿子裤裆里。
"齐克努斯瞭望塔下的布里克西亚城
　宣称她所知道的远不止这一件丑事。
（金色的梅拉河平静地穿过她的土地，
　布里克西亚，我钟爱的维罗纳的母亲，）
35　她还知道波斯图姆斯和科尔内利乌斯，
　　新娘和他们之间也有可耻的绯闻。
有人可能要反驳我，'什么？门，这些
　　你竟然都知道？你从来都不可以
离开主人的门槛，也不可以偷听谈话，
40　　只能固定在门楣下面，时开时闭！'
可是我经常听到她低声谈论她的孽缘，
　　一个人对着身边的女仆们滔滔不绝，

---

suppositum specula，Owen（1893）版作 Brixia Chineae supposita speculae。

6 Mella（梅拉河），维罗纳附近的一条河。

7 Postumio（原形 Postumius），从 Postumus（波斯图姆斯，身份不详）变来的形容词。

8 Corneli，Cornelius（科尔内利乌斯，身份不详）的属格。

Nomine dicentem quos diximus, ut pote quae mi
    Speraret nec linguam esse nec auriculam.
45  Praeterea addebat quendam, quem dicere nolo
    Nomine, ne tollat rubra supercilia[9].
Longus homo est, magnas cui lites intulit olim
    Falsum mendaci ventre puerperium[10]."

---

9 rubra supercilia,"红色的眉毛",表示愤怒。

　　　　我刚才提到的名字就在其中，显然，

　　　　　　她以为我既没有舌头，也没耳朵。

45　　此外，她还说起一个人，但我不愿

　　　　　　点他的名，我怕他竖起红色的眉毛。

　　　　他个子很高，曾被她卷进一桩大案，

　　　　　　她说自己怀孕了，当然，这是圈套。"

---

10 这个女人谎称怀上怀上他的孩子，并把他告上法庭。

## LXVIII[1]

Quod mihi fortuna casuque oppressus acerbo
    Conscriptum hoc lacrimis mittis epistolium,
Naufragum ut eiectum spumantibus aequoris undis
    Sublevem et a mortis limine restituam,
5    Quem neque sancta Venus[2] molli requiescere somno
    Desertum in lecto caelibe perpetitur,
Nec veterum dulci scriptorum carmine Musae[3]
    Oblectant, cum mens anxia pervigilat:
Id gratum est mihi, me quoniam tibi dicis amicum
10    Muneraque et Musarum hinc petis et Veneris[4].
Sed tibi ne mea sint ignota incommoda, Mani[5],
    Neu me odisse putes hospitis officium,
Accipe quis merser fortunae fluctibus ipse,
    Ne amplius a misero dona beata petas.
15    Tempore quo primum vestis mihi tradita pura est[6],
    Iucundum cum aetas florida ver ageret,

---

1 本诗格律是哀歌双行体。这首诗（或者这两首诗 68a 和 68b）对古罗马文学中的爱情哀歌体（erotic elegy）产生了决定性的影响，初步奠定了其格律、风格、程式和三大主题（爱情、友谊和死亡）。学者们历来对 68a 和 68b（甚至有人将第 149-160 行划为 68c）之间的关系争论不休。Prescott（1940）等人坚持认为，两部分是一体的，主要理由是两部分都提到了卡图卢斯的哥哥，而且 68a 中的第 19-24 行几乎和 68b 中的第 91-96 行如出一辙。他甚至认为 68a 中的曼尼乌斯（Manlius）其实是讹误，就是 68b 中的阿里乌斯（Allius）。但 Kinsey（1967）和 Skinner（1974）等人经过分析，指出 68a 有完整

## 六十八

你被命运和严酷的遭遇逼迫，送给我
　　这封用泪水写就的信，让我向一位
被大海的滔滔巨浪卷到岸边的沉船者
　　伸出援手，将他从死亡的门槛拉回；
5　你说，他被遗弃在孤寂荒凉的床上，
　　维纳斯不许他在温柔的梦乡安歇，
缪斯们也不肯再用古人甜美的诗行
　　愉悦他，当他的心焦虑地守望终夜：
这让我感到快慰，因你称我为朋友，
10　还向我寻求缪斯和维纳斯的礼物。
可是曼尼啊，为了让你知道我的烦忧，
　　以免误认为我竟憎恶朋友的义务，
告诉你，我自己也被厄运的漩涡环绕，
　　这样你就不会再向同病相怜之人
15　寻求馈赠。当我刚穿上白色的托加袍，
　　当花样年华还享受着春天的欢欣，

---

的结构（以诗与爱为双主体，分为 1-14、15-26、27-40 三个部分），其风格也与 68b 有
很大差别，应当是独立的一首诗。Wohlberg（1955）还推测，68b 作于 68a 之前。

2 Venus（维纳斯），代表爱与性。

3 Musae，九位缪斯神，代表诗歌。

4 曼尼乌斯（身份不详）要求卡图卢斯的礼物既包括诗，也包括爱（诗的内容）。

5 Mani（曼尼），Manius（曼尼乌斯）的呼格。

6 古罗马男子十七岁前一般穿镶有紫边的托加袍，成人后穿白色托加袍。

Multa satis lusi[7]; non est dea nescia nostri

    Quae dulcem curis miscet amaritiem:

Sed totum hoc studium luctu fraterna mihi mors

20     Abstulit. O misero frater[8] adempte mihi,

Tu mea tu moriens fregisti commoda, frater,

    Tecum una tota est nostra sepulta domus,

Omnia tecum una perierunt gaudia nostra,

    Quae tuus in vita dulcis alebat amor.

25   Cuius ego interitu tota de mente fugavi

    Haec studia atque omnes delicias animi.

Quare, quod scribis Veronae[9] turpe Catullo

    Esse, quod hic quisquis de meliore nota

Frigida deserto tepefactet membra cubili[10],

30   Id, Mani, non est turpe, magis miserum est.

Ignosces igitur, si, quae mihi luctus ademit,

    Haec tibi non tribuo munera, cum nequeo.

Nam, quod scriptorum non magna est copia apud me,

    Hoc fit, quod Romae[11] vivimus: illa domus,

35   Illa mihi sedes, illic mea carpitur aetas;

    Huc una ex multis capsula me sequitur.

Quod cum ita sit, nolim statuas nos mente maligna

    Id facere aut animo non satis ingenuo,

---

7 lusi（不定式 ludere），"游戏"，结合上下文，这里主要指性经历。

8 frater，"哥哥"，关于卡图卢斯的哥哥，参考第 65 首注释 6。

9 Veronae，主格 Verona（维罗纳），卡图卢斯家乡。

我也曾风流快活，将一种甜蜜的苦涩

　　与忧虑混合的爱神也并非不知道我：

可是所有这些热情都被丧兄之痛劫掠。

20　　啊，可怜的我，就这样失去了哥哥，

啊，哥哥，你的亡故摧毁了我的幸福，

　　我的整个家都和你一起埋进了坟里，

我所有的快乐都已和你一起化作泥土，

　　你在世时，它们却被你甜蜜的爱珍惜。

25　因为你的夭折，我从心里放逐了所有

　　这些灵魂所迷恋、所追慕的东西。

所以，虽然你说卡图卢斯在维罗纳停留

　　是羞耻的事，因为这里的上流人士

都只能在空荡的床上煨他们冰冷的肢体，

30　　我却觉得，这不是羞耻，而是痛苦。

因此，你会原谅我，如果我不能送给你

　　痛苦从我这里夺走的东西，作为礼物。

现在，我身边没多少可供参阅的诗书，

　　因为罗马才是我生活的地方，我的家，

我的居所，我度过大半时光的乐土；

　　藏书里只有一小箱跟着我在此驻扎。

既然情况如此，我不希望我在你眼里

　　变成一个吝啬、没有丝毫气度的人，

---

10 hic 比较暧昧，既可指维罗纳（从卡图卢斯的角度说），也可指罗马（转述曼尼乌斯的话），如果是后一种情况，曼尼乌斯在信中或许影射了莱斯比娅的风流韵事。

11 Romae, Roma（罗马）的地格。卡图卢斯将罗马称为家，反映了他的归属感。

Quod tibi non utriusque petenti copia posta est:

40　　　Ultro ego deferrem, copia siqua foret.

LXVIIIb[12]

Non possum reticere, deae[13], qua me Allius in re

　　　Iuverit aut quantis iuverit officiis,

Ne fugiens saeclis obliviscentibus aetas

　　　Illius hoc caeca nocte tegat studium:

45　　Sed dicam vobis, vos porro dicite multis

　　　Milibus et facite haec carta loquatur anus.

[Ut fama ille bona Cumaeos[14] vivat in annos, ]

　　　Notescatque magis mortuus atque magis,

Nec tenuem texens sublimis aranea telam[15]

50　　In deserto Alli nomine opus faciat.

　　　Nam, mihi quam dederit duplex Amathusia[16] curam

---

12 和第 64 首一样，这首诗也是卡图卢斯《歌集》中最受学者关注的作品。与第 64 首不同的是，这首诗的风格不太希腊化，而更罗马化，风格介于史诗的庄严语体与日常语体之间，表面的题材也非常琐屑。朋友阿里乌斯曾经帮助卡图卢斯安排和莱斯比娅幽会的房子，卡图卢斯以这首诗表示感激，但诗作的大部分内容却是叙述拉俄达弥娅（Laodamia）的故事和哀叹哥哥的夭亡，其中又夹杂着大量的超长明喻。学者们发现，这首诗的结构非常精巧，作品的各个明喻之间、明喻与主题之间也有极其细致的联系。诗歌的内容安排呈环形结构：阿里乌斯——卡图卢斯与莱斯比娅——拉俄达弥娅——特洛伊——哥哥——特洛伊——拉俄达弥娅——卡图卢斯与莱斯比娅——阿里乌斯。Vandiver（2000）认为，这首诗的故事本身没有任何吸引人的地方，其艺术水准主要体

只因我拒绝了你所希求的两样东西：
　　如果我有，你不说我也会慷慨相赠。

## 六十八（b）

我不能沉默，诸位女神，我要颂赞
　　阿里乌斯，他曾那样热忱地帮助我，
以免健忘的世纪和飞速逃遁的时间
　　让他诚挚的情谊在沉沉黑暗中陷没：
我要向你们讲述，并借你们的力量，
　　在古旧的书卷中向未来的人们讲述，
[以使他的美名如西比尔一般久长，]
　　肉身虽死，他却会在记忆中永驻；
你们不要让蜘蛛在高处织它的细网，
50　　在阿里乌斯遗弃的名字上建立居所。
因为你们知道，狡诈的维纳斯神怎样

---

现在意象的编织上。他声称，触动意象之网的任何一根线，几乎都能引出贯穿全诗的子结构。Feeney（1992）也说，"这些明喻就是诗本身"。由于意象之间的联系常常非常隐秘，几乎是随意连缀，Quinn（1970）把这首诗称为"意识流技巧的早期试验"。

13 deae（诸女神），指九位缪斯。

14 这行诗原文缺失，这里是根据 Owen（1893）版补充的。Cumaeos（原形 Cumaeus），从 Cumae（库迈）变来，库迈是著名先知西比尔居住的地方。Cumaeos vivat…annos 意思是名声永久流传。

15 蜘蛛所织的网与卡图卢斯所"织"的诗将争夺阿里乌斯的名字。

16 Amathusia，指维纳斯（塞浦路斯的阿马图斯城崇拜维纳斯）。

Scitis, et in quo me torruerit genere,
Cum tantum arderem quantum Trinacria rupes[17]
Lymphaque in Oetaeis Malia Thermopylis[18],
55   Maesta neque assiduo tabescere lumina fletu
Cessarent tristique imbre madere genae.
Qualis in aerii perlucens vertice montis
Rivus muscoso prosilit e lapide,
Qui, cum de prona praeceps est valle volutus,
60   Per medium densi transit iter populi,
Dulce viatori lasso in sudore levamen,
Cum gravis exustos aestus hiulcat agros;
Hic, velut in nigro iactatis turbine nautis
Lenius aspirans aura secunda venit
65   Iam prece Pollucis, iam Castoris[19] implorata,
Tale fuit nobis Allius auxilium.
Is clausum lato patefecit limite campum,
Isque domum nobis isque dedit dominae[20],
Ad quam communes exerceremus amores.
70   Quo mea se molli candida diva[21] pede

17 Trinacria rupes,"西西里的岩石",指埃特纳火山。
18 本诗中有三处典故涉及赫拉克勒斯（Heracles），构成了一条隐线索。赫拉克勒斯是凡人，经过艰辛磨难，最终与青春女神赫柏（Hebe）结为伉俪，并升格为神。卡图卢斯饱受爱情折磨，却最终不能与自己的"女神"（第70行）莱斯比娅有所结果。Oetaeis（原形 Oetaeus），从 Oeta（埃塔山，在希腊南部，赫拉克勒斯在此将自己烧死，但宙斯把他变成了神）变来的形容词。Thermopylis（原形 Thermopylus），从 Thermopylae（温

286

将爱的忧虑植入我心，怎样炙烤我，

当我像西西里火山上的岩石，或者像

   埃塔山附近的马里亚温泉一样灼热，

55  当我悲伤的眼睛因为泪水不停流淌

而渐侵蚀，凄哀的洪水在脸颊倾泻。

犹如在高耸入云的山巅，一泓甘泉

   晶莹透亮地自长满苔藓的悬崖跃出，

决然地沿着陡峭的峡谷蜿蜒向前，

60  穿过络绎不绝的人们所跋涉的路途，

给汗流浃背的倦客送去甜蜜的慰藉，

   当焦渴的土地在酷热的天气里龟裂；

或者，犹如水手在黑色风暴中颠簸，

时而哀求珀鲁克斯，时而向卡斯托

65  祷告，和缓的顺风竟真的开始吹拂：

   阿里乌斯对我的帮助就仿佛如此。

他在封闭的原野上开出了宽阔的路，

他给了我和女主人一所会面的房子，

在它的护佑下我们可以共享情爱之乐。

70  轻盈的步履送来了我美丽的女神，

---

泉关，以温泉闻名）变来的形容词。lympha…Malia，马里亚湾（临近塞萨利）的水。

19 Pollucis 和 Castoris 分别是 Pollux（珀鲁克斯）和 Castor（卡斯托）的属格，参考第 4
首注释 15。

20 dominae，主格 domina（女主人），Lyne（1980）认为这个词和 domum（主格 domus，
家）寄托了卡图卢斯渴望与莱斯比娅进入婚姻关系的梦想。

21 diva（"女神"），指莱斯比娅。

Intulit et trito fulgentem in limine plantam

    Innixa arguta constituit solea[22],

Coniugis ut quondam flagrans advenit amore

    Protesilaeam Laodamia[23] domum

75  Inceptam frustra, nondum cum sanguine sacro

    Hostia caelestis pacificasset eros[24].

Nil mihi tam valde placeat, Rhamnusia virgo[25],

    Quod temere invitis suscipiatur eris.

Quam ieiuna pium desiderat ara cruorem,

80    Docta est amisso Laudamia viro,

Coniugis ante coacta novi dimittere collum

    Quam veniens una atque altera rursus hiems

Noctibus in longis avidum saturasset amorem,

    Posset ut abrupto vivere coniugio:

85  Quod scibant Parcae[26] non longo tempore abesse,

    Si miles muros isset ad Iliacos[27]:

Nam tum Helenae[28] raptu primores Argivorum[29]

---

22 根据古罗马传统，新娘应当从门槛上抱过去，因此这个动作从婚姻的角度看，是不祥的。Lyne 指出，卡图卢斯让莱斯比娅的这个动作凝固了 58 行，这种设计一方面突出了当时的期待之情，另一方面也通过穿插其后的拉俄达弥娅故事消解自己的浪漫幻想。

23 Protesilaeam（原形 Protesilaeus），从 Protesilaus（普罗特西拉俄斯）变来的形容词。普罗特西拉俄斯是特洛伊战争中最先登岸的希腊人，也是第一个战死的希腊人。Laodamia（拉俄达弥娅），普罗特西拉俄斯的妻子。Wohlberg（1995）发现，拉俄达弥娅部分如果去掉卡图卢斯哀悼哥哥的诗句，其主要情节和明喻构成了一个对称结构：情节 A（73-78 行，结婚）、情节 B（79-84 行，分别）、情节 C（85-90 行，101-104 行，

她将那光洁的足搁在被时光磨钝的
　　门槛上，鞋在她停留处发出乐音，
就像当年拉俄达弥娅怀着炽烈的爱情
　　来到丈夫普罗特西拉俄斯的家里，
75　他们搭建新房却是徒劳，因为还不曾
　　用牺牲的圣血取悦天上的众神祇。
（朗努索斯的处女啊，永远不要让我
　　做出违逆神灵意志的冒失之举。）
等她明白祭坛是多么渴盼虔诚的血，
80　拉俄达弥娅已永远失去了丈夫。
她的手被迫从新婚丈夫的颈上松开，
　　一个又一个冬天还来不及在长夜里
满足她热切的欲望，热切的爱——
　　好让以后寡居的生活不致太悲凄。
85　命运三女神知道此事不久就会发生，
　　一旦他从戎，远赴伊利亚的土地，
因为自从海伦被劫，特洛伊城已经

结局）；明喻 A（109-118 行，赫拉克勒斯）、明喻 B（119-124 行，意外得子的老夫妇）、
明喻 C（125-130 行，鸽子）。

24 指普罗特西拉俄斯未向天神献祭，因而注定了后来的灾难。

25 Rhamnusia virgo，指奈米西斯女神（见第 50 首注释 13）。

26 Parcae，命运三女神。

27 Iliacos（原形 Iliacus），从 Ilium（伊利昂，即特洛伊）变来的形容词。

28 Helenae，主格 Helena（海伦），海伦被帕里斯劫走，是特洛伊战争的起因。

29 Argivorum，原形 Argivus，指希腊人。

Coeperat ad sese Troia[30] ciere viros,

Troia (nefas!) commune sepulcrum Asiae Europaeque,

90      Troia virum et virtutum omnium acerba cinis:

Quaene etiam nostro letum miserabile fratri

Attulit. Hei misero frater adempte mihi,

Hei misero fratri iucundum lumen ademptum,

Tecum una tota est nostra sepulta domus,

95  Omnia tecum una perierunt gaudia nostra,

Quae tuus in vita dulcis alebat amor.

Quem nunc tam longe non inter nota sepulcra

Nec prope cognatos compositum cineres,

Sed Troia obscena, Troia infelice sepultum

100      Detinet extremo terra aliena solo.

Ad quam tum properans fertur undique pubes

Graecae penetralis deseruisse focos,

Ne Paris[31] abducta gavisus libera moecha

Otia pacato degeret in thalamo.

105  Quo tibi tum casu, pulcerrima Laudamia,

Ereptum est vita dulcius atque anima

Coniugium: tanto te absorbens vertice amoris

Aestus in abruptum detulerat barathrum,

Quale ferunt Grai Pheneum prope Cylleneum[32]

---

30 Troia，特洛伊。

31 Paris（帕里斯），特洛伊王子，他劫走斯巴达国王梅内拉俄斯（Menelaus）的妻子海伦，引发特洛伊战争。

日夜召唤着希腊贵胄们舍身杀敌。

可怕的特洛伊！亚细亚和欧罗巴共同的

90  坟墓，所有力量与勇气的残忍灰烬：

特洛伊，是你，让我可怜的哥哥遭遇了

悲惨的死亡，啊，哥哥，我多不幸！

你，弟弟的幸福之光，就这样被夺去！

我的整个家都和你一起埋进了坟里，

95  我所有的快乐都已和你一起化作泥土，

你在世时，它们却被你甜蜜的爱珍惜。

现在，遥远的你，不在熟悉的墓群间，

也不能安息在祖先亲族的尸骨之侧，

却被特洛伊，可憎的特洛伊，无端阻拦，

100  凄凉地长眠于异国他乡的偏僻角落。

据说那时，希腊的年轻人从四面八方

汇聚到特洛伊，抛下各自温馨的家园，

决心不让帕里斯安卧于宁静的婚房，

清闲自在地品尝抢来的云雨之欢。

105  最美的拉俄达弥娅，由于这意外的灾祸，

你失去了比生命和灵魂还亲密的良伴：

爱的激情如此猛烈，你被巨大的漩涡

吞噬，沉入陡峭的深渊里，那深渊

就像希腊人所说的库莱内山旁的无底潭，

---

32 这里引用的是赫拉克勒斯在阿卡狄亚的佩内俄斯（Pheneus，宾格 Pheneum）挖掘运河、排干沼泽的典故。Grai，希腊人。Cylleneum（原形 Cylleneus），从 Cyllene（库莱内山，在阿卡狄亚境内）变来的形容词。

110      Siccare emulsa pingue palude solum,

          Quod quondam caesis montis fodisse medullis

               Audit falsiparens Amphitryoniades[33],

          Tempore quo certa Stymphalia monstra[34] sagitta

               Perculit imperio deterioris eri[35],

115     Pluribus ut caeli tereretur ianua divis,

               Hebe[36] nec longa virginitate foret.

          Sed tuus altus amor barathro fuit altior illo,

               Qui tamen indomitam ferre iugum docuit.

          Nam nec tam carum confecto aetate parenti

120      Una caput seri nata nepotis alit,

          Qui, cum divitiis vix tandem inventus avitis

               Nomen testatas intulit in tabulas,

          Impia derisi gentilis gaudia tollens

               Suscitat a cano vulturium capiti;

125     Nec tantum niveo gavisa est ulla columbo

               Compar, quae multo dicitur improbius

          Oscula mordenti semper decerpere rostro

               Quam quae praecipue multivola est mulier.

          Sed tu horum magnos vicisti sola furores,

130      Ut semel es flavo conciliata viro

          Aut nihil aut paulum cui tum concedere digna

---

33 falsiparens Amphitryoniades，指赫拉克勒斯。宙斯化身为 Amphitryon（安皮特里翁）与他的妻子阿尔克梅内（Alcemene）交合，生下了赫拉克勒斯。

34 Stymphalia monstra，"斯丁普卢斯（Stymphlus，在阿卡狄亚境内）的怪物"，指食人

110 它排空了沼泽的水，露出肥沃的土地，
  传说为了造它，群山的心脏曾经被掘穿，
   那位英雄正是安皮特里翁名义上的儿子，
   那时他精准的箭刚射死斯丁普卢斯的怪物，
  差遣他的是一位心地远非善良的主人。

115 如此功业是为了天堂之门有更多的神进入，
  也为了赫柏女神不会永守处女之身。
  可是你深深的爱比那无底潭还深，虽然
   你并未驯服，它却教会了你承受轭。
  即使独女唯一的血脉，等她父母风烛残年

120 才降生的外孙也未曾被如此珍惜过
  （外祖父的财富终于找到了一位继承人，
   他的名字也写进接受了公证的遗嘱，
  原本幸灾乐祸的族人反成了嘲讽的靶心，
   围聚在华发顶上的秃鹫也被轰然驱逐）；

125 即使鸽子也不能与你相比，虽然她痴恋
  羽毛胜雪的爱侣，虽然她的啄据说
  永远不停地咬啄，不停地享受吻的盛宴，
   比世上最深陷情网的女人还要执著。
  可是唯有你的爱超过了所有这些激情，

130 一旦你与你的金发郎君缔结了姻缘。
  不逊于你或稍逊于你的，是我的情人，

鸟，被赫拉克勒斯用箭射死。

35 指迈锡尼国王欧里斯透斯（Eurystheus），他让赫拉克勒斯完成十二项任务。

36 Hebe（赫柏），青春女神，后与赫拉克勒斯结婚。

Lux mea se nostrum contulit in gremium,

　　Quam circumcursans hinc illinc saepe Cupido[37]

　　Fulgebat crocina candidus in tunica.

135　Quae tamen etsi uno non est contenta Catullo,

　　Rara verecundae furta feremus erae[38],

Ne nimium simus stultorum more molesti:

　　Saepe etiam Iuno[39], maxima caelicolum,

Coniugis in culpa flagrantem concoquit iram

140　Noscens omnivoli plurima furta Iovis[40].

Atqui nec divis homines componier aequum est[41]

　　Ingratum tremuli tolle parentis onus,

Nec tamen illa mihi dextra deducta paterna

　　Fragrantem Assyrio[42] venit odore domum,

145　Sed furtiva dedit mira munuscula nocte,

　　Ipsius ex ipso dempta viri gremio.

Quare illud satis est, si nobis is datur unis

　　Quem lapide illa dies candidiore notat[43].

Hoc tibi quod potui confectum carmine munus

150　Pro multis, Alli, redditur officiis,

Ne vestrum scabra tangat rubigine nomen

---

37 Cupido，小爱神丘比特。

38 erae，主格 era（"女主人"），指莱斯比娅。将她称为"女主人"，说明卡图卢斯把她看成了自己的妻子。

39 Iuno，朱诺，朱庇特的妻子，相当于古希腊神话中的赫拉（Hera）。

40 Iovis，Iuppiter（朱庇特）的属格。朱庇特风流成性，有无数的韵事。

　　　　我的光，当她亲密地偎依在我胸前。

　　　　丘比特常在她身边盘旋，忽而这里，

　　　　　　忽而那里，橘红色的衣服熠熠闪烁。

135　虽然卡图卢斯不是她的心唯一所系，

　　　　　　我却愿忍受我羞涩的情人偶尔出格，

　　　　以免我变得和愚蠢的俗人一样可恶：

　　　　　　甚至朱诺，宇宙间最尊贵的女神，

　　　　也时常无奈地压住心头燃烧的愤怒，

140　当她再次得知风流朱庇特的绯闻。

　　　　可是既然凡人不应当与神相提并论，

　　　　　　就姑且卸下年迈父母的心头重负吧。

　　　　因为她本不是父亲的手领进我的门，

　　　　　　进入一个萦绕着亚述香气的新家，

145　而是在晚上悄悄前来，赠给我许多

　　　　　　从她丈夫怀中夺来的美妙礼物。

　　　　所以，我应当知足，如果她只为我

　　　　　　把幽会的日期用白色的石子标出。

　　　　我只能将这份礼物，这首诗送给你，

150　阿里乌斯，算是将你的恩惠偿还，

　　　　我不想让斑驳的红锈侵蚀你的名字，

---

41　由于此处上下文意思不连贯，多数学者认为，第141行和第142行之间有缺失的文字。

42　Assyrio（原形 Assyrius），从 Assyria（亚述国）变来的形容词。

43　根据古罗马的传统，喜庆的日子常用白色的石子标明。卡图卢斯希望在莱斯比娅的所有情人中最受她重视。

Haec atque illa dies atque alia atque alia.

Huc addent divi quam plurima, quae Themis[44] olim

Antiquis solita est munera ferre piis:

155　Sitis felices et tu simul et tua vita

Et domus in qua lusimus et domina,

Et qui principio nobis te tradidit Afer[45],

A quo sunt primo omnia nata bona,

Et longe ante omnes mihi quae me carior ipso est,

160　Lux mea, qua viva vivere dulce mihi est.

---

44 Themis（忒弥斯），命运女神的母亲。

45 "te tradidit Afer"部分原文难以确定，通常版本都作"terram dedit aufert"，例如 Merrill

在遥远将来的这一天，或那一天。
神还会替我添上无数礼物，就像以往
忒弥斯带给虔敬古人的丰厚馈赠。
155 祝福你们，你和你视若生命的姑娘，
还有我幽会的房子和它的女主人；
祝福阿菲尔，他让你我将友谊品尝，
我今日的一切福分都从那时开始；
尤其祝福比我自己还宝贵的生命之光，
只要她还活着，我就永远觉得甜蜜。

---

（1893）版、Baehrens（1893）版等等，但无法破解，这里依据的是 Lee（1990）版，比较好理解，可能 Afer 是最早将卡图卢斯介绍给阿里乌斯的人。

## LXIX[1]

Noli admirari quare tibi femina nulla,
  Rufe[2], velit tenerum supposuisse femur,
Non si illam rarae labefactes[3] munere vestis
  Aut perluciduli deliciis lapidis.
5  Laedit te quaedam mala fabula[4], qua tibi fertur
  Valle sub alarum trux habitare caper[5].
Hunc metuunt omnes. Neque mirum: nam mala valde est
  Bestia, nec quicum bella puella cubet[6].
Quare aut crudelem nasorum interfice pestem,
10  Aut admirari desine cur fugiunt.

---

1 本诗格律是哀歌双行体。从这首诗开始，我们就进入卡图卢斯《歌集》的第三部分、通常称为铭体诗（epigram）的部分，多是 2-10 行的短诗，格律都采用从希腊诗歌引进的哀歌双行体，
2 Rufe，Rufus（鲁弗斯）的呼格，很可能指第 58 首中的凯里乌斯（M. Caelius Rufus），他在当时颇受上层女士青睐。卡图卢斯却描绘了另一幅图景。

## 六十九

不要惊讶，鲁弗斯，竟没有女人
　　愿意把柔滑的腿放在你下面，
哪怕你赠给她珍奇无比的衣衫，
　　或者用晶莹的宝石诱惑她的心。
5　恶毒的流言刺伤了你，他们说，
　　一只凶猛的山羊住在你腋窝里。
大家怕的是它。难怪，有这样一只
　　恐怖的野兽，佳人当然会退缩。
所以，你要么杀死戕害鼻子的凶手，
10　　要么别再惊讶，她们为何逃走。

---

3 labefactes（不定式 labefacere），意为"使人的决心动摇"。
4 fabula 此处指流言。
5 caper（"山羊"）常用来形容难闻的体味（尤其是腋下的气味），参考第 37 首第 5 行（那里用的是另一个表示山羊的词 hircus）。
6 cubet（不定式 cubare），意为"躺下睡觉"。

# LXX[1]

Nulli se dicit mulier[2] mea nubere malle

    Quam mihi, non si se Iuppiter[3] ipse petat.

Dicit: sed mulier cupido quod dicit amanti[4],

    In vento et rapida scribere oportet aqua[5].

---

1 本诗格律是哀歌双行体。这首诗是《歌集》第三部分莱斯比娅系列的第一首，主题和措词都很传统。Zetzel（1982）指出，它的原型是泛希腊时期诗人卡里马科斯的铭体诗第 25 首："卡里格诺托斯向爱奥尼斯发誓， / 她在他心目中永远最亲密。 / 他发誓：可是他们说得没错， / 情人的誓言永远进不了神的耳朵。"

2 mulier（"女人、妻子"），与 puella（"姑娘、情人"）相比，这个词非常郑重，表明卡图卢斯将两人的关系视为与婚姻一样严肃。

# 七十

我的女人说，除了我，不愿与任何人
　　结婚，即使朱庇特求爱，她也不肯。
她说：但女人送给炽热情郎的言辞
　　只应写在风中，写在流逝的水里。

---

3 Iuppiter（朱庇特），古罗马神话中的主神，风流成性，有很多婚外恋情，而且一旦看
中某位女人，几乎总能得手。
4 有人认为，这首诗表达了卡图卢斯对女性的仇视，但这行诗并未仅仅指责莱斯比娅，
形容 amanti（主格 amans，"情人"，此处指男性一方）的词 cupido（原形 cupidus，"热
切"）很关键，男方也有责任，因为他盼望听到甜言蜜语（哪怕知道是假的）。
5 这里的意象在古希腊就已经有了（例如索福克勒斯和柏拉图）。

## LXXI[1]

Si cui iure bono[2] sacer[3] alarum obstitit hircus[4],
    Aut si quem merito tarda podagra[5] secat[6],
Aemulus iste tuus, qui vestrem exercet amorem[7],
    Mirifice est a te nactus utrumque malum.
5  Nam quotiens futuit[8] totiens ulciscitur[9] ambos:
    Illam affligit odore, ipse perit podagra.

---

1 本诗格律是哀歌双行体。这首诗攻击的对象无法确知，但从内容判断，"你"和"你的对手"其中之一可能是第 69 首的鲁弗斯。

2 iure bono 和第 2 行的 merito 都是"理当如此"的意思。

3 sacer 这里意为"该诅咒的"。

4 hircus 原意是"公山羊"，这里指腋窝（alarum，原形 ala）的难闻气味（参考第 37 首和 69 首）。

## 七十一

如果腋下的可憎气味理应把某人纠缠，
　　如果某人活该受到痛风的持久咬噬，
你那位忙于和你情人操练的对手就是，
　　他奇迹般地收获了你的两样灾难。
5　他每次和她缠绵，结局都远非甜蜜：
　　她因气味而昏厥，他因痛风而半死。

---

5 podagra，"痛风"；tarda，这里指慢性病。

6 secat（不定式 secare），原意是"切，割"，这里形容疼痛。

7 vestrem...amorem（主格 vester amor），"你的情人"。vester 这里相当于 tuus（参考第 39 首注释 15）。

8 futuit（不定式 futuere），俚语，意为"与人性交"。

9 ulciscitur（不定式 ulcisci），意为"惩罚"；ambos，指双方。

# LXXII[1]

Dicebas[2] quondam solum te nosse Catullum,

    Lesbia, nec prae me velle tenere Iovem[3].

Dilexi tum te non tantum ut vulgus amicam,

    Sed pater ut gnatos diligit et generos[4].

5    Nunc te cognovi: quare etsi impensius uror[5],

    Multo mi tamen es vilior et levior[6].

Qui potis est, inquis? Quod amantem iniuria[7] talis

    Cogit amare magis, sed bene velle[8] minus.

---

1 本诗格律是哀歌双行体。这首写给莱斯比娅的诗开创了拉丁语爱情诗的多个主题：一是"唯一爱人"的主题，二是以亲情喻爱情的主题，三是情与欲相矛盾的主题。

2 dicebas（不定式 dicere），未完成过去时表明莱斯比娅不止一次说过这样的话（参考第70 首）。

3 Iovem（主格 Iuppiter，朱庇特），参考第 70 首注释 3。

4 在这行诗里，卡图卢斯将自己对莱斯比娅的爱与父亲对儿子、女婿的爱相比，似乎令人困惑。Copley（1949）认为，卡图卢斯是想说明自己的爱是纯精神的，Elder（1951）将其理解为"父亲所感觉的全部柔情"。Harmon（1970）指出，父爱的核心是和儿子（或女婿）在精神上的共鸣。正如父亲因为在孩子身上看见自己的影子而欣喜，卡图卢斯也

# 七十二

你曾说，莱斯比娅，卡图卢斯是你
　　唯一的知己，朱庇特也难让你倾慕。
那时，我爱你，不像凡夫爱恋女子，
　　却像父亲爱护自己的儿子和女婿。
5　现在我已了解你：所以，虽然我的爱
　　越发炽烈，你在我心中却越发轻贱。
这怎么可能，你问？因为这样的伤害
　　只会让欲望更执著，让情谊更疏远。

---

曾经认为，自己与莱斯比娅心心相印，因此这种说法的重心不在精神、肉体之分，而在于突出两人之间曾经的默契（虽然可能是卡图卢斯的错觉）。Dilexi 和 diligit（分别是 diligere 的完成时第一人称单数和现在时第三人称单数）也与这样的阐释相一致，在拉丁语中 diligere 带有"敬重"之意，不像 amare 更偏情爱。

5 uror（不定式 urere），被动式，"燃烧"之意，表明欲望之炽烈。莱斯比娅的不专一使得卡图卢斯与她相聚的机会减少，因而更想亲近她。

6 vilior 和 levior 分别是 vilis（"便宜"）和 levis（"轻"）的比较级。

7 iniuria（"伤害"），不仅指莱斯比亚放纵情欲，还指对卡图卢斯敬重之爱的轻慢。

8 bene velle，指对他人幸福的关心，这个词组常用于友人和亲人。

# LXXIII[1]

Desine de quoquam quicquam bene velle mereri
    Aut aliquem fieri posse putare pium.
Omnia sunt ingrata, nihil fecisse benigne[2]:
    Immo etiam taedet, taedet obestque[3] magis;
5    Ut mihi, quem nemo gravius nec acerbius urget,
    Quam modo qui me unum atque unicum amicum habuit[4].

---

1 本诗格律是哀歌双行体。这首诗抱怨一位朋友的背叛，但所指不详。

2 nihil fecisse benigne，省略了系动词 esse，"好心所做的一切"（fecisse benigne）都"没有任何价值"（nihil）。

# 七十三

别再指望能换来任何人的善意，
　　别再以为能让任何人变得忠诚。
没人知道感激，好心一文不值：
　　甚至令人生厌，并且伤害自身！
5　看我吧：现在如此冷酷驱赶我的人，
　　最近还把我当作他唯一的知音。

---

3 obest（不定式 obesse），"妨碍"，"对……有害"。

4 按照格律，这行诗一共有五处 elision（元音省略），从声音效果上反映了卡图卢斯愤懑痛苦的情绪。

# LXXIV[1]

Gellius audierat patruum obiurgare[2] solere,
　　Si quis delicias[3] diceret aut faceret.
Hoc ne ipsi accideret, patrui perdepsuit[4] ipsam
　　Uxorem et patruum reddidit Arpocratem[5].
5　Quod voluit fecit: nam, quamvis irrumet[6] ipsum
　　Nunc patruum, verbum non faciet patruus.

---

1 本诗格律是哀歌双行体，讽刺了盖里乌斯（参考第 80 首、88 首、89 首、90 首、91 首和 116 首）的乱伦行为。学者们通常认为，这位盖里乌斯是 L. Gellius Poplicola，曾于公元前 36 年任执政官。

2 obiurgare，"斥责"。

3 delicias（主格 deliciae），指与性有关的事。

## 七十四

　　盖里乌斯听说，不管是谁，如果言行
　　　　沾上情色，叔叔必定要大发雷霆。
　　为了避免这样的厄运，他就和婶婶
　　　　一起情色，让叔叔成了哈波克拉底。
5　　他如愿以偿：现在就算他让叔叔本人
　　　　侍弄他，那位叔叔都不会说一个字。

---

4 perdepsuit（不定式 perdepsere），意为"发生不正当的性关系"。

5 Arpocratem（主格 Arpocrates = Harpocrates，哈波克拉底），哈波克拉底原是古埃及的神，后被引入古希腊和古罗马。因为他的形象是一个把手指放在嘴唇上的小男孩，因此成了沉默的代名词。

6 irrumet（不定式 irrumare），意为"让别人为自己口交"。

# LXXV[1]

Huc est mens deducta tua mea, Lesbia, culpa[2]
    Atque ita se officio perdidit ipsa suo,
Ut iam nec bene velle queat tibi, si optima fias,
    Nec desistere amare, omnia si facias.

---

1 本诗格律是哀歌双行体。这是卡图卢斯短诗中有警句力量的一首诗。Lyne（1980）曾对它做过详尽的分析。他认为，理解这首诗最关键的一点是知道古罗马人对待友谊的态度。卡图卢斯所用的词汇明显来自古罗马贵族男子的友谊（amicitia）伦理。第 3 行中的 bene velle（参考第 72 首）是友谊最重要的品质，就是在精神平等的基础上无私地关心对方的幸福，它与 amare（男女情爱）相比，更偏向精神方面。这首诗的另一个关键词 officio（主格 officium，"义务、忠诚"）也是建立在友谊的比喻基础上的。卡图卢斯

## 七十五

因为你的错，莱斯比娅，我这颗心才沉沦，
　　它毁了自己，却是由于它对你太忠诚；
如今，即使你洗心革面，它也不能珍惜你，
　　即使你堕落到底，它也没法停止爱你。

---

曾经把自己和莱斯比娅的感情视为一种神圣的友谊，虔诚地维护它，然而他发现，莱斯比娅并不是自己精神上的另一半，并不能理解、回应自己的这份感情，因而放弃了与友谊相称的尊重之爱，但情欲的惯性仍让他无法自拔，这就是本诗所反映的基本冲突。当然，这是从卡图卢斯的角度来理解的。如果让莱斯比娅来讲述，又会是另一个故事。

2　在这行诗里，mens…tua mea…culpa 顺序是交错的，mea 修饰 mens（"我的心"），tua 修饰 culpa（"你的错"），中间又被 Lesbia 隔开，形象地呈现了诗人剪不断理还乱的情绪。

# LXXVI[1]

Si qua recordanti benefacta priora voluptas

    Est homini, cum se cogitat esse pium,

Nec sanctam violasse fidem, nec foedere nullo

    Divum ad fallendos numine abusum homines,

5   Multa parata manent in longa aetate, Catulle,

    Ex hoc ingrato gaudia amore tibi.

Nam quaecumque homines bene cuiquam aut dicere possunt

    Aut facere, haec a te dictaque factaque sunt:

Omnia quae ingratae perierunt credita menti.

10    Quare iam te cur amplius excrucies?

Quin tu animo offirmas atque istinc teque reducis,

    Et dis invitis desinis esse miser?

Difficile est longum subito deponere amorem;

    Difficile est, verum hoc qua lubet efficias.

15   Una salus haec est, hoc est tibi pervincendum;

---

1 本诗格律是哀歌双行体。这是莱斯比娅系列中最长的一首诗，从主题、情感、格律、措辞等多方面对普洛佩特乌斯、提布卢斯和奥维德的爱情哀歌产生了深远的影响。全诗几乎没有任何典故和比喻，但直白的语言却有一种英国历史学家麦考莱所称的"催人泪下的力量"。Lyne（1980）指出，虽然卡图卢斯和莱斯比娅的恋情属于通奸的性质，但卡图卢斯在这首诗（以及其他一些作品中）却用古罗马贵族男子的友谊伦理词汇来描绘它，比如 benefacta（"善行"）、fidem（"忠诚"）、foedere（"盟约"）、pium（"虔诚"）等等。卡图卢斯的痛苦在于，他觉得自己是按照友谊的伦理标准来对待莱斯比娅的，但她却不能理解并付出对等的感情。Copley（1949）指出，卡图卢斯之所以决心放弃这段

## 七十六

如果回忆从前的善行能带给人愉悦，
　　当他检视过往，相信自己无可指责，
不曾违背庄重的诺言，也不曾订立
　　虚伪的约，诓骗他人，亵渎神祇，
5　那么卡图卢斯啊，这段无回报的爱情，
　　就会在漫长的未来存下许多欢欣。
对人所能说的一切良言，所能做的
　　一切善事，你都已经说了，做了：
既然它们都无法唤起那颗心的感激，
10　你何必到现在还苦苦折磨自己？
难道你还不能下定决心，抽身出来，
　　即使神灵作对，也不要凄凄哀哀？
将长久珍惜的爱弃置一旁，不容易；
　　是不容易，但你总得尽一切努力。
15　再没别的办法拯救你，你必须坚定，

感情，不是因为莱斯比娅不愿意继续保持（她并未拒绝卡图卢斯，只是不肯把他当作唯一的恋人），而是他对两人之间的关系有一种莫名的负罪感。Copley 分析说，在古罗马的男权社会中，现代意义上的爱情观念还未诞生，爱情或者与婚姻混为一谈，或者只是性的附属物，或者是政治筹码，但卡图卢斯所要追求的爱情却不仅有性的吸引，而且有与友谊相似的精神上的契合，但他却无法让莱斯比娅理解，甚至不能让自己完全理解。他感觉到自己的痛苦，也觉得自己在对莱斯比娅不再有精神之爱的情况下，继续依恋她的身体，十分不妥，但在古罗马的性伦理框架内，他却难以察觉究竟哪里不妥。换言之，他知道自己的痛苦，却不知道痛苦的真正来源。

Hoc facias, sive id non pote sive pote.

O di, si vestrum est misereri, aut si quibus umquam

Extremam iam ipsa in morte tulistis opem,

Me miserum aspicite et, si vitam puriter egi,

20  Eripite hanc pestem perniciemque mihi!

Hei mihi subrepens imos ut torpor in artus

Expulit ex omni pectore laetitias

Non iam illud quaero, contra me ut diligat illa,

Aut, quod non potis est, esse pudica velit[2]:

25 Ipse valere opto et taetrum hunc deponere morbum.

O di, reddite mi hoc pro pietate mea.

---

2 从这句看，卡图卢斯已经彻底对莱斯比娅绝望，在莱斯比娅系列中，可能只有这首诗

　　　坚定到底，无论可能还是不可能。
　　众神啊，如果你们懂得怜悯，如果
　　　你们能给任何临死的人任何帮助，
　　就请垂怜我吧，如果我一生算得纯洁，
20　　就请挪去这催迫我的瘟疫和灾厄！
　　啊，怎样的麻木悄悄充塞了我的肢体，
　　　我的整个灵魂再没有快乐的踪迹！
　　如今我已不再祈求，她能重新爱我，
　　　或者，她竟然愿意过贞洁的生活，
25　　我只求自己好起来，摆脱这可憎的病。
　　　众神啊，成全我吧，顾念我的虔诚！

---

和第 11 首诗语气最为沮丧。

## LXXVII[1]

Rufe[2] mihi frustra ac nequiquam credite amice
    (Frustra? Immo magno cum pretio atque malo),
Sicine subrepsti mi atque intestina perurens
    Ei misero eripuisti omnia nostra bona?
5    Eripuisti, eheu nostrae crudele venenum
    Vitae, eheu nostrae[3] pestis amicitiae[4].

---

1 本诗格律是哀歌双行体。

2 Rufe，Rufus（鲁弗斯，参考第 69 首）的呼格。

3 值得注意的是，在这么短的诗里，卡图卢斯竟重复了四个词：frustra（"徒然"）、eripuisti

## 七十七

鲁弗斯，我的朋友，信任你多么徒劳，
　　（徒劳？何止？我的损失何其惨痛！）
你就这样潜入我的心，烧尽我的内里，
　　夺走了可怜的我所有美好的珍藏？
5　是的，夺走了！你这残害生命的毒药，
　　是的，夺走了！你这友情的瘟疫。

---

（"夺走"）、eheu（感叹词）和 nostrae（"我的"）。
4　第 1 行和第 6 行以 amice（"朋友"）和 amicitiae（"友情"）结尾，突出了鲁弗斯对朋友的背叛（在古罗马伦理中性质非常严重）。

# LXXVIII[1]

Gallus habet fratres, quorum est lepidissima coniunx
　　Alterius, lepidus filius alterius.
Gallus homo est bellus: nam dulces iungit amores,
　　Cum puero ut bello bella puella cubet.
5　Gallus homo est stultus, nec se videt esse maritum,
　　Qui patruus patrui monstret adulterium.

# LXXVIIIb[2]

\* \* \* \* \* \* \*[3]
Sed nunc id doleo quod purae pura puellae[4]
　　Suavia comminxit[5] spurca saliva tua.
Verum id non impune feres: nam te omnia saecla
　　Noscent et, qui sis, fama loquetur anus[6].

---

1 本诗格律是哀歌双行体。这首诗讽刺了一位在家族内部制造乱伦的贾卢斯（Gallus，身份不详），其风格对白银时期的诗人马尔提阿利斯很有影响。
2 这首诗显然与第 78 首无关，但在《歌集》抄本中列于此。
3 学者们估计，这里至少有两句缺失。

## 七十八

贾卢斯有两位弟弟，一位的妻子优雅
　　可爱，另一位的儿子英俊迷人。
贾卢斯真善良，竟成全了一段佳话，
　　让这对美丽的年轻人同床共枕。
5　贾卢斯真愚蠢，竟忘了他也有娇妻，
　　只顾教侄子玷污叔叔婚姻的奥秘。

## 七十八（b）

但我现在真痛苦，我纯洁女友的纯洁
　　之吻，却掺入了你肮脏可憎的唾液。
可你也休想逃脱：所有世代都将知悉
　　你是谁，永久的流言也会将你铭记。

---

4 purae pura puellae，"纯洁女友的纯洁（之吻）"，头韵强化了与下一行 spurca saliva（"肮脏唾液"）的对比。

5 comminxit（不定式 commeiere），字面意思是"在……中小便"。

6 这里 fama（"流言、名声"）被比作一位老太婆（anus，因为 fama 在拉丁语中是阴性）。

## LXXIX[1]

Lesbius[2] est pulcher[3]. Quid ni? Quem Lesbia malit
　　Quam te cum tota gente, Catulle, tua.
Sed tamen hic pulcher vendat cum gente Catullum,
　　Si tria notorum suavia[4] reppererit.

---

1 本诗格律是哀歌双行体。这是最能证明莱斯比娅身份的一首诗。

2 Lesbius（莱斯比乌斯），显然是从莱斯比娅的名字变来的。按照古罗马姓氏惯例，Lesbius 应当是与 Lesbia 同一家族的男性，这里指她的哥哥。

3 pulcher（"英俊"）是双关语，影射莱斯比娅弟弟 Pulcher 的名字。倘若如多数学者所

## 七十九

莱斯比乌斯很帅。当然！哪怕加上所有的亲戚，
　　卡图卢斯，你在莱斯比娅眼里也没他有分量。
可是，如果能找到三位熟人愿意跟他行亲吻礼，
　　就算整个卡图卢斯家族被他卖掉，又有何妨？

---

认为的那样，莱斯比娅是 P. Clodius Pulcher 的姐姐 Clodia Metelli（或者妹妹 Clodia Luculli），那么这行诗是非常有力的证据。西塞罗经常在公共场合暗示，Pulcher 与他姐姐有乱伦行为，这可能是卡图卢斯攻击他的原因。

4 suavia（原形 suavium），这里指礼节性的吻。

## LXXX[1]

Quid dicam, Gelli[2], quare rosea ista labella
    Hiberna fiant candidiora nive,
Mane domo cum exis et cum te octava quiete
    E molli longo suscitat hora die[3]?
5   Nescio quid certe est: an vere fama susurrat
    Grandia te medii tenta[4] vorare viri?
Sic certe est: clamant Victoris[5] rupta miselli
    Ilia[6], et emulso labra notata sero[7].

---

1 本诗格律是哀歌双行体。这首诗属于盖里乌斯系列（参考第 74 首、88 首、89 首、90
首、91 首和 116 首），含有色情描写。

2 Gelli（盖里），Gellius（盖里乌斯）的呼格。

3 octava…hora（"第八个小时"），古罗马人把白昼分为十二个小时，第八个小时相当于
下午两点，正是午休的时候。quiete…mollio，"慵懒的睡眠"。longo…die，"漫长的白昼"。

## 八十

我怎么解释，盖里，你那玫瑰色的嘴唇
　　为什么会变得比冬日的雪还洁白，
当你早晨离开家，或者在午后的时辰，
　　当你从漫长白昼的慵懒梦中醒来？
5　一定有某种原因：难道低语的流言不虚？
　　你真会吞没男人腰间肿胀的肢体？
一定是这样：可怜的维克托喷发的小腹
　　在宣告，还有涂抹你嘴唇的乳汁。

---

♪grandia…tenta，字面意思是"撑起来的大东西"，指勃起状态的阴茎。

5 Victoris，Victor（维克托，身份不详）的属格。

6 rupta…ilia，字面意思是"爆发的阴部"，参考第 11 首第 20 行。

7 emulso…sero，"像奶一样被挤出来的黏液"。在古罗马，为别人口交被视为一种下贱的行为。

## LXXXI[1]

Nemone in tanto potuit populo esse, Iuventi[2],
    Bellus homo quem tu diligere inciperes
Praeterquam iste tuus moribunda ab sede Pisauri[3]
    Hospes[4] inaurata palladior statua[5],
5    Qui tibi nunc cordi est, quem tu praeponere nobis
    Audes, et nescis quod facinus facias?

---

1 本诗格律是哀歌双行体。卡图卢斯的同性恋情人尤文提乌斯（参考第 15 首、21 首、
24 首、48 首和 99 首）爱上了一位异乡人，卡图卢斯写了这首诗指责他。
2 Iuventi，Iuventius（尤文提乌斯）的呼格。
3 Pisauri（主格 Pisaurum，皮萨乌隆），意大利北部城市，在亚得里亚海沿岸，因为气候

## 八十一

尤文提乌斯啊，在整个罗马民族里面，

    竟没有一位英俊男士能让你倾心，

除了来自死城皮萨乌隆的那个异乡人？

    他那张比镀金的雕像还惨黄的脸

5    现在却让你着了魔，你甚至敢冷落我，

    亲近他：你不知道这是怎样的罪过？

---

不适合人居住，一直不兴旺。

4 hospes，在拉丁语中既可以指主人（当地人），也可以指客人（异乡人），这里显然指异乡人。

5 镀金的青铜雕像颜色如同病人的惨黄面色。

## LXXXII[1]

Quinti[2], si tibi vis oculos debere Catullum
    Aut aliud si quid carius est oculis[3],
Eripere ei noli multo quod carius illi
    Est oculis seu quid carius est oculis.

---

1 本诗格律是哀歌双行体。卡图卢斯劝告一位名叫昆提乌斯（Quintius，参考第 100 首）
的人不要打莱斯比娅的主意。

## 八十二

如果你想卡图卢斯欠你一双眼睛，昆提，
　　或者别的什么比眼睛还珍贵的东西，
你就别夺走他那件远比眼睛珍贵、甚至
　　比珍贵胜过眼睛的东西还珍贵的东西。

---

2 Quinti（昆提），Quintius（昆提乌斯）的呼格，。
3 "比眼睛还珍贵的东西"，相似的说法参考第 3 首、14 首和 104 首。

# LXXXIII[1]

Lesbia mi praesente viro mala plurima dicit:
    Haec illi fatuo maxima laetitia est.
Mule[2], nihil sentis. Si nostri oblita taceret,
    Sana esset: nunc quod gannit et obloquitur,
5    Non solum meminit, sed, quae multo acrior est res,
    Irata est: hoc est, uritur[3] et loquitur.

---

1 本诗格律是哀歌双行体。莱斯比娅经常在丈夫面前骂卡图卢斯，爱的辩证法却让卡图卢斯欣喜，其逻辑与第 92 首相似。

## 八十三

    莱斯比娅当着丈夫说尽了我的坏话，
        这让那个傻瓜从骨髓里感到舒坦。
    蠢骡，你不懂。如果她忘了我，不提我，
        那才算病好了。现在她又嚷又骂，
5    说明她不仅记得，而且比这还悲惨：
        她因愤怒而燃烧，只能不停地说。

---

2 mule，mulus（"公骡子"）的呼格。

3 uritur（不定式 urere），"燃烧"，或许也暗指欲望之火。

329

## LXXXIV[1]

Chommoda[2] dicebat, si quando commoda vellet
    Dicere, et insidias Arrius hinsidias[3],
Et tum mirifice sperabat se esse locutum,
    Cum quantum poterat[4] dixerat hinsidias.
5    Credo, sic mater, sic liber[5] avunculus eius,
    Sic maternus avus dixerat atque avia.
Hoc misso in Syriam[6] requierant omnibus aures:
    Audibant eadem haec leniter et leviter,
Nec sibi postilla metuebant talia verba,
10    Cum subito affertur nuntius horribilis,
Ionios fluctus, postquam illuc Arrius isset,
    Iam non Ionios esse sed Hionios[7].

---

1 本诗格律是哀歌双行体。这首诗讽刺了一位名叫阿里乌斯（Arrius）的人附庸风雅却适得其反的行为。西塞罗指出，在早期拉丁语中辅音都不送气，但后来受到古希腊文化的影响，许多上层人士开始把 ch、th、ph 中的[h]发出来，以显示自己的希腊修养，但阿里乌斯做过了头，在没有[h]音的地方也加上[h]音，而且非常用力。这首诗有多处模仿他的发音，翻译时为了突出声音效果，无法兼顾某些词本身的意思。
2 chommoda，卡图卢斯杜撰的词，本来形式是 commoda（"利益"）。

## 八十四

阿里乌斯想说"安"，会说成"憨"；
　　如果想说"摁"，他会说成"恨"。
而且当他用尽力气喷出这个"恨"，
　　他还觉得自己的发音令人赞叹。
5　　我相信，他母亲，他自由的舅舅，
　　还有外公外婆，都曾这样说话。
他去了叙利亚，所有耳朵都放了假：
　　那些音节重新变得舒缓而温柔，
从此再也没有"恨"，再也不害怕——
10　　突然，有人捎回一条恐怖的消息，
　　爱奥尼亚的波浪，自打他经过那里，
　　就从"爱奥尼亚"变成了"害奥尼亚"。

---

3 hinsidias，卡图卢斯杜撰的词，本来形式是 insidias（"埋伏、阴谋"）。

4 quantum poterat，"用尽所有力气"。

5 liber（"自由"），这里指不是奴隶的身份。

6 Syriam（主格 Syria），叙利亚。

7 Hionios，卡图卢斯杜撰的词，本来形式是 Ionios（Ionia 的形容词宾格复数），爱奥尼亚海在克里特岛与意大利南部之间。

## LXXXV[1]

Odi et amo[2]. Quare id faciam, fortasse requiris.
Nescio, sed fieri[3] sentio et excrucior[4].

---

1 本诗格律是哀歌双行体。这首诗或许是古罗马文学中最精炼、内涵最丰厚的一首短诗。在这篇作品里，卡图卢斯以惊人的语言张力呈现了自己对莱斯比娅的复杂情感。Copley（1949）认为，它不仅仅反映了卡图卢斯对负心情人爱恨交织的心情，也表达了对自己的矛盾态度。要理解这一点，必须把这首诗放到古罗马性伦理和卡图卢斯的个性语汇中来考察。古罗马社会轻视甚至敌视与婚姻无关的爱情，却高度重视友谊（amicitia）和亲情（pietas）。卡图卢斯对这段恋情的珍视正是通过与友谊和亲情相关的语汇来表现的。在他的语言中，amare（amo 的不定式）一般侧重情欲之爱，diligere（diligit 的不定式，第 72 首）、bene velle（第 75 首）侧重庆精神上的尊重和依恋。在与莱斯比娅的恋情中，令卡图卢斯良心不安的不是这段关系本身的通奸性质（他自己是将其视为一种与婚姻相等、甚至超越婚姻的神圣契约的），而是由于莱斯比娅不理解、也未付出对等的严肃情

## 八十五

我恨，我爱。为什么这样？你或许会问。
    不知道，可我就如此感觉，忍受酷刑。

---

感，使得他失去了对莱斯比娅的精神上的亲近感，但在另一方面，他对莱斯比娅炽热的情欲又让他无法自拔，导致了一种自我憎恶的情绪。所以，odi（"憎恶"）不仅包含对莱斯比娅的情感，也包含他对自己、对这段关系的感受。

2 odi 与 amo 都是元音+辅音+元音的结构，从 odi 的 o 回到 amo 的 o，仿佛卡图卢斯的感情转了一圈，又回到了原点。两个及物动词的绝对用法（不带宾语）强化了词语的力度，有岩石般的坚硬质地。

3 fieri（"被造成、变成"），突出了这种状态的身不由己。

4 值得注意的是，这首诗以两个动词开头，又以两个动词结尾。excrucior（不定式 excruciari）表示情感或心理上受折磨，但它源于 crux（"十字架"，钉十字架是古罗马最残酷的刑罚之一），因此程度很重。

# LXXXVI[1]

Quintia[2] formosa[3] est multis. Mihi candida, longa,

　　Recta est: haec ego sic singula[4] confiteor.

Totum illud 'formosa' nego: nam nulla venustas[5],

　　Nulla in tam magno est corpore[6] mica salis[7].

5　Lesbia formosa est, quae cum pulcerrima tota est,

　　Tum omnibus una omnis subripuit Veneres.

---

1 本诗格律是哀歌双行体。

2 Quintia（昆提娅），身份不详。

3 formosa，从 forma（"形状、形式"）变来，因此主要指可见形体方面的的美丽，但到了第 3 行，显然卡图卢斯把气质也加入到了 formosa 的概念里。

4 singula（"单独之点"），指 candida（"白皙"）、longa（"颀长"）、recta（"高挑"），与第 3 行的 totum（"整体"）相对。

## 八十六

很多人说昆提娅美。我只觉得她白皙、
　　　颀长、高挑：这几点我可以承认。
"美"她可算不上：她没有韵味，
　　　雕像般的身体，竟没丝毫魅力！
5　莱斯比娅才美，最美之处集于一身，
　　　还窃走了天下所有女人的妩媚。

---

5 venustas（形容词 venustus）指一种可爱迷人的气质，是卡图卢斯品评人物和诗歌时最
爱用的词汇之一，词源上与第 6 行的 Veneres（原形 Venus，维纳斯，这里指像维纳斯
一样迷人的品质）有密切关系。两个词都放在行尾，突出了其重要性。

6 magno…corpore 这里指身材高，仿佛古希腊雕像（意大利人身材较小），与 mica salis
（"一小撮盐"）之少相对比。

7 salis（原形 sal），"盐"，比喻风趣机智。

## LXXXVII[1]

Nulla potest mulier[2] tantum se dicere amatam
    Vere, quantum a me Lesbia amata mea es:
Nulla fides ullo fuit umquam foedere tanta[3],
    Quanta in amore tuo ex parte reperta mea est.

---

1 本诗格律是哀歌双行体。这首诗仍然属于莱斯比娅系列作品。

2 和第 69 首一样，卡图卢斯在这里也是用的 mulier（"女人"），而不是 puella（"姑娘"，"情人"），表明他是把这段关系看成婚姻的。

3 与 1-2 行相比，3-4 行带有古罗马文化的明显印记，就是 foedus（夺格 foedere，"盟约、

八十七

没有任何女人能夸口，她蒙受的爱
　　胜过我献给你，莱斯比娅的爱：
没有任何盟约，古往今来，论忠诚
　　比得上我对你所怀的爱的忠诚。

契约”）的概念。古罗马人极其看重盟约的神圣性。从形式上看，第 3 行有两个特点值
得注意，一是用了三个全称（或否定全称）的词语——nulla（"没有任何"）、ullo（"任
何"）、unquam（"从来"），极力强调这段关系之特殊；二是头韵的运用——fides、fuit
和 foedere，突出了"忠诚"和"盟约"这两个关键词。

## LXXXVIII[1]

Quid facit is, Gelli[2], qui cum matre atque sorore
    Prurit, et abiectis pervigilat[3] tunicis?
Quid facit is, patruum qui non sinit esse maritum?
    Ecquid scis quantum suscipiat sceleris?
5   Suscipit, o Gelli, quantum non ultima Tethys[3]
    Nec genitor Nympharum abluit Oceanus[4]:
Nam nihil est quicquam sceleris, quo prodeat ultra,
    Non si demisso se ipse voret capite[5].

---

1 本诗格律是哀歌双行体，讽刺盖里乌斯的乱伦行为（参考第 89 首和 90 首）。

2 is 是第三人称代词，Gelli（盖里）是 Gellius（盖里乌斯）的呼格。这表明，卡图卢斯同时用了第二人称和第三人称，其效果仿佛是催促盖里乌斯站在身外，以一个旁观者看自己的行为是多么令人震惊。

3 Tethys（特提斯），俄刻阿诺斯的妹妹和妻子，住在世界边缘。

## 八十八

他在干什么呀，盖里，与母亲和妹妹一起
　　在情欲中彻夜焚烤，任内衣满地狼藉？
他在干什么呀，不让叔叔做名副其实的丈夫？
　　你真不知道他的罪孽是多么不可饶恕？
5　他的罪孽，盖里啊，连世界尽头的特提斯，
　　甚至水泽仙女之父俄刻阿诺斯都不能荡涤：
因为世上再没有任何更可怕的罪供他超越，
　　即使他低下头去，将自己的肢体吞没。

---

4 Oceanus（俄刻阿诺斯），大洋河的河神，所有海神、河神和水泽仙女（Nympha）之
父。Harrison（1996）指出，由于俄刻阿诺斯和特提斯本身就有乱伦行为，卡图卢斯用
这个典故起到了反讽效果。盖里乌斯的罪连这两位神都不能荡涤（以水洗罪是古希腊文
学中常见的意象），突出了其乱伦行为之骇人听闻。
5 se...voret，字面意思是"将自己吞噬"，指将自己的性器含在口中。

# LXXXIX[1]

Gellius est tenuis: quid ni? Cui tam bona mater
    Tamque valens vivat tamque venusta soror
Tamque bonus patruus tamque omnia plena puellis
    Cognatis, quare is desinat esse macer?
5    Qui ut nihil attingat, nisi quod fas tangere non est,
    Quantumvis quare sit macer invenies.

---

1 本诗格律是哀歌双行体。这首诗仍然以盖里乌斯（参考第 74 首、80 首、88 首、90

## 八十九

盖里乌斯很瘦。当然啦。他母亲那么好，
　　而且那么健康，而且妹妹也那么可爱，
而且叔叔也那么好，而且有那么多表姐妹
　　将他环绕，他怎能不让自己永远苗条？
5　哪怕他什么也不去碰——除了那些不该
　　碰的，让他瘦下去的理由就有一大堆。

---

首、91 首和 116 首）为攻击对象，将其描绘为乱伦高手。

# XC[1]

Nascatur magus[2] ex Gelli matrisque nefando
  Coniugio et discat Persicum[3] aruspicium[4]:
Nam magus ex matre et gnato gignatur oportet[5],
  Si vera est Persarum impia religio,
5   Gratus ut accepto veneretur carmine divos
  Omentum in flamma pingue[6] liquefaciens.

---

1 本诗格律是哀歌双行体。这首诗在攻击盖里乌斯（参考第 74 首、80 首、88 首、91 首和 116 首）的同时也体现了古希腊罗马世界对波斯文化的偏见。

2 magus，指波斯的祭司。

3 Persicum（原形 Persicus），形容词，从 Persia（波斯）变来。

## 九十

让一位巫师从盖里乌斯和他母亲可耻的
　　结合中诞生，让他把波斯的肠卜术修习
　　（因为巫师理当是母亲和儿子结出的果实，
　　　　如果波斯人悖逆的宗教竟代表了真理，）
5　　——好让他唱着蒙神悦纳的歌，一边致礼，
　　　　一边在祭坛的火焰中融化内脏的油脂。

---

4 aruspicium（=haruspicium），"肠卜术"，指通过察看牺牲的内脏判断吉凶的占卜术。

5 Merrill（1893）指出，波斯祭司与母亲乱伦的说法见于欧里庇得斯（*Androm.* 173 ff）和 Strabo（XV. P. 735）等古希腊罗马作家的著作中。

6 据 Strabo 说，波斯人只把内脏油脂而不把动物的肉献给神。

## XCI[1]

Non ideo, Gelli[2], sperabam te mihi fidum
    In misero hoc nostro, hoc perdito amore fore,
Quod te cognossem bene constantemve putarem
    Aut posse a turpi mentem inhibere probro;
5    Sed neque quod matrem nec germanam esse videbam
    Hanc tibi, cuius me magnus edebat amor.
Et quamvis tecum multo coniungerer usu,
    Non satis id causae credideram esse tibi[3].
Tu satis id duxti: tantum tibi gaudium in omni
10   Culpa est, in quacumque est aliquid sceleris.

---

1 本诗格律是哀歌双行体。内容仍然与盖里乌斯有关（参考 74 首、80 首、88 首、90 首和 116 首）。从第 6 行的 hanc（主格 haec，"她"）可以推知，盖里乌斯勾引的是莱斯比娅。

## 九十一

盖里，我曾以为你不会背叛我，不会
　　破坏我这段悲惨的、不可救药的恋情，
这倒不是因为我太了解你，或者真以为
　　你意志坚定，没有任何污秽的品行；
5　而是因为，让我被相思苦苦啮噬的女人
　　既不是你的妹妹，也不是你的母亲——
虽然我与你交往已久，我也不至于怀疑
　　你在这样的情境中也能找到动机。
你却找到了：所有的过错都让你沉醉，
10　只要你能从中嗅到一丝罪恶的气味。

---

2 Gelli（盖里），Gellius（盖里乌斯）的呼格。

3 卡图卢斯曾认为盖里乌斯不会勾引莱斯比娅，原因有二：这种行为没有乱伦的诱惑；
古罗马人尊重友谊，但盖里乌斯却背叛了他。

## XCII[1]

Lesbia mi dicit semper male nec tacet umquam
　　De me: Lesbia me dispeream nisi[2] amat.
Quo signo? quia sunt totidem mea: deprecor illam
　　Assidue, verum dispeream nisi amo.

---

1 本诗格律是哀歌双行体。言语的战争在卡图卢斯看来是爱的表现（参考第 83 首）。

## 九十二

莱斯比娅总是说我的坏话，从来不曾停止
　　议论我：可莱斯比娅绝对爱我，我发毒誓！
何以见得？因为我也一样：我也绞尽脑汁
　　辱骂她，可我绝对绝对爱她，我发毒誓！

---

2 dispeream nisi 是拉丁语中常见的发誓用语，字面意思是"如果不……就让我死"。

## XCIII[1]

Nil nimium studeo, Caesar, tibi velle placere,
　Nec scire utrum sis albus an ater homo[2].

---

1　本诗格律是哀歌双行体。这是又一首与恺撒有关的诗，参考第 29 首和第 57 首。从措辞上看，似乎有人试图调解卡图卢斯和恺撒的矛盾，他以此作为回应。

## 九十三

我没太多兴趣，恺撒，向你献媚，
　　也不想知道你肤色是白还是黑。

---

2 albus，"白"；ater，"黑"。这里应当不是指白色人种或黑色人种，而是指人的肤色偏
白或偏黑。

# XCIV[1]

Mentula[2] moechatur. Moechatur mentula certe.
　　Hoc est quod dicunt, ipsa olera olla legit[3].

---

1 本诗格律是哀歌双行体。学者们普遍认为，这首诗和第 114 首、115 首中的门图拉指恺撒的手下玛穆拉（参考第 29 首）。
2 这一行用了双关，第一个门图拉（Mentula）大写，是卡图卢斯送给玛穆拉的绰号，第二个门图拉（mentula）小写，指其本义（"阳具"）。

## 九十四

门图拉整日淫乐。门图拉淫乐有什么奇怪？
　　这就是人们常说的：坛子自然会装蔬菜。

---

3 olla，"坛子"、"罐子"；olera（原形 olus），"蔬菜"。olera 和 olla 的头韵，如同 mentula
和 moechatur（不定式 moechari，"淫乱"）的头韵，都体现了两个词之间的联系。门图
拉淫乱就像坛子装蔬菜一样完全合乎各自的天性，完全不加选择。将玛穆拉比作阳具和
坛子，都抹除了他作为人的精神属性。

# XCV[1]

Zmyrna[2] mei Cinnae[3] nonam post denique messem
　　Quam coepta est nonamque edita post hiemem,
Milia cum interea quingenta Hatriensis[4] uno
　　[Versiculorum anno putidus evomuit,][5]
5　Zmyrna sacras[6] Satrachi[7] penitus mittetur ad undas,
　　Zmyrnam cana diu saecula pervolvent.
At Volusi[8] annales Paduam[9] morientur ad ipsam
　　Et laxas scombris saepe dabunt tunicas[10].
Parva mei mihi sint cordi monimenta sodalis:
10　　At populus tumido gaudeat Antimacho[11].

---

1 本诗格律是哀歌双行体。在这首诗里，卡图卢斯称赞了自己的朋友、新诗派诗人钦纳
（C. Helvius Cinna，参考第 10 首和 113 首），并表达了自己的诗学主张，那就是反对鸿
篇巨制的传统史诗写作，推崇小而精的微型神话史诗（epyllion，诗人自己的第 64 首诗
也是这个类型）。

2 Zmyrna（= Smyrna / Smurna），斯密尔纳，小亚细亚的一座古城，据说在古希腊殖民
者到达之前就已存在。

3 Cinnae，Cinna（钦纳）的属格。

4 Hareiensis, Hatria（哈特里亚，今意大利北部城市阿德里亚），在波河（见注释 9）河
口附近，可能是沃鲁西乌斯（见注释 8）的家乡。这个词依据的是 Goold（1983）的版
本，通常的版本都作 Hortensius（霍尔腾西乌斯，与卡图卢斯同时代的著名演说家、律
师）。Solodow（1987）认为，Hortensius 应当有误。从诗歌结构上看，1-4 句将钦纳与
霍尔腾西乌斯比较，5-8 句却将钦纳和另一位文人沃鲁西乌斯相比较，没有道理；从卡
图卢斯的第 65 首诗看，他对霍尔腾西乌斯的看法与这里也不符。因此，1-4 句很可能也

## 九十五

《斯密尔纳》，我朋友钦纳的作品，从动笔
　　到最终完成，过了九个秋天和冬天，
而那位来自哈特里亚的诗人只需一年时间
　　就能吐出五十万行陈腐不堪的句子。
5　《斯密尔纳》将传至神圣的萨特拉科斯河，
　　白发的世纪将久久展读它的卷轴，
而沃鲁西乌斯的史诗将在帕杜斯河边枯朽，
　　松散的纸草只能时常将鲭鱼包裹。
让友人精炼的文字永远在我心里珍藏：
10　让大众为繁冗夸饰的安提马科斯疯狂。

---

是将钦纳与沃鲁西乌斯做比较。

5 这一行原文缺失，这是依据 Goold 的版本补上的。

6 sacras，多数版本作 cavas（"凹陷的、深的"），Morgan（1991）认为不妥，并以古希腊诗歌的类似说法为依据，提出 sacras 的猜想。

7 Satrachi，Satrachus（萨特拉科斯河）的属格，萨特拉科斯河是阿佛洛狄忒女神结婚时沐浴的地方，因此可以说是"神圣的"。

8 Volusi，Volusius（沃鲁西乌斯）的属格，他的《编年史》在第 36 首中也是嘲讽的对象。

9 Paduam（主格 Padua），帕杜阿，帕杜斯河（今意大利北部的波河）的一个河口。

10 Thomson（1964）引用许多拉丁文学中的例子，并以古希腊文学作品作参照，证明与多数学者理解的不同，这里纸草不是渔夫用来包裹鱼到市场上去卖，而是厨师将其浸湿后裹在鱼外面，放在火中烤，纸草开始燃烧，鱼就烤好了。

11 Antimacho，主格 Antimachus（安提马科斯），公元前 5 世纪希腊诗人，以史诗闻名。

## XCVI[1]

Si quicquam mutis gratum acceptumque sepulcris
    Accidere a nostro, Calve[2], dolore potest,
Quo desiderio veteres renovamus amores
    Atque olim missas flemus amicitias,
5  Certe non tanto mors immatura dolori est
    Quintiliae[3], quantum gaudet amore tuo.

---

1 本诗格律是哀歌双行体。这首诗是卡图卢斯最动人的作品之一，是安慰朋友、诗人卡尔伍斯丧妻之痛的。Zetzel（1982）对比了此诗和卡尔伍斯的一行诗（Forsitan hoc etiam gaudeat ipsa cinis，"或许她的骨灰也能在这里面找到快乐"），认为卡图卢斯是对卡尔伍

## 九十六

卡尔伍斯，倘若我们的痛苦和怀念
　　能给沉默的坟茔任何安慰和欢欣，
当我们在幻想里重温往日的缱绻，
　　在泪水中追忆久已逝去的友人，
5　那么，昆提莉娅虽会因夭亡而痛苦，
　　却会因你的这份爱而倍加幸福。

斯之作的回应。

2 Calve，Calvus（卡尔伍斯）的呼格。

3 Quintiliae，Quintilia（昆提莉娅，卡尔伍斯之妻）的与格。

## XCVII[1]

Non (ita me di ament[2]) quicquam referre putavi,
    Utrumne os an culum olfacerem Aemilio[3].
Nilo mundius hoc, nihiloque immundius illud,
    Verum etiam culus mundior et melior:
5    Nam sine dentibus est. Hic dentis sesquipedalis[4],
    Gingivas vero ploxeni habet veteris,
Praeterea rictum qualem diffissus in aestu
    Meientis[5] mulae cunnus[6] habere solet.
Hic futuit multas et se facit esse venustum,[7]
10    Et non pistrino traditur atque asino[8]?
Quem si qua attingit, non illam posse putemus
    Aegroti culum lingere carnificis?

---

1 本诗格律是哀歌双行体。这首诗被 Merrill（1893）称为"极其粗俗"。

2 ita me di ament，是古罗马喜剧中常见的说法，字面意思是"愿神如此爱我"，是一种表达强烈语气的方式。

3 Aemilio，主格 Aemilius（埃米利乌斯），身份不详。

4 sesquipedalis，一尺（罗马尺，与英尺接近）半。从卡图卢斯的描绘可以大致判断，埃

## 九十七

我并不觉得（求神保佑！）这有什么分别，
　　无论我是闻埃米利乌斯的嘴还是肛门。
前者并不更干净，后者也并不龌龊几分，
　　说实话，肛门甚至还干净些，良善些：
5　因为它没有牙齿。而他嘴里的牙齿足有
　　一尺半长，齿龈犹如手推车的破躯壳，
其间的裂隙如此之大，仿佛是一只母骡
　　在夏天对着你小便，张开下面的口。
这家伙玩过许多女人，似乎魅力非凡，
10　　而且竟没被送到磨房里，与驴子为伴？
如果有女人肯沾上他，难道我们不会觉得
　　让她舔刽子手的肛门，她也不会拒绝？

---

米利乌斯得的是齿龈炎。其症状是齿龈收缩，导致牙齿显得格外突出。

5 meientis（不定式 meiere），"小便"。

6 cunnus，"女性外阴"。

7 se facit esse venustum，意思是"装作自己很有魅力"。

8 对于家奴来说，最差的工作就是到磨房赶驴推磨。

## XCVIII[1]

In te, si in quemquam, dici pote, putide Victi[2],
  Id quod verbosis dicitur et fatuis.
Ista cum lingua, si usus veniat tibi, possis
  Culos et crepidas lingere carpatinas[3].
5 Si nos omnino vis omnes perdere, Victi,
  Hiscas[4]: omnino quod cupis efficies.

---

1 本诗格律是哀歌双行体。这首诗尖刻地攻击了一个饶舌的家伙。

2 Victi，主格 Victius（维克提乌斯，身份不详），这里依据的是 Merrill（1893）的版本。Owen（1893）版作 Vetti（Vettius 的呼格），还有版本作 Vitti（Vittius 的呼格）。

## 九十八

烂嘴的维克提乌斯，如果骂饶舌白痴的话
　　可以用在谁身上，这份荣誉你一定得收下。
凭着那条舌头，只要有机会，你真不会推辞
　　去舔谁的屁股和乡下人穿的厚牛皮鞋子。
5　如果你想把我们彻底消灭，维克提乌斯，
　　张嘴就成：马上就能看见你盼望的奇迹。

---

3 crepidas…carpatinas，一种鞋子，厚牛皮的鞋底用鞋带固定在脚上，古希腊人常穿这
种鞋，但在古罗马，只有干活的农夫才穿。

4 hiscas（不定式 hiscare），命令式，"张大嘴！"

## XCIX[1]

Subripui tibi, dum ludis, mellite Iuventi[2],
  Suaviolum[3] dulci dulcius ambrosia[4].
Verum id non impune tuli: namque amplius horam
  Suffixum in summa me memini esse cruce[5],
5  Dum tibi me purgo nec possum fletibus ullis
  Tantillum vestrae[6] demere saevitiae.
Nam simul id factum est, multis diluta labella
  Guttis abstersisti omnibus articulis,
Ne quicquam nostro contractum ex ore maneret,
10  Tamquam commictae[7] spurca saliva lupae[8].
Praeterea infesto miserum me tradere amori
  Non cessasti omnique excruciare modo,
Ut mi ex ambrosia mutatum iam foret illud
  Suaviolum tristi tristius[9] elleboro.
15  Quam quoniam poenam misero proponis amori,
  Numquam iam posthac basia surripiam.

---

1 本诗格律是哀歌双行体。这是尤文提乌斯系列（还包括第 15 首、21 首、24 首、48 首和 81 首）中最长、也最著名的一首诗，文笔精致，风格典雅。

2 Iuventi（尤文提），Iuventius（尤文提乌斯，卡图卢斯的同性情人）的呼格。

3 suaviolum，suavium（"吻"）的小词（diminutive）形式。

4 ambrosia，传说中神吃的食物。

## 九十九

你嬉戏的时候，可人的尤文提，我
　　偷了一个吻，甜美胜过甜美的仙果。
我也并非没付出代价：因为我记得自己
　　挂在十字架的顶端，不止一个小时，
5　向你表白我的纯洁。可无论我如何哀哭，
　　都丝毫不能平息你狂风般的愤怒。
我刚一得逞，你就用许多清水冲你的唇，
　　又用所有的手指抹去了依稀的印痕，
不让来自我嘴里的任何东西侥幸留下，
10　仿佛那是一头肮脏母狼的可憎唾液。
然后你还将可怜的我交给狠心的爱神，
　　你用尽手段把我虐待，一刻不停，
非要让我感觉，那鲜果般的吻已变了味，
　　现在它的苦涩已盖过苦涩的菟葵。
15　既然我可怜的爱换来的是你的惩罚，
　　从此后我再也不会把你的吻偷窃。

---

5 cruce（主格 crux，"十字架"），钉十字架是古罗马常见的酷刑。

6 vestrae（"你们的"），应当理解为 tuae（"你的"）。

7 commictae，来自动词 commeiere（"在……中小便"）。

8 lupae（主格 lupa），"母狼"，在俚语中也指妓女。

9 tristi tristius，比较级和原级搭配的用法与第 2 行 dulci dulcius 呼应。

## C[1]

Caelius[2] Aufilenum[3] et Quintius[4] Aufilenam[5]

    Flos Veronensum[6] depereunt[7] iuvenum,

Hic fratrem, ille sororem. Hoc est quod dicitur illud

    Fraternum vere dulce sodalicium.

5    Cui faveam potius? Caeli[8], tibi: nam tua nobis

    Per facta exhibita est unica amicitia,

Cum Vesana meas torreret flamma medullas[9].

    Sis felix, Caeli, sis in amore potens.

---

1 本诗格律是哀歌双行体。

2 Caelius（凯利乌斯），参考第 58 首注释 2。

3 Aufilenum，主格 Aufilenus（奥菲莱努斯），Aufilena（奥菲莱娜）的哥哥。

4 Quintius（昆提乌斯），参考第 82 首。

5 Aufilenam，主格 Aufilena（奥菲莱娜，身份不详），参考第 110 首和 111 首。

## 一〇〇

维罗纳青年的菁华，凯利乌斯和昆提乌斯，
　　分别被奥菲莱努斯和奥菲莱娜勾住了魂，
这位爱哥哥，那位爱妹妹。这恐怕就是
　　人们传说中的甜美无比的兄弟情分！
5　我更欣赏哪位？当然是你呀，凯利，因为
　　你对我无与伦比的友谊早有事实为证，
当那阵疯狂的情欲几乎焚尽我的骨髓。
　　祝你幸福，凯利，祝你情场永远威风。

---

6 Veronensum（原形 Veronensis），形容词，从 Verona（维罗纳，卡图卢斯家乡）变来。

7 depereunt（不定式 deperire），字面意思是"死"，指爱得死去活来。

8 Caeli（凯利），Caelius（凯利乌斯）的呼格。

9 关于"友谊的证明"，学者们有两种猜测，或者凯利乌斯曾与卡图卢斯有同性恋关系，或者他曾在卡图卢斯和莱斯比娅之间牵线搭桥。

## CI[1]

Multas per gentes et multa per aequora vectus[2]

    Advenio has miseras, frater, ad inferias[3],

Ut te postremo donarem munere[4] mortis

    Et mutam nequiquam[5] alloquerer cinerem.

5    Quandoquidem fortuna mihi tete abstulit ipsum,

    Heu miser indigne frater adempte mihi,

Nunc tamen interea haec, prisco quae more parentum

    Tradita sunt tristi munere ad inferias,

Accipe fraterno multum manantia fletu,

10    Atque in perpetuum, frater, ave atque vale[6].

---

1 本诗格律是哀歌双行体。卡图卢斯的哥哥死得很早，葬在特洛伊。他对哥哥的怀念可能是他一生中最持久、最强烈的情感（参考第 68 首），甚至超过他在热恋时对莱斯比娅的情感。这首诗可能作于卡图卢斯去比提尼亚任职（参考第 10 首）途中，他顺道在特洛伊停留，在哥哥坟前凭吊。这是拉丁文学中最杰出的抒情诗之一，任何翻译都难以再现原文那种庄严的伤痛。Batstone（1999）指出，这首诗的经典性还在于，个人记忆、个人经验与历史记忆、历史经验的融合，以及个人化语言与仪式化语言恰到好处的共生。
2 Zetzel（1982）指出，第 1 行卡图卢斯明显模仿了《奥德赛》的开篇。这至少有三重效果，一是渲染了自己与哥哥遥远的空间距离，二是让个人的哀伤加入了历史的回音，

## 一〇一

经过多少国度，穿过多少风浪，
　　我才来到这里，哥哥，给你献上
凄哀的祭礼，以了却对你的亏欠，
　　徒劳地向你沉默的灰烬问安。

5　既然你从我身边，被不公正的命运
　　生生劫走，可怜的哥哥，我只能
求你姑且收下这些按祖先的规矩
　　摆放在你坟前的悲伤礼物——
享用吧，它们已被弟弟的泪水浸透，
10　　永别了，哥哥，保重，直到永久！

---

三是起到反衬作用。《奥德赛》是奥德修斯从特洛伊返家的记录，卡图卢斯却要回到特洛伊，回到死亡的现场，回到过去。

3 inferias，"向死人的献祭"。

4 postremo munere（主格 postremum munus），字面意思是"最后的义务"，古罗马文化极其看重家族传统和活人对死者的关心追念。

5 Batstone 分析说，这行的 nequiquam（"徒然"）和第 7 行的 interea（"姑且"）表明，在这样的悲伤面前，语言终究是不够的，这为诗歌拓展了更深的情感空间。

6 ave atque vale 很可能是仪式语言。

## CII[1]

Si quicquam tacito[2] commissum est fido ab amico,
  Cuius[3] sit penitus nota fides animi,
Meque esse invenies illorum iure sacratum[4],
  Corneli[5], et factum me esse puta Harpocratem[6].

---

1 本诗格律是哀歌双行体。Merrill（1893）认为，诗中提到的科尔内利（Corneli，即 Cornelius，科尔内利乌斯）不大可能是第 1 首中的 Cornelius Nepos。
2 tacito，tacitus（这里作名词，"沉默的人"）的与格。
3 cuius，关系代词，指第 1 行提到的"沉默的人"。

一〇二

如果忠诚的朋友能深知另一位朋友的忠诚，
　　相信他的沉默就是看护自己秘密的卫兵，
你就会发现，我也加入了他们的神圣仪式，
　　科尔内利，请把我想象成哈波克拉底。

---

4 iure sacratum 显然是指通过某种神秘仪式加入某个团体。1-2 行是谈论一类人，3-4 行才涉及卡图卢斯自己。

5 Corneli（科尔内利），Cornelius（科尔内利乌斯）的呼格。

6 Harpocratem（主格 Harpocrates，哈波克拉底），沉默的代名词，参考第 74 首注释 5。

## CIII[1]

Aut sodes[2] mihi redde decem sestertia, Silo[3],
    Deinde esto quamvis saevus et indomitus[4]:
Aut, si te nummi delectant, desine quaeso
    Leno[5] esse atque idem saevus et indomitus.

---

1 本诗格律是哀歌双行体。

2 sodes （=si audes），表示祈使。

3 Silo（锡罗，身份不详），但 Skinner（1981）指出，从 Silo 这个姓判断，此人应当属
于古罗马一个比较尊贵的家庭，其地位与行为之间构成反差。

4 Grummond（1971）指出，saevus（"凶猛"）和 indomitus（"不可驯服"）这两个词都

## 一〇三

锡罗，请你要么把一万塞斯脱还给我，
　　然后呢，你爱怎么凶猛狂野都随你：
要么，如果银子让你欢喜，我就求你
　　千万别又拉皮条，又这么凶猛狂野。

---

有很强的动物意味。

5 leno，"拉皮条的人"。但 Fordyce（1961）等人认为，leno 在这里只是比喻的说法。如果锡罗真是拉皮条的，那么这里的纠纷原委就是：锡罗收了卡图卢斯一万塞斯脱（不小的数目，参考第 41 首），允诺给他找一位妓女，结果却未兑现，卡图卢斯找他要钱，他却不客气地拒绝了。

## CIV[1]

Credis me potuisse meae maledicere vitae[2],
　　Ambobus mihi quae carior est oculis[3]?
Non potui, nec, si possem, tam perdite amarem:
　　Sed tu[4] cum Tappone[5] omnia monstra facis[6].

---

1 本诗格律是哀歌双行体。这首诗也属于莱斯比娅系列。

2 meae vitae（主格 mea vita），"我的生命"，指莱斯比娅，参考第 45 首第 13 行、第 68 首第 115 行和第 109 首第 1 行。

3 将莱斯比娅与眼睛相比较，参考第 82 首。

4 tu，"你"，所指不明。

## 一〇四

你相信我会说她的坏话？她可是我的生命，
　她对我的价值胜过我自己的这双眼睛。
我不能；如果能，我就不会爱得无法自持，
　但你和塔博却让什么事都变得怪诞离奇。

---

5 Tappone，主格 Tappo（塔博），据 Merrill（1893）说，可能是古罗马喜剧中的一个典型角色。卡图卢斯可能是指对方把自己说过的玩笑话（要骂莱斯比娅）当真了，并指责他和塔博这类人一样，喜欢传播道听途说的东西，拨弄是非。

6 omnia monstra facis，omnia（当名词用，"所有事情"）是宾语，monstra（"离奇反常的事情"）是宾补。

# CV[1]

Mentula[2] conatur Pipleum[3] scandere montem:
　　Musae furcillis[4] praecipitem eiciunt.

---

1 本诗格律是哀歌双行体。古罗马很多政界人物都有写诗的爱好，例如恺撒、西塞罗、小普林尼等，这首诗讽刺了恺撒助手玛穆拉（Mamurra）附庸风雅的行为。参考第 29 首、94 首、114 首和 115 首。
2 Mentula，卡图卢斯给玛穆拉起的绰号，意思是"阳具"。

## 一〇五

门图拉一心想登上品普拉的山巅：
　　却被缪斯用干草叉驱赶，栽入深渊。

---

3 Pipleum…montem 指 Pimpla（品普拉）地区，在马其顿境内，有一处山和一处泉水，是缪斯的圣地。
4 furcillis（原形 furcilla），"干草叉"，这里的缪斯形象仿佛意大利乡间的农妇，颇有喜剧色彩。

## CVI[1]

Cum puero bello praeconem qui videt esse,
　　Quid credat, nisi se vendere discupere[2]?

---

1 本诗格律是哀歌双行体。学者们对诗中提到的英俊男孩（puero bello）有一些猜测，有人认为是尤文提乌斯，有人认为是莱斯比娅的弟弟，但如 Merrill（1893）所说，更可能的情况是，卡图卢斯只是记录了自己的偶然所见。Bushala（1981）指出，这些猜测是不必要的，关键在于许多学者误解了第二行中的代词 se（"他"）。se 不应当指这个男孩，而应当指拍卖商（praeconem）。Bushala 提出了两条非常有说服力的证据：第一，

# 一〇六

看见拍卖商和一个英俊男孩在一起，
  谁不会觉得，他多么渴望卖出自己？

---

从语法上说，代词 se 几乎不可能指主句中夺格形式的名词（puero），一般都指主句主格或宾格形式（praeconem）的名词。第二，从诗歌的内容上说，如果 se 指男孩，这首诗没有任何味道，如果指拍卖商，则很有反讽的效果。因为拍卖商的工作是卖别人的东西，但英俊的男孩却让他欲火中烧，急不可耐地要把自己"卖掉"。

2 discupere，cupere（"渴望"）的强化形式。

## CVII[1]

Si cui quid cupido optantique optigit umquam
    Insperanti, hoc est gratum animo proprie.
Quare hoc est gratum nobis quoque[2] carius auro,
    Quod te restituis, Lesbia, mi cupido:
5    Restituis cupido atque insperanti, ipsa refers te
    Nobis. O lucem candidiore nota[3]!
Quis me uno vivit felicior aut magis hac res[4]
    Optandas vita dicere quis poterit?

---

1 本诗格律是哀歌双行体。莱斯比娅和卡图卢斯的关系经历了短暂的破裂，这时她又回到了卡图卢斯身边。

2 此处原文不明，nobis quoquo 依据的是 Merrill（1893）的版本，Garrison（1989）版作 nobisque hoc。

## 一〇七

　　如果在意想不到的时辰，热切期盼的东西
　　　　突然出现在眼前，的确是一件开心的事。
　　所以，莱斯比娅，这真让我开心，这比黄金
　　　　还宝贵，你能回来，在我热切期盼的时辰，
5　　期盼却意想不到的时辰，甘心回到我怀里——
　　　　啊，特殊的日子，配得上特殊的标记！
　　谁能比我更幸福，谁能向我描摹一种生活，
　　　　比这样的时辰更值得期盼，更值得过？

---

3 candidiore nota，字面意思是"更白的标记"，根据古罗马的传统，喜庆的日子常用白色的石子标明。

4 此处原文不明，magic hac res 依据的是 Merrill 的版本，Owen（1893）版作 magic hac rem，下一行为 optandam in vita dicere quis poterit。

## CVIII[1]

Si, Comini[2], populi arbitrio tua cana senectus
    Spurcata impuris moribus intereat,
Non equidem dubito quin primum inimica bonorum
    Lingua exsecta avido sit data vulturio,
5  Effossos oculos voret atro gutture corvus,
    Intestina canes, cetera membra lupi.

---

1 本诗格律是哀歌双行体。这首诗攻击的对象是科米尼乌斯（Cominius，身份不详）。描绘对方尸体的悲惨下场是西方古典文学中辱骂人的常见手段。诗中的血腥场景还明显有古罗马政治的印迹。古罗马民族是一个对残忍行为熟视无睹的民族，人兽搏斗、角斗

## 一〇八

科米尼乌斯啊，如果民众决定用死来惩罚
　　你满头霜雪、却被不洁品行玷污的晚年，
我毫不怀疑，他们会先把你的舌头割下，
　　扔给急切的秃鹫，因它曾把多少好人摧残；
5　　然后黑颈的乌鸦会囫囵吞下你的双眼，
　　狗会吃掉内脏，剩下的部分则是狼的美餐。

---

士表演和大规模处决日复一日在各地的竞技场上演，是各阶层都喜欢的娱乐节目。浸淫在这种文化中，哪怕只是在想象中侮辱对方，古罗马人也会自然地想到这些画面。
2 Comini，Cominius（科米尼乌斯）的呼格。

## CIX[1]

Iucundum, mea vita[2], mihi proponis amorem
    Hunc nostrum inter nos perpetuumque fore[3].
Di magni, facite ut vere promittere possit[4],
    Atque id sincere dicat et ex animo,
5  Ut liceat nobis tota perducere vita
    Aeternum hoc sanctae foedus amicitiae[5].

---

1 本诗格律是哀歌双行体。这首诗集中地表达了卡图卢斯对爱情的理解。

2 mea vita，"我的生命"，指莱斯比娅，参考第 104 首。

3 莱斯比娅的话中有两个关键词，iucundum（"快乐、愉快"）和 perpetuum（"永久"）。
位于诗作最开始的 Iucundum 在莱斯比娅看来显然是第一位的，她与卡图卢斯在一起，
首先追求的是快乐。perpetuum 虽然有"永久"的意思，但最基本的意思只是"不间断，
不停止"。Copley（1949）认为，虽然卡图卢斯在一定程度上对莱斯比娅的承诺感到高
兴，但对她给出的爱情定义并不完全满意。

一〇九

我的生命，你说，我们的恋情
将是甜美的，我们将爱到永恒。
众神啊，愿她的诺言是真的，
愿每个字都发自她的肺腑，
好保佑这份神圣友情的盟约
能被我俩终生虔诚地守护。

4 值得注意的是，这里人称发生了转换。第 1-2 行是第二人称，带有情人对话的柔情，
这里却是用第三人称指莱斯比娅，第二人称指神，卡图卢斯显然从心理上拉开了与莱斯
比娅的距离，好像对莱斯比娅的承诺不放心，转身向神呼求。
5 这一行浓缩了卡图卢斯的爱情观。aeternum（"永恒"，横亘所有时间）比 perpetuum
的程度要重许多；爱情是一种神圣的友谊（sanctae amicitiae，主格 sancta amicitia），而
友谊在古罗马文化中地位非常崇高，友谊意味着相互尊重、相互奉献、忠诚无欺；爱情
是一种契约（foedus），有神作证，不可违反。

## CX[1]

Aufilena[2], bonae semper laudantur amicae[3]:
　　Accipiunt pretium, quae facere instituunt.
Tu, quod promisti, mihi quod mentita, inimica es;
　　Quod nec das et fers saepe, facis facinus.
5　Aut facere ingenuae est, aut non promisse pudicae,
　　　Aufilena, fuit: sed data corripere
Fraudando officiis, plus quam meretricis avarae est[4]
　　Quae sese toto corpore prostituit.

---

1 本诗格律是哀歌双行体。

2 Aufilena（奥菲莱娜，身份不详），参考第 100 首和 111 首。从这首诗判断，奥菲莱娜可能是一位高级妓女（参考第 32 首）。

3 bonae...amicae，并非如字面指"善良的女友"，而是指高级妓女。她们在古罗马社会

## 一一〇

奥菲莱娜，善良的姑娘总是受到称赞：
　　她们定什么价，就会拿到什么价。
你答应我，却又骗我，分明像个仇家，
　　经常收钱却不给货，这是怎样的过犯！
5　诚实的答应了就会做，贞洁的一开始
　　就不会答应，奥菲莱娜，你却用骗术
逃避了义务，这比贪心的娼妓更可恶，
　　她们所做的，只是出卖整个身体。

---

的地位不低，社会对她们的态度也比较友善。

4　这一行原文不明，这里采用的是 Garrison（1989）的版本。Merrill（1893）版 officiis 作 efficit，Owen（1893）版作 est falsum，Lee（1991）版作 est furis，三个版本均无行末的 est。

## CXI[1]

Aufilena, viro contentam vivere solo[2],
　　Nuptarum laus e laudibus eximiis:
Sed cuivis quamvis potius succumbere par est,
　　Quam matrem fratres ex patruo[3] parere[4].

---

1 本诗格律是哀歌双行体。这首诗和第 110 首一样，仍是对奥菲莱娜的攻击。
2 在古罗马，终其一生只有一位丈夫的女人叫 univira，很受社会尊重，并能在婚礼中扮演重要角色（参考第 61 首）。

一一一

奥菲莱娜，甘愿和丈夫相守终生
　　是对已婚女人最高的赞誉：
可是，如果非要失身，给谁都行，
　　都胜过和叔叔生下几位堂弟。

---

3 patruo（原形 patrus），指父亲的兄弟，即中文的叔伯。

4 fratres 后面部分原文不明。这里依据的是 Merrill（1893）和 Owen（1893）的版本。
在 Garrison（1989）版中 ex patruo parere 作 concipere ex patruo，意思相同。

# CXII[1]

Multus[2] homo es, Naso, neque tecum multus homo est qui
Descendit[3]: Naso, multus es et pathicus[4].

---

1 本诗格律是哀歌双行体。这首诗中的纳索（Naso）身份不详。

2 multus，此处可能是身材魁梧的意思。

3 tecum…descendit（不定式 descendere），意为"与你竞争"。Descendit 在 Baehrens（1893）

一一二

你是个魁梧的男人，纳索，你的对手一点
　　也不魁梧：纳索，你很魁梧，却被男人玩。

　　Singula. Fecundum semen adulterium.

---

版中作 Te scindit。

4 pathicus，男同性恋被动的一方，在古罗马文化中意味着地位低贱。这首诗的讽刺意味在于，"虽然你的对手不如你魁梧，却比你强，因为你是个被男人玩、女人气的男人。"

CXIII[1]

Consule Pompeio primum[2] duo, Cinna[3], solebant[4]
　　Maeciliam[5]: facto consule nunc iterum
Manserunt duo, sed creverunt milia in unum
　　Singula. Fecundum semen adulterio.

---

1 本诗格律是哀歌双行体。

2 Consule Pompeio primum，"庞培第一次担任执政官的时候"，即公元前 70 年。

3 Cinna（钦纳），很可能指卡图卢斯的诗人朋友 C. Helvius Cinna，参考第 95 首。

<br>

一一三

庞培第一次做执政官时，钦纳啊，只有两个人
　　和麦基里娅鬼混：现在庞培再次做了执政官，
那两个人还在原地，可是他们每人的后面——
　　却站了足足一千人。淫乱的种子多么丰产。

---

4 solebant（不定式 solere），字面意思是"经常……"，这里是委婉语，省略了表示性行
为的动词。
5 Maeciliam（主格 Maecilia），麦基里娅，身份不详。

## CXIV[1]

Firmanus[2] saltu non falso Mentula dives
    Fertur[3], qui tot res in se habet egregias,
Aucupium omne genus, piscis, prata, arva ferasque.
    Nequiquam[4]: fructus sumptibus exsuperat.
5    Quare concedo sit dives, dum omnia desint.
    Saltum laudemus[5], dum modo ipse egeat.

---

1 本诗格律是哀歌双行体。这首诗讽刺了恺撒手下玛穆拉（即"门图拉"——阳具）挥霍无度的生活方式。参考第 29 首、94 首、105 首和 115 首。

2 Firmanus，从 Firmum（费尔蒙，今天意大利的费尔默）变来的形容词。

## 一一四

　　他们说门图拉是大富豪，没错，你看，
　　　　他在费尔蒙的产业有多少美妙的东西：
　　各种各样的鸟兽虫鱼，数不尽的牧场肥田。
　　　　那又怎么样？他挥霍起来更令人称奇。
5　　所以，我愿夸他富，只要什么都被他耗尽。
　　　　也愿称赞他的地产，只要他身无分文。

---

3　延迟并出现在行首的 fertur（"据说"）强化了讽刺语气。

4　nequiquam（"徒劳无益"）出现在行首的位置，造成一种强烈的转折效果。

5　laudemus（"我们称赞"），这里的"我们"应当理解为"我"。

## CXV[1]

Mentula habet iuxta[2] triginta iugera[3] prati,
    Quadraginta arvi: cetera sunt maria.
Cur non divitiis Croesum[4] superare potis sit,
    Uno qui in saltu tot bona[5] possideat,
5    Prata, arva, ingentis silvas saltusque paludesque
    Usque ad Hyperboreos[6] et mare ad Oceanum[7]?
Omnia magna haec sunt, tamen ips est maximus ultro,
    Non homo, sed vero mentula magna minax.

---

1 本诗格律是哀歌双行体。和第 114 首一样，这首诗也是讽刺玛穆拉，只是诗末的人身攻击更直接刻薄。

2 iuxta 这里指"连成一片"。iuxta 用的是 Merrill（1893）的版本。Baehrens（1893）等不少版本此处作 instar。

3 iugera（原形 iugerum），"尤格"，古罗马面积单位，大约相当于 5/8 英亩，约合 4 亩。

## 一一五

门图拉的产业连绵不绝，三十尤格的牧场，
　　四十尤格的耕地：其他都是宽阔的水面。
这样的财富难道不在传说的克罗索斯之上？
　　你看，这么多好东西都收进了他的地产：
5　牧场，耕地，广袤的森林、草地和泥沼，
　　一直伸展到俄刻阿诺斯和北极的国度。
这些都令人倾倒，但他自己更令人倾倒：
　　不像一个人，而像一个巨大可怖的阳具。

---

4 Croesum（主格 Croesus），克罗索斯，公元前 6 世纪吕底亚国王，以富有著称，被波斯国王居鲁士击败并俘虏。

5 tot bona 用的是 Merrill 的版本，Baehrens 等版本中作 totmoda。

6 Hyperboreos（原形 Hyperboreus），居住在极北的一个民族。

7 Oceanum（主格 Oceanus），俄刻阿诺斯，古希腊神话中环绕大地的大洋河的河神。

## CXVI[1]

Saepe tibi studioso animo venante[2] requirens
    Carmina uti possem mittere[3] Battiadae[4],
Qui te lenirem nobis, neu conarere
    Tela infesta mittere in usque caput,
5    Hunc video mihi nunc frustra sumptum esse laborem,
    Gelli[5], nec nostras hic valuisse preces.
Contra nos tela ista tua evitabimus amictu[6]:
    At fixus nostris tu dabis supplicium.

---

1 本诗格律是哀歌双行体。这首诗也与盖里乌斯有关（参考第 74 首、80 首、88 首、89 首、90 首和 91 首）。Forsyth（1977）认为，这首诗很可能是卡图卢斯某部诗集的最后一首。从第 1 首到第 60 首，大概是卡图卢斯在第 1 首中所说的 libellum（也即是古罗马人所称的《小雀》），从 61 首到 64 首是较长篇幅的几首婚歌，从第 65 首到第 116 首，卡图卢斯采用的都是哀歌双行体，而且第 65 首也有序诗的特点。而且，第 65 首和这首诗都提到卡里马科斯的诗集（carmina Battiadae），所以可能标明了这部诗集的首尾。

2 许多译者将 studioso animo venante 视为一个意义单元（独立夺格），但 Merrill（1893）

## 一一六

怀着苦苦追觅的心，我一次次辗转思量，
　　如何译好巴提亚蒂斯，送给爱诗的你，
我以为这样你就会平息怒火，你的投枪
　　就不会嗖嗖飞向我的脑袋，注满恨意。
5　现在，我明白了，这一切辛劳全落了空，
　　盖里啊，你竟丝毫不理会我的请求。
如此，我只好用长袍将你的投枪牢笼，
　　可你却会付出代价，被我的武器穿透。

提出了异议。认为 studioso 和 venante 在此意义相近，有重复之嫌，类似的用法在拉丁语中也罕见。他认为 studioso 最好理解为与格，和 tibi 配合。

3 在 Garrison（1989）版中，mittere（"送"）作 vertere（"翻译"）。

4 参见第 65 首注释 11。

5 Gelli（盖里），Gellius（盖里乌斯）的呼格。

6 amictu（原形 amictus），"罩衣"。这里依据的是 Merrill 的版本，Owen（1893）版作 uncta，Garrison（1989）版作 acta。

# 附录一

# 引用文献

[以下条目中的期刊缩写：*AJP= The American Journal of Philology; CJ= The Classical Journal; CP= Classical Philology; CQ= The Classical Quarterly; CR= The Classical Review; CSCA= California Studies in Classical Antiquity; CW= Classical World; Greece & Rome= G&R; HSCP= Harvard Studies in Classical Philology; HTR= Harvard Theological Review; JRS= The Journal of Roman Studies; MPL= Museum Philologum Londiniense; PCP= Pacific Coast Philology; TAPA= Transactions and Proceedings of the American Philological Association (1897-1972) / Transactions of the American Philological Association (1974- )*]

Adams, J. N. *The Latin Sexual Vocabulary*. Baltimore: John Hopkins UP, 1982.

Angelou, M. "Catullus, C. 37, and the Theme of Magna Bella." *Helios*. 26.11 (1999): 85-97.

Baker, S. "Catullus 38." *CP*. 55 (1960): 37-38.

---. "Catullus' 'Cum Desiderio Meo.'" *CP*. 53 (1958): 243-44.

---. "The Irony of Catullus' 'Septimius and Acme.'" *CP*. 53 (1958): 110-12.

Batstone, W. W. "Catullus." *Dictionary of Literary Biography, Volume 211: Ancient Roman Writers*. Ed. Ward W. Briggs. London: Gale, 1999. 41-53.

---. "Dry Pumice and the Programmatic Language of Catullus 1." *CP*. 93 (1998): 125-35.

Bernstein, W. H. "A Sense of Taste: Catullus 13." *CJ*. 80 (1985): 127-30.

Bertman, S. "Oral Imagery in Catullus 7." *CQ*. 28 (1978): 477-78.

Braunlich, A. F. "Against Curtailing Catullus' 'Passer.'" *CQ*. 4 (1923): 349-52.

Bushala, E. W. "A Note on Catullus 106." *HSCP*. 85 (1981): 131-32.

Burgess, D. L. "Catullus c. 50: The Exchange of Poetry." *AJP*. 107 (1986): 576-86.

Cairns, F. "Catullus 1." *Mnemosyne*. 22 (1969): 153-58.

Case, B. D. "Guess who's coming to dinner: a note on Catullus 13." *Latomus*. 54 (1995): 875-76.

Christopher, N. "Num te Laeana: Catullus 60." *Phoenix*. 57 (2003): 57-63.

Commager, S. "Notes on Some Poems of Catullus." *HSCP*. 70 (1965): 83-110.

Comfort, H. "Parody in Catullus LVIIIa." *AJP*. 56 (1935): 45-49.

Copley, F. O. "Catullus, c. 1." *TAPA*. 82 (1951): 200-06.

---. "Catullus, 35." *AJP*. 74 (1953): 149-60.

---. "Catullus, c. 38." *TAPA*. 87 (1956): 125-29.

---. "Catullus 55, 9-14." *AJP*. 73 (1952): 295-97.

---. "Emotional Conflict and Its Significance in the Lesbia-Poems of Catullus." *AJP*. 70 (1949): 22-40.

Currie, B. "A Note on Catullus 63.5." *CQ*. 46 (1996): 579-81.

Debrohun, D. B. "Ariadne and the Whirlwind of Fate: Figures of Confusion in Catullus 64. 149-57." *CP*. 94 1999): 419-430.

Doering, F. G. *C. Valerii Catulli omnia opera*. London: Valpy 1822.

Dyson, M. "Catullus 8 and 76." *CQ*. 23 (1973): 127-43.

Elder, J. P. "Catullus I, His Poetic Creed, and Nepos." *HSCP*. 71 (1966): 143-49.

---. "Catullus' Attis." *AJP*. 68 (1947): 394-403.

---. "Notes on Some Conscious and Subconscious Elements in Catullus' Poetry." *HSCP*. 60 (1951): 101-36.

Ellis, R. *A Commentary on Catullus*. Oxford: Oxford UP, 1876.

Fisher, J.M. "Catullus 35." *CP*. 66 (1971): 1-5.

Fitzgerald, W. *Catullan Provocations: Lyric Poetry and the Drama of Position*. Berkeley: U of California P, 1995.

Fordyce, C. J., ed. *Catullus*. Oxford: Oxford UP, 1961.

Forsyth, P. Y. "The Marriage Theme in Catullus 63." *CJ*. 66 (1970): 66+68-69.

Fraenkel, E. "Two Poems of Catullus." *JRS*. 51 (1961): 46-53.

---. "Vesper Adest (Catullus LXII)." *JRS*. 45 (1955): 1-8.

Frank, R. I. "Catullus 51: Otium versus Virtus." *TAPA*. 99 (1968): 233-39.

Fredrick, D. "Haptic Poetics." *Arethusa*. 32 (1999): 49–83.

Fredricksmeyer, E. A. "Catullus 49, Cicero, and Caesar." *CP*. 68 (1973): 268-78.

---. "On the Unity of Catullus 51." *TAPA*. 96 (1965): 153-63.

Gaisser, J. H. "Threads in the Labyrinth: Competing Views and Voices in Catullus 64." *AJP*. 116 (1995): 579-616.

Garrison, D. H. *The Student's Catullus*. Norman: U of Oklahoma P, 1989.

Giangrande, G. "Catullus' Lyrics on the Passer." *MPL*. 1 (1975): 137-46.

Gibson, B. J. "Catullus 1.5-7." *CQ*. 45 (1995): 569-73.

Goold, G. P. , ed. *Catullus*. London: Duckworth, 1983.

---. "Catullus 3.16." *Phoenix*. 23.2 (1969): 186-203.

Greene, E. "Re-Figuring the Feminine Voice: Catullus Translating Sappho." *Arethusa*. 32 (1999) : 1-18.

Griffith, R. D. "Catullus' Coma Berenices and Aeneas' Farewell to Dido." *TAPA*. 125 (1995): 47-59.

Gugel, H. "Catull, Carmen 8." *Athenaeum*. 45 (1967): 278-93.

Hallett, J. P. "Divine unction: some further thoughts on Catullus 13." *Latomus*. 37 (1978): 747-8.

Harkins, P. W. "Autoallegory in Catullus 63 and 64." *TAPA*. 90 (1959): 102-16.

Harrison, S. J. "Hereditary Eloquence Among the Torquati: Catullus 61.209-18." *AJP*. 117 (1996): 285-87.

---. "Mythological Incest: Catullus 88." *CQ*. 46 (1996): 581-82.

Heath, J. R. "The Supine Hero in Catullus 32." *CJ*. 82 (1986): 28-36.

Jones, , Jr., J. W. "Catullus' 'Passer' as 'Passer.'" *G&R*. 45 (1998): 188-94.

Jocelyn, H. D. "On Some Unnecessarily Indecent Interpretations of Catullus 2 and 3." *AJP*. 101 (1980): 421-41.

Katz, J. T. "Egnatius' Dental Fricatives (Catullus 39.20)." *CP*. 95 (2000): 338-48.

Khan, H. A. "Catullus 45: What Sort of Irony?" *Latomus*. 27 (1968): 3-12.

---. "The Humor of Catullus, Carm. 4, and the Theme of Virgil, Catalepton 10." *AJP*. 88 (1967): 163-72.

Kilpatrick, R. S. "Image and Symbol in Catullu 17." *CP*. 64 (1969): 88-97.

---. "'Nam unguentum dabo': Catullus 13 and Servius' note on Phaon (*Aeneid* 3.279)." *CQ*. 48 (1998): 303-05.

---. "Style and Meaning in Catullus' Eighth Poem." *Latomus*. 27 (1968): 555-74.

Kinsey, T. E. "Some Problems in Catullus 68." *Latomus*. 26 (1967): 35-53.

Kitzinger, R. "Reading Catullus 45." *CJ*. 87 (1992): 209-217.

Knopp, S. E. "Catullus 64 and the Conflict between Amores and Virtutes." *CP*. 71 (1976): 207-13.

Kraemer, R. S. "Ecstasy and Possession: The Attraction of Women to the Cult of Dionysus." *HTR* 72 (1979): 55-80.

Lachman, K., ed. *Q. Valerii Catulli Veronensis Liber*. Berlin: Reimer, 1829.

Laird, A. "Sounding out Ecphrasis: Art and Text in Catullus 6." *JRS*. 83 (1993): 18-30.

Laughton, E. "Catullus 49: An Acknowledgment." *CP*. 66 (1971): 36-37.

Lee, G., ed. *The Poems of Catullus*. Oxford: Oxford UP, 1990.

Levine, P. "Catullus c. 1: A Playful Dedication." *CSCA*. 2 (1969): 209-16.

Littman, R. J. "The unguent of Venus: Catullus 13." *Latomus*. 36 (1977): 123-38.

Lyne, R. O. A. M. *The Latin Love Poets: From Catullus to Horace*. Oxford: Oxford UP, 1980.

Newlands, C. E. Rev. of *Catullan Provocations: Lyric Poetry and the Drama of Position*. *AJP*. 118 (1997): 468-70.

MacKay, L. A. "Catullus 53. 5." *CR*. 47, 6 (1933): 220.

---. "Phaselus Ille Iterum (Catullus, C. IV)." *CP*. 25 (1930): 77-78.

MacLeod, C. W. "Parody and Personalities in Catullus." *CQ*. 23 (1973): 294-303.

Merrill, E. T., ed. *Catullus*. Cambridge: Harvard UP, 1893.

Miller, P. A. "Reading Catullus, Thinking Differently." *Helios*. 27 (2000): 33-53.

Moorhouse, A. C. "Two Adjectives in Catullus 7." *AJP*. 84 (1963): 417-18.

Munro, H. A. J. *Criticisms and Elucidations of Catullus*. London: George Bell & Sons, 1905.

O'Higgins, D. "Sappho's Splintered Tongue: Silence in Sappho 31 and Catullus 51." *AJP*. 111 (1990): 156-67.

Owen, S. G., ed. *Catullus*. London: Lawrence & Bullen, 1893.

Panoussi, V. "Ego Maenas: Maenadism, Marriage, and the Construction of Female Identity in Catullus 63 and 64." *Helios*. 30 (2003): 101-26.

Pardini, A. "A Homeric Formula in Catullus." *TAPA*. 131 (2001): 109–18.

Peachy, P. "Catullus 55." *Phoenix*. 26 (1972): 258-67.

Petrini, M. *The Child and the Hero: Coming of age in Catullus and Vergil*. Ann Arbor: U of Michigan P, 1997.

Postgate, J. P. "On Catullus." *CP*. 7 (1912): 1-16.

Pratt, Jr., N. T. "The Numerical Catullus 5." *CP*. 51 (1956): 99-100.

Prescott, H. W. "The Unity of Catullus LXVIII." *TAPA*. 71 (1940): 473-500.

Putnam, M. C. J. "Catullus' Journey." *CP*. 57 (1962): 10-19.

Quinn, K. *Catullus: The Poems* .London: Macmillan, 1970.

Richardson, Jr., L. "A Note on Catullus, 64, 159." *AJP*. 84 (1963): 74-75.

---. "Catullus 4 and Catalepton 10 Again." *AJP*. 93 (1972): 215-22.

Ross, Jr., D. O. "Style and Content in Catullus 45." *CP*. 60 (1965): 256-59.

Rowland, R. L. "'Miser Catulle': An Interpretation of the Eighth Poem of Catullus." *G&R*. 13 (1966): 15-21.

Rudd, N. "Colonia and Her Bridge: A Note on the Structure of Catullus 17." TAPA. 90 (1959): 238-42.

Sandy, G. N. "The Imagery of Catullus 63." *TAPA*. 99 (1968): 389-99.

Schimidt, B., ed. *C. Valeri Catulli Veronensis Carmina*. Leipzig: Bernhard Tauchnitz, 1887.

Schmiel, R. "The Structure of Catullus 8: A History of Interpretation." *CJ*. 86 (1991): 158-66.

Scott, R. T. "On Catullus 11." *CP*. 78 (1983): 39-42.

Scott, W. C. "Catullus and Calvus (Cat. 50)." *CP*. 64 (1969): 169-73.

Shipton, K. M. W. "The Iuvenca Image in Catullus 63." *CQ*. 36 (1986): 268-70.

Singleton, D. "Form and Irony in Catullus XLV." *G&R*. 18 (1971): 180-87.

---. "A Note on Catullus' First Poem." *CP*. 67 (1972): 192-96.

Skinner, M. B. "Among those Present: Catullus 44 and 10." *Helios*. 28.1 (2001): 57-74.

---. "Catullus in Performance." *CJ*. 89 (1993): 61-68.

---. "The Dynamics of Catullan Obscenity: cc. 37, 58 and 11." *SyllClass*. 3 (1991): 1-11.

---. "Gentleman's Agreement: Catullus 103." *CP*. 76 (1981): 39-40.

---. "Iphigenia and Polyxena: A Lucretian Allusion in Catullus." *PCP*. 11 (1976): 52-61.

---. "The Unity of Catullus 68: The Structure of 68a." *TAPA*. 103 (1972): 495-512.

Smith, C. L. "Catullus and the Phaselus of His Fourth Poem." *HSCP*. 3 (1892): 75-89.

Solodow, J. B. "On Catullus 95." *CP*. 82 (1987): 141-45.

Stearns, J. B. "On the Ambiguity of Catullus XLV. 8-9 (=17-18)." *CP*. 24 (1929): 48-59.

Svavarsson, S. H. "On Catullus 49." *CJ*. 95 (2000): 131-38.

Swanson, R. A. "The Humor of Catullus 8." *CJ*. 58 (1963): 193-96.

Tatum, J. "Allusion and Interpretation in *Aeneid* 6.440-76." *AJP*. 105 (1984): 434-50.

Thomson, D. F. S. "Catullus and Cicero: Poetry and Criticism of Poetry." *CW*. 60.6 (1967): 225-30.

---. "Interpretations of Catullus: II: Catullus 95.8: 'Et Laxas Scombris Saepe

Dabunt Tunicas.'" *Phoenix*. 18 (1964): 30-36.

Townend, G. B. "The Unstated Climax of Catullus 64." *G&R*. 30 (1983): 21-30.

Tracy, S. V. "Argutatiinambulatioque (Catullus 6. 11)." *CP*. 64 (1969): 234-35.

Traill, D. A. "Catullus 63: Rings around the Sun." *CP*. 76 (1981): 211-14.

---. "Ring-Composition in Catullus 64." *CJ*. 76 (1981): 232-41.

Vandiver, E. "Hot Springs, Cool Rivers, and Hidden Fires: Heracles in Catullus 68.51-66." *CP*. 95 (2000): 151-59.

van Sickle, J. B. "About Form and Feeling in Catullus 65." *TAPA*. 99 (1968): 487-508.

Vessey, W. T. C. "Thoughts on Two Poems of Catullus, 13 and 20." *Latomus*. 30 (1971): 45-55.

Vine, B. "On the 'Missing' Fourth Stanza of Catullus 51." *HSCP*. 94 (1992): 251-58.

Warden, J. "Catullus 64: Structure and Meaning." *CJ*. 93 (1998): 397-415.

Weiss, M. "An Oscanism in Catullus 53." *CP*. 91 (1996): 353-359.

Williams, G. *Tradition and Originality in Roman Poetry*. Oxford: Clarendon Press, 1968.

Witke, C. "Verbal Art in Catullus, 31." *AJP*. 93. (1972): 239-51.

Wohlberg, J. "The Structure of the Laodamia Simile in Catullus 68b." *CP*. 50 (1955): 42-46.

Wormell, D. E. W. "Catullus as Translator." *The Classical Tradition: Literary and Historical Studies in Honor of Harry Caplan*. Ed. L. Wallach. Ithaca: Cornell UP, 1966. 187-201.

Zetzel, J. E. G. "Catullus." *Ancient Writers: Greece and Rome*. Vol.2. Ed. T. J. Luce. New York: Scribner, 1982. 643-67.

# 附录二

# 《歌集》格律简介

古罗马诗歌不押韵，但有格律，格律以音节的长短为基础，下面简单介绍列出《歌集》中涉及的格律。其中 ▬ 代表一个长音，〜 代表一个短音，符号上下重叠表示可替换（一长音等于两短音），‖ 代表行中停顿，X 代表行末音节可长可短。本部分主要参考了 Garrison（1989）的著作。

一、扬抑格六音步（dactylic hexameter，例如第 64 首）：

▬ ⌣⌣ ▬ ⌣⌣ ▬ ‖ ⌣⌣ ▬ ⌣⌣ ▬ ⌣⌣ ▬ X

二、哀歌双行体（elegiac couplets，例如第 76 首）：

第一行 ▬ ⌣⌣ ▬ ⌣⌣ ▬ ‖ ⌣⌣ ▬ ⌣⌣ ▬ ⌣⌣ ▬ X

第二行 ▬ ⌣⌣ ▬ ⌣⌣ ▬ ‖ ⌣⌣ ▬ ⌣⌣ ▬ X

三、Galliambic（第 63 首）：

⌣⌣ ▬ ⌣ ▬ ⌣ ▬▬ ‖ ⌣⌣ ▬ ⌣⌣ ⌣⌣ X

四、Glyconic 与 Pherecratean 合用（第 34 首和第 61 首）：

Glyconic ▬ ⌣ ▬ ⌣⌣ ▬ ⌣ X

Pherecratean ▬ ⌣ ▬ ⌣⌣ ▬ X

五、Greater Asclepiadean（第 30 首）：

‾ ‾ ‾ ⌣⌣ ‾ ‖ ‾ ⌣⌣ ‾ ‖ ‾ ⌣⌣ ‾ ⌣ X

六、十一音节体（hendecasyllabic，例如第 1 首）：

⌣
‾ ⌣ ‾ ⌣⌣ ‾ ‾ ⌣ ‾ ⌣ ‾ X

七、抑扬格六音步（iambic senarius，第 4 首和第 29 首）：

⌣ ‾ ⌣ ‾ ⌣ ‾ ⌣ ‾ ⌣ ‾ ⌣ X

八、Iambic tetrameter catalectic（第 25 首）：

⌣ ‾ ⌣ ‾ ⌣ ‾ ⌣ ‾ ‖ ⌣ ‾ ⌣ ‾ ⌣ ‾ X

九、抑扬格三音步（Iambic trimeter，第 52 首）：

⌣ ‾ ⌣ ‾ ⌣ ‖ ‾ ⌣ ‾ ⌣ ‾ ⌣ ‾ ‾

十、Limping iambics（又名 choliambics 或 scazons，例如第 31 首）：

⌣ ‾ ⌣ ‾ ⌣ ‾ ⌣ ‾ ⌣ ‾ ‾ X

十一、Priapean（第 17 首）：

‾
‾ ⌣ ‾ ⌣⌣ ‾ ⌣ ‾ ‖ ‾ ⌣ ‾ ⌣⌣ ‾ X

十二、Sapphic strophe（第 11 首和第 51 首）：

⌣
前三行 ‾ ⌣ ‾ ‾ ‾ ‖ ⌣⌣ ‾ ⌣ ‾ ‾

第四行 ‾ ⌣⌣ ‾ X